D1310606

TRAITÉ DU GOUVERNEMENT CIVIL

*Du même auteur
dans la même collection*

LETTRE SUR LA TOLÉRANCE ET AUTRES TEXTES

JOHN LOCKE

TRAITÉ DU GOUVERNEMENT CIVIL

Traduction
de
David Mazel

Introduction, bibliographie, chronologie et notes
par
Simone Goyard-Fabre

Publié avec le concours
du Centre national des Lettres

GF Flammarion

Deuxième édition corrigée
© Flammarion, Paris, 1984 et 1992 pour cette édition.
ISBN 978-2-0807-0408-5

A Pierre

« C'est pour lire Locke, et non Sha-
kespeare, que les Français vont
s'appliquer à apprendre l'anglais. »

Ch. Bastide[1]

« La *Déclaration des Droits de
l'Homme* a eu en Locke un de ses
premiers inspirateurs. »

J. Fabre[2]

1. Charles Bastide, *John Locke, ses théories politiques et leur influence en Angleterre*, Paris, 1906, p. 114.
2. Jean Fabre, *Les Pères de la Révolution*, Paris, 1910, p. 40.

INTRODUCTION

LA VIE DE JOHN LOCKE

1632-1704

John Locke est né 44 ans après Hobbes
                  36 ans après Descartes
                  24 ans après Milton
                  la même année que Spinoza et
                  Pufendorf
                  10 ans avant Newton
                  14 ans avant Leibniz.
A sa mort, en 1704, Berkeley avait 20 ans
                  Voltaire avait 10 ans.
                  Hume est né 7 ans après la mort de
                  Locke ;
                  Kant est né 20 ans après cette mort.
Locke avait 17 ans lorsque Charles Ier fut exécuté ; il
avait 57 ans lorsque Guillaume d'Orange devint roi.

La vie de John Locke, né le 29 août 1632 à Wrington, près de Bristol, dans le Somerset, et mort le 27 octobre 1704 à Oates, dans l'Essex, coïncide avec un chapitre essentiel de l'histoire d'Angleterre. Bien qu'il n'ait, à aucun moment, assumé de magistrature ou de fonction civile officielle, son nom demeure attaché, en matière politique, à la seconde révolution d'Angleterre, cette *Glorious Revolution* qui fait date dans l'histoire de la liberté des peuples. C'est pourquoi Locke qui, selon la chronologie, appartient au XVIIe siècle, est déjà, du

point de vue philosophique, un penseur politique du
XVIIIᵉ siècle. En effet, par-delà « la crise de la conscience européenne » que P. Hazard situe entre les
années 1685 et 1715, la période de mutation intellectuelle qui correspond aux Lumières françaises est profondément marquée par « les idées anglaises ». La
philosophie du XVIIIᵉ siècle porte l'empreinte de la
pensée de Locke, parce que le philosophe anglais, en
renonçant à la métaphysique, « a proposé à la recherche
le monde borné que nos sens peuvent atteindre[1] », et
parce que, au-delà de l'observation des hommes et de
l'expérience de l'histoire, il a compris que la balance
des droits et des devoirs conditionne nécessairement,
dans l'état civil, la promotion de l'homme en citoyen :
la liberté, chère au cœur humain, est à ce prix.

La vie de Locke ne fut pas ponctuée d'événements
extraordinaires. Elle fut modeste et placée sous le signe
du travail. Cependant, elle ne fut pas simple[2].

1. L'enfance et la formation intellectuelle

John naquit dans une famille aisée du Somerset. Son
grand-père était l'un de ces riches commerçants comme
en comptait l'Angleterre du XVIIᵉ siècle[3]. Son père,

---

1. P. Hazard, *La Crise de la Conscience européenne*, Paris, Gallimard, 1968, tome II, p. 15-18.
2. Sur cette vie, voir :
Lord Peter King (descendant de Locke et possesseur de nombreux
manuscrits) : *Life of John Locke*, Londres, 2 vol., 1829.
H. R. Fox Bourne : *The Life of John Locke*, Londres, 2 vol., 1876.
M. Cranston : *John Locke, a biography*, Londres, 1957. Excellent
ouvrage.
3. L'Angleterre était, au début du XVIIᵉ siècle, un pays où,
bénéficiant encore du règne d'Élisabeth (morte en 1603), l'élevage,
l'industrie et le commerce s'étaient considérablement développés. En
matière de commerce, elle avait, en particulier, hérité du commerce
flamand puisque Londres, où un tiers des négociants d'Anvers
s'étaient établis, était devenu l'un des plus grands entrepôts d'Europe, que la Bourse de Londres était florissante, que les marchands
anglais étaient très entreprenants et sillonnaient les mers jusqu'au
Levant.
Au demeurant, la population anglaise était peu nombreuse et ne
dépassait guère cinq millions d'habitants. S'il y avait beaucoup
d'indigents, il y avait aussi de riches propriétaires terriens (les

conseiller juridique auprès des magistrats locaux, avait épousé la fille d'un tanneur de la région. De neuf ans plus âgée que lui, elle lui donna un fils, John, qui fut l'aîné de cette famille heureuse où chacun travaillait fort, mais où, « dans une atmosphère d'austérité et de discipline[1] », l'on ne connut pas vraiment de problèmes.

Néanmoins, John sut très tôt ce qu'est la guerre. La guerre civile éclata alors qu'il avait dix ans. Il vit son père s'enrôler dans l'armée « parlementaire » comme capitaine de cavalerie auprès d'un magistrat devenu colonel, Alexander Popham. Il n'accomplit pas d'actions d'éclat ; mais son chef militaire devint le protecteur de son fils aîné et, lorsque, quelques années plus tard, Westminster School fut placée sous l'égide du Parlement, Alexander Popham y trouva une place pour son jeune protégé qui y entra comme boursier. Dans l'atmosphère austère que faisait régner au Collège la férule de Richard Busby, il eut comme condisciples le poète Dryden et le théologien Robert South ; W. Godolphin, qui devint homme d'État et à qui Hobbes devait dédier son *Léviathan*, y fut son ami. Les études étaient arides ; Locke n'en garda pas un très bon souvenir. Mais ce qu'il n'oublia pas, c'est la fermentation qui s'emparait des esprits des collégiens lorsque les nouvelles de l'extérieur apportaient les clameurs de l'émeute. Cromwell, en effet, arrivait à Londres.

La jeunesse de Locke porta ainsi l'empreinte de la première révolution d'Angleterre — celle qui effraya Hobbes au point de l'inciter à un exil volontaire et qui, sous l'influence d'Olivier Cromwell, s'acheva en 1649 par la condamnation à mort de Charles Ier Stuart. Il conservera toujours vivace le souvenir de la mutation intellectuelle et morale qui accompagna la révolution politique et marqua sa génération. Bien que son père n'ait pas joué de rôle important en cette affaire, il n'en avait pas moins toujours été délibérément hostile aux

landlords), et dix mille familles environ de marchands au revenu confortable.

1. Cranston, *op. cit.*, p. 9.

« loyalistes », fidèles à la Couronne et à l'anglicanisme, et partisan convaincu de cette faction dure de l'armée qui applaudit à l'abolition de la royauté et à la proclamation de la République. Il était d'autant moins indifférent aux tendances « niveleuses[1] » qui se propageaient en Angleterre qu'il s'intéressait aux questions économiques. Entre 1640 et 1649, Locke n'était assurément qu'un enfant ; mais il était suffisamment intelligent pour comprendre l'importance que l'armée et le Parlement avaient prise dans l'État et le danger que constituait une monarchie absolue lorsqu'elle n'obéit qu'à l'arbitraire du prince. Aussi l'adolescent fut-il frappé par les termes du procès-verbal que, sous la présidence de Bradshaw, la Chambre des Communes établit en 1649, au lendemain de la proclamation de la République. On y pouvait lire que « le *peuple* d'Angleterre et de tous les territoires et dominions y ressortissant était constitué comme *République* et *État libre* et serait désormais gouverné (...) par la suprême autorité de cette nation, les représentants du peuple dans le Parlement et par ceux qu'ils désigneraient et constitueraient comme officiers et ministres pour le bien du peuple, et cela sans aucun Roi ni Chambre des Lords ». Locke, jamais, n'oublia cette déclaration. Le *Second Traité du Gouvernement civil*, publié en 1690, conserve le souvenir de ce texte qui, quarante années auparavant, esquissait une révolution constitutionnelle.

Au demeurant, John Locke ne participa ni de près ni de loin aux événements qui suivirent la proclamation de la République. Jusqu'en 1653, une oligarchie religieuse et militaire, constituée par les Indépendants de religion protestante et par l'armée, gouverna l'Angleterre. Aux côtés du Parlement croupion, siégeait le Conseil d'État où quarante et un membres élus par la Chambre — Cromwell en faisait partie — composaient l'organe exécutif. En fait, une minorité détenait le pouvoir par la force. Les épineuses questions d'Irlande et d'Écosse[2]

---

1. Cf. *infra*, p. 34 sq.
2. L'Irlande était catholique et royaliste ; elle résista farouchement à Cromwell. Pour la soumettre, il mit l'île à feu et à sang ; les tueries de Drogheda, en 1649, furent épouvantables. Il confisqua les biens de tous les catholiques ; les autres Irlandais, réduits à la

amenèrent peu à peu Cromwell à l'idée de prendre pour lui le pouvoir suprême. En accord avec une trentaine d'officiers, et malgré les protestations du poète Milton qui défendait la Couronne et le Parlement traditionnels aussi bien que du juriste Bradshaw qui déclarait le Parlement indissoluble, Cromwell décida de dissoudre le Parlement : le coup d'État du 30 avril 1653 installa une dictature qui dura jusqu'à la mort du Lord Protecteur, en 1658. Son fils Richard lui succéda, mais abdiqua huit mois plus tard.

A cette date, Locke était étudiant à Oxford où il était arrivé en 1652, après une excellente scolarité qui, à Westminster School, lui avait fait gagner le titre de *King's Scholar*. Le climat de Christ Church était différent de celui qu'il avait connu auparavant : à Westminster School, et malgré l'influence exceptionnelle de Richard Busby, qui était royaliste, l'esprit parlementaire triomphait et la discipline du puritanisme s'imposait ; Christ Church, au contraire, se trouvait dans le camp des royalistes ; on n'y aimait guère non plus l'inclination calviniste qui prévalait dans les milieux universitaires. Le doyen John Owen, qui redonna à l'Université le lustre qu'elle avait perdu au temps des luttes civiles, possédait un large esprit de tolérance auquel Locke fut sensibilisé, beaucoup plus, semble-t-il, qu'à des études qui ne l'intéressaient que médiocrement : la forme scolastique de la *disputatio* que l'on y pratiquait lui paraissait être un vain bavardage ; l'enseignement théologique nécessaire à la cléricature qui était le débouché normal des étudiants de l'École était loin de séduire son esprit tenté par de plus vastes horizons. Quoi qu'il en soit, Locke devint *Senior Student* en 1659. En 1660, on lui demanda de donner des cours de grec, et, en 1662, d'enseigner la rhétorique à l'École même ;

condition de tenanciers travaillant pour des propriétaires anglais, préférèrent l'exil à l'esclavage. Beaucoup quittèrent le pays. D'autres se réfugièrent dans les montagnes. La question d'Irlande était née. — En Écosse, Cromwell se heurta également à la résistance de Charles II, fils aîné de Charles Ier ; mais il fut vaincu et dut finalement accepter l'union avec l'Angleterre.

un an plus tard, il devenait censeur en philosophie morale. Mais il s'intéressait surtout aux disciplines scientifiques — il suivait les conférences du mathématicien Wallis sur la géométrie ; il se passionnait pour l'astronomie de Seth Ward. Il avait rencontré des savants comme l'économiste W. Petty et le physicien Robert Boyle. Il aimait leur esprit d'observation, leur sens de l'expérience, hérité de Bacon. Leur penchant au latitudinarisme que, déjà, les Platoniciens de l'Université de Cambridge enseignaient, n'était pas sans lui plaire. Sans rien perdre de sa piété, Locke s'éloignait chaque jour davantage de l'ancien puritanisme familial. Mais, tout spécialement, la médecine l'attirait, surtout celle qui se développait dans le Cercle d'Oxford d'où était née, en 1660, la *Royal Society*. Locke n'acquit jamais le titre de docteur en médecine ; mais, à travers la science médicale qu'il avait étudiée et qu'il ne dédaignait pas de mettre au service de ses amis, il voyait l'occasion de parfaire sa connaissance de l'homme et de son comportement.

En matière politique, Locke ne se sentait nullement l'âme d'un militant. Il était même à cette époque très éloigné des positions prises par le parti des Parlementaires. Le Protectorat n'avait pas ses faveurs et il se sentait proche des idées de Hobbes. Il faut donc entendre avec réserve la thèse de H. R. Fox Bourne selon laquelle Locke fut toujours enclin au libéralisme[1]. Il est vrai qu'il avait composé, au cours de sa seconde année d'études, deux poèmes[2], l'un en vers anglais, l'autre en vers latins, à la louange de Cromwell. Néanmoins, il nourrissait pour l'un de ses maîtres, le royaliste Pococke, une sincère admiration qui devint plus tard une franche amitié. En février 1660, il perdit son père ; son frère Thomas disparut peu après. Alors, il se

---

1. Fox Bourne, *The Life of John Locke*, tome I, p. 147. Sur le « hobbisme » du premier Locke, cf. N. Bobbio, *Locke e il diritto naturale*, Turin, 1963, p. 110-115 et « Studi lockiani », *Da Hobbes a Marx*, Naples, 1964, p. 75-128.
2. Cf. Ch. Bastide, *John Locke : ses théories politiques et leur influence en Angleterre*, Paris, 1906, p. 13.

sentit comme délié de l'opinion parlementaire qui avait toujours été celle de sa famille et ses idées libérales étaient à cette date plus qu'hésitantes. Maurice Cranston a établi que le pamphlet daté de 1661 et intitulé *Reflections on the Roman Commonwealth*, où s'exprime une pensée libérale, n'a pas été écrit, contrairement à ce que l'on a longtemps soutenu, par Locke mais par un certain Walter Moyle. En revanche, à cette même date et alors que la mort de Cromwell lui apparaissait comme le signe de l'impuissance du régime libéral des Indépendants, Locke répondait par un libelle significatif à Edward Bagshawe, étudiant, comme lui, à Christ Church. Le texte n'a pas été publié. En fait, il s'agit de deux essais, l'un en anglais[1], l'autre en latin[2], dans lesquels il se réjouit de la restauration de Charles II et défend avec fougue l'autorité des rois et l'obéissance des sujets[3]. Ce factum étant demeuré sous forme manuscrite, on oublie la proximité de la pensée qu'il exprime et de la philosophie politique de Hobbes. Locke n'en défend pas moins — même si cela lui paraît peu compatible avec son exigence intime de tolérance — comme l'auteur du *Léviathan*, une politique autoritaire, seule génératrice d'ordre et de droit. Il a donc bien traversé une période anti-libérale et, lors même qu'il récusait l'étiquette de « hobbiste » et se défendit toute sa vie d'en avoir subi l'influence, l'ombre de Hobbes planait bien, à cette époque, sur sa réflexion politique.

En 1666, Locke partit en Brandebourg comme secrétaire d'ambassade de sir Walter Varre auprès de qui l'avait introduit son condisciple de Westminster

---

1. Le titre est : *Whether the Civil Magistrate may lawfully impose and determine the use of indifferent things in reference to religious worship.* J. W. Gough en cite de courts passages *in Locke's political Philosophy*, Oxford, 1950 ; dans son Introduction aux *Essays on the Law of Nature*, W. von Leyden, 1954, en a analysé les grandes lignes.

2. Le titre exact est : *An magistratus civilis possit res adiaphoras in divini cultus ritus asciscere, eosque populo imponere?* Il n'a que quelques pages manuscrites.

3. Sur ces deux textes, cf. R. Polin, « Locke et le libéralisme », Appendice de *La Politique morale de John Locke*, P.U.F., 1960, p. 237-250.

School, W. Godolphin. De retour en Angleterre à la fin de sa mission, il refusa un autre poste de secrétaire d'ambassade en Espagne et s'installa à Oxford. C'est là qu'au cours de l'été 1666, il eut à soigner lord Ashley. Les deux hommes se lièrent d'une amitié que, seule, la mort devait trancher. Lord Ashley n'était pas encore le chef d'un parti d'opposition. Mais il avait un tempérament de lutteur. Député au Parlement, homme politique remuant, il ne faisait pas mystère de son hostilité à tout pouvoir despotique et avait été ouvertement l'ennemi de Charles Ier aussi bien que du général Lambert ; en 1659, après l'abdication de Richard Cromwell, il soutint le général Monk, chef de l'armée d'Écosse et se fit le défenseur de la légalité. Dans un pays où religion et politique sont étroitement associées, il se présenta toujours comme l'apôtre de la tolérance et, avec un esprit de liberté sans mélange, il s'était déjà opposé, lorsque Locke le connut, à toutes les mesures gouvernementales destinées à faire ployer les non-conformistes. Locke, qui l'accompagna en qualité de secrétaire lors de plusieurs missions à l'étranger, préféra, un temps, demeurer à Oxford afin d'y poursuivre les études médicales qu'il avait entreprises. Ami du physicien Robert Boyle, il l'aida dans divers travaux de recherche. Puis il devint le médecin particulier de lord Ashley. A trente-quatre ans, il s'installa avec lui dans la capitale, à Exeter House. Deux ans plus tard, il était élu membre de la *Royal Society*. Là, grâce à deux traités médicaux — l'*Anatomica* (1668) et un *De Arte Medica* (1669) — il acquit un indéniable prestige. Il ne cachait pas ses préférences pour les sciences d'observation, allant jusqu'à qualifier la pure spéculation d'« occupation de désœuvré » ! Il vantait la finalité utilitaire du savoir, accordant prévalence à l'art des praticiens plutôt qu'à la science théorique. Au cours d'une conversation, il fit remarquer de façon fortuite à son ami James Tyrrell[1] que « les principes de la morale et de la religion

1. Locke avait connu James Tyrrell alors qu'il était jeune avocat à Oxford. En 1688, Tyrrell contribua à la révolution qui installa Guillaume d'Orange sur le trône abandonné par Jacques II. Cf. *infra*, p. 42.

révélée » ne peuvent être établis solidement avant
d'« examiner notre propre capacité et de voir quels
objets sont à notre portée ou au-dessus de notre
compréhension ». Telle fut l'intuition originaire de
l'*Essai concernant l'entendement humain*, qui ne devait
paraître qu'en 1690. D'ores et déjà, Locke était le
philosophe de l'entendement humain. Cependant, dans
les années qui suivirent, il n'eut que bien peu de loisirs,
dans une carrière mouvementée, pour affiner et affirmer ses idées.

2. *L'influence du comte de Shaftesbury*

Lorsque lord Ashley fut élevé à la pairie et devint
premier comte de Shaftesbury[1], il demanda à Locke de
remplir diverses fonctions publiques relatives, entre
autres, aux bénéfices ecclésiastiques et au commerce.
Locke accepta. Il travailla comme secrétaire attitré de
Shaftesbury jusqu'en 1675, non sans subir les contre-
coups des tribulations de sa carrière politique agitée.
Cela, assurément, ne suffit pas à décider des idées de
Locke. Mais, alors que, au cours des années passées à
Christ Church, il conférait à l'obligation politique le
visage de l'obéissance et définissait la citoyenneté en
termes hobbiens, il composa, dès 1666, un *Essai sur la
tolérance* dans lequel il déclarait explicitement que la
tolérance était pour les gouvernants un devoir politique. La tolérance, disait-il, doit se manifester envers
tous les non-conformistes, c'est-à-dire tous ceux qui,
puritains, presbytériens, catholiques ou papistes,
n'acceptent pas l'*Acte d'uniformité* destiné à pacifier les
consciences par la soumission générale à l'anglicanisme
ainsi haussé au niveau de religion d'État. Locke entrevoyait nettement les incidences politiques de ce problème éthique[2] : il s'agit bien d'un acte de foi dans la

---

1. Lord Antony Ashley Cooper (1621-1683) est le grand-père du
troisième comte de Shaftesbury, le philosophe sentimentaliste (1671-
1713) dont Diderot traduisit l'*Essai sur le mérite et la vertu* et dont
l'influence sur Rousseau fut considérable.
2. Shaftesbury adressera au roi, en 1669, un *Mémoire sur la liberté
des cultes dissidents*, dans lequel seront développées les mêmes thèses.

liberté des citoyens et d'une option en faveur d'une politique libérale du pouvoir civil. La tentation hobbienne du *Civil Magistrate* de 1660 était définitivement dépassée. A la même époque, Locke, à la demande de Shaftesbury, travailla à la rédaction du texte des *Constitutions de la Caroline*, colonie d'Amérique que le comte partageait en copropriété avec quelques autres seigneurs. Le texte — promulgué en 1670 et abrogé en 1693 — est, à bien des égards, désuet[1] par ses relents de féodalisme. Pourtant, on y trouve le souci de maintenir « la balance du gouvernement », ce qui sera une idée-force des théories libérales ultérieures. Aussi bien comprend-on que, dans ces conditions, Locke ait été ébranlé par la politique de tolérance qu'adopta le gouvernement de Charles II en promulguant, en 1672, l'année même où Shaftesbury devenait Chancelier, une déclaration d'indulgence qui supprimait les sanctions prises à l'encontre des dissidents puritains et des catholiques. Bien que la politique anglaise ait alors été vacillante, Locke trouvait un stimulant dans ses relations avec Shaftesbury. A travers l'action du Chancelier, il scrutait les difficultés que soulevait l'inimitié latente entre protestants et catholiques dans un pays où tout acte politique est imprégné de signification religieuse et tout comportement religieux pétri de desseins politiques... Il pouvait alors s'interroger sur les fondements d'une liberté dont il mesurait l'importance pour la condition humaine.

Toutefois, ces considérations d'éthique politique étaient loin d'épuiser alors l'activité intellectuelle de Locke. Pendant les années passées, de 1672 à 1675, auprès du chancelier Shaftesbury, Locke s'intéressa à la philosophie de Descartes, à la physique de Thomas Sydenham ; il s'ouvrit à l'économie politique que W. Petty lui avait fait entrevoir ; il comprit les mérites de la jeune méthode clinique qu'enseignait l'université de Montpellier. A cette époque, et conformément à son

---

1. Ce texte a été traduit par B. Gilson et donné à la suite du *Second Traité du Gouvernement civil*, Vrin, 1967, p. 223-246.

intuition première, il traça plusieurs esquisses pour son *Essai concernant l'Entendement humain*. Malgré ces intérêts multiples, la vie agitée de Shaftesbury le forçait à demeurer vigilant en matière politique. Et, lorsqu'en 1675, le roi d'Angleterre mit fin aux fonctions de son Chancelier, accusé de républicanisme, Locke suivit son ami en France où il demeura jusqu'en 1679.

Il séjourna d'abord pendant deux ans à Montpellier, à la fois pour soigner une santé fragile et pour suivre des cours de médecine. Puis, on le retrouve pendant un peu plus d'un an à Paris où il remplit des fonctions de précepteur auprès du fils de l'un des amis de Shaftesbury. Après un nouveau séjour à Montpellier et un bref passage à Paris[1], il rentra à Londres où, sous la pression de l'opinion, Charles II avait dû restituer à Shaftesbury la charge de Chancelier. Le climat politique était alors très tendu, la question de la succession au trône opposant, une fois de plus, le protestantisme du monarque au catholicisme de son frère, prétendant légitime à la Couronne. Après bien des péripéties, Shaftesbury, leader de l'opposition au Roi, fut enfermé à la Tour de Londres pour avoir soutenu les prétentions de Monmouth, fils bâtard de Charles II et protestant. Libéré une fois encore sous la pression du peuple, le Chancelier quitta Londres pour Oxford. Arrêté, jugé et finalement acquitté, Shaftesbury s'embarqua pour les Pays-Bas, où il mourut en janvier 1683. Locke écrivit son épitaphe.

3. *L'exil et la Révolution*

C'est au cours de la période où il connut l'exil et la peur que Locke conçut ses *Deux traités du gouvernement civil*. Certes, il en différa la publication huit années durant. Son amitié avec Shaftesbury l'avait rendu suspect. On murmurait qu'avec le chancelier déchu, il

1. Sur les séjours de Locke en France, cf. Gabriel Bonno, *Les Relations intellectuelles de Locke avec la France*, Berkeley et Los Angeles, 1955.

avait participé à des négociations secrètes dirigées
contre le Roi. N'avait-il pas, lui aussi, gagné la Hollande, terre d'asile des huguenots persécutés[1] ? Il passa
même comme tout à fait indésirable aux yeux des
autorités anglaises, si bien qu'au printemps de 1685,
après l'accession au trône de Jacques II, le colonel
Skelton, envoyé du Roi à La Haye, le coucha sur une
liste de présumés coupables de complot envers le
Royaume et le Prince. Locke dut se cacher. Sous le faux
nom de Van der Linden, il trouva refuge à Amsterdam,
chez le docteur Veen. L'orage fut rude pour lui. Et,
tandis que Charles II, puis Jacques II, imposaient à
l'Angleterre un régime de persécutions et de terreur, il
mesurait les effets de l'intolérance et s'interrogeait,
comme Jean Le Clerc, Basnage et Bayle[2], sur la question du droit de résistance.

On voit donc que la politique retenait largement
l'attention de Locke. La Révolution de 1688 ne pouvait
pas le surprendre. Non seulement il avait suivi avec
soin le cours des événements en Angleterre — l'intolérance de Jacques II condamnant à mort certains adversaires des Stuarts et la faveur grandissante de son
propre gendre, le stathouder des Pays-Bas Guillaume
d'Orange — mais il est probable que, par l'intermédiaire du comte de Peterborough, lord Mordaunt, il
ait été l'un des conseillers politiques de Guillaume
d'Orange. Il ne prit cependant pas de part active à la
Révolution. Lorsqu'en novembre 1688, Guillaume
s'embarqua pour Torbay, Locke demeura à Rotterdam.
Son ami Jean Le Clerc le déclara « plus timide que
courageux ». En fait, il était malade. C'est seulement en
février 1689 qu'il put regagner l'Angleterre ; il y partit

---

1. « Savez-vous, écrivait déjà Descartes, un autre pays où l'on
puisse jouir d'une liberté si entière ? » (Baillet, tome III, chap. 1.) Le
Prince d'Orange avait sans doute fait massacrer les frères de Witt,
mais les Pays-Bas étaient le havre de la liberté de conscience.
2. Ch. Bastide remarque toutefois que le *Commentaire philosophique* de Bayle *sur le Compelle intrare* n'eut pas d'influence sur la
composition de l'*Epistola de Tolerantia, op. cit.* p. 97-98. Le dessein
des deux auteurs n'est pas le même : le souci de Locke est plus
« politique » que celui de Bayle.

en compagnie de la princesse Mary, devenue reine sous le nom de Marie II Stuart. La *Déclaration des Droits*, lue solennellement le 13 février 1689[1], en présence du Parlement, à Marie et à Guillaume d'Orange, lui apportait une grande satisfaction ; en elle, triomphaient ses propres idées. La conséquence juridique essentielle de cette déclaration était de substituer à la monarchie absolue, creuset d'injustices et de violences arbitraires, une monarchie constitutionnelle puisant sa légitimité dans le peuple et garantissant par là même les citoyens contre les abus du pouvoir. La tradition anglaise héritée de la *Magna Carta* de 1215 était sauve ; et l'ère des libertés s'ouvrait, riche de promesses.

Guillaume III d'Orange, qui tenait Locke en haute estime, lui proposa un poste d'ambassadeur auprès de Frédéric III, électeur de Brandebourg. Instruit par son expérience antérieure, Locke n'aimait pas la diplomatie. De surcroît, il n'était pas en bonne santé. Il déclina l'offre, se contentant de remplir des charges plus modestes : celle de Commissaire des Appels en mai 1689 ; puis celle, plus effacée encore, de Commissaire au Commerce et aux Plantations.

Au lendemain de son retour en Angleterre, il s'occupa enfin de la publication de ses œuvres. En mars 1689, il publia, en latin, à Gouda, en la dédiant à Limborch, son *Epistola de Tolerantia*. La même année, parut la traduction anglaise de cette lettre. Puis, parurent coup sur coup, en février 1690, les *Deux traités du Gouvernement civil* et, en mars, l'*Essai concernant l'Entendement humain*. A elle seule, la date de publication des traités politiques indique que ces textes ne peuvent être la justification *a posteriori* de la *Glorious Revolution*, tout juste vieille de quelques semaines. Comme les écrits sur la tolérance et comme l'*Essai sur l'entendement humain*, les traités politiques ont été médités pendant de longues années avant d'être livrés au public. S'il est vrai qu'ils expriment le point de vue officiel des whigs, ils expriment surtout la conviction

---

1. Cf. Appendice, p. 357, le texte de la *Déclaration*.

d'une vie de réflexion politique et d'engagement intellectuel au service de la liberté. L'histoire politico-religieuse du XVIIᵉ siècle finissant en constitue bien la toile de fond. Mais la politique qu'ils exposent résulte du long cheminement d'une pensée dont la préoccupation fondamentale est la liberté morale des hommes.

4. La fin d'une vie

Tout en exerçant ses modestes fonctions, Locke compléta son œuvre par divers écrits consacrés aux problèmes de la monnaie et du taux d'intérêt. Il s'occupa de pédagogie et, surtout, il eut à cœur de répondre aux critiques adressées, en matière religieuse principalement, à l'*Essai concernant l'entendement humain*.

Ses poumons, de plus en plus fragiles, ne lui permettaient d'habiter, selon son souhait, ni Westminster ni la banlieue de Londres. Il partit donc pour l'Essex et s'installa à Oates, dans la demeure de lady Masham, à qui le liait une vieille et solide amitié en laquelle se projette l'ombre du philosophe Ralph Cudworth[1].

Locke s'éteignit le 27 octobre 1704, entouré de la sollicitude de ses amis.

Sans doute n'a-t-il pas cru davantage à la liberté absolue qu'à la connaissance absolue. Mais c'est en montrant les limites qu'imposent nécessairement les sociétés civiles à la liberté des hommes qu'il en a dégagé le sens et la valeur. En indiquant les vertus et le prix de la liberté, le libéralisme de Locke démontre que l'absolu n'est pas le lieu de l'homme : pas plus en politique qu'ailleurs.

---

1. Lady Masham, épouse de Francis Masham, était la fille de Cudworth, platonicien de Cambridge.

LES TRAITÉS POLITIQUES DE LOCKE

En mars 1690, paraissait à Londres, chez Awnsham Churchill, un in-8° intitulé *Two Treatises of Government. In the former the false principles and foundations of Sir Robert Filmer and his followers are detected and overthrown. The latter is an Essay concerning the true Original, Extent and End of Civil Government.* L'ouvrage était anonyme. Mais personne n'en ignora l'auteur.

Peter Laslett, qui a donné de cette œuvre, en 1960, une remarquable édition critique, a pu, après de minutieuses recherches, établir deux points importants : d'une part, Locke n'a pas composé cette œuvre politique au moment de la *Glorious Revolution* avec la double intention de condamner l'absolutisme de Jacques II et de justifier l'entreprise de Guillaume d'Orange et de ses amis whigs. Dès 1680, il avait tracé la première esquisse de son traité. Sans vouloir alors inscrire cette esquisse dans un cadre conjoncturel, il en avait néanmoins trouvé l'occasion et le prétexte dans la campagne que menait Shaftesbury contre le futur Jacques II, le catholique duc d'York, frère du Roi, qui briguait la succession au trône. Mais Locke entendait, comme l'avait fait Hobbes dans le *De Cive* (1642) et le *Léviathan* (1651), dépasser l'événement pour se hausser au niveau d'une réflexion philosophique sur les problèmes politiques généraux. La parution, en 1680, de la

Patriarcha de sir Robert Filmer, l'y invitait d'ailleurs en exposant la redoutable intrication des questions politiques, morales et religieuses. Locke n'a donc jamais voulu être le militant ou le porte-parole d'un parti politique. Esprit assurément engagé dans le combat des idées, il n'en demeure pas moins philosophe et théoricien : au-delà d'une situation singulière et concrète, c'est en termes abstraits, quoique non dépourvus d'un souci d'utilité, que, dès le principe, il a voulu s'exprimer. — D'autre part, P. Laslett fait remarquer que le texte publié en 1690 est constitué par deux fragments d'un plus ample ouvrage projeté par le philosophe et auquel il fait allusion dans la *Préface* des *Deux Traités*. Le grand œuvre prévu aurait pu s'inscrire aux côtés de la vaste fresque envisagée par Hobbes sous le titre d'*Elementa philosophiæ* ou des *Institutions politiques* dont Rousseau caressera plus tard le dessein. Mais une partie de ce gros traité s'est perdue, que Locke lui-même n'a pas pu utiliser. Toujours d'après P. Laslett[1], il n'est nullement impossible que le *Second Traité* ait été rédigé avant le premier, ce qui ne manque pas de rappeler la composition par Thomas More des deux livres de l'*Utopia*. Il n'est pas non plus déraisonnable de penser que ce soient ces deux textes conjoints qui, sous le titre *De Morbo Gallico*, aient circulé sous forme manuscrite parmi les amis de Locke, comme, en 1640, avaient circulé sous le manteau les *Elements of Law* de Hobbes. Si cette hypothèse est juste, le *Second Traité* de Locke, en sa version première, aurait tout normalement trouvé place, à l'entour des années 1680, dans un courant d'écrits d'inspiration libérale déjà intense.

Pour comprendre la pensée politique de Locke, il convient donc de la situer dans le contexte historique et événementiel du moment, et dans le bouillonnement des idées de l'Angleterre du XVIIᵉ siècle finissant. On a coutume en effet de signaler l'essor considérable de la littérature whig au début du XVIIIᵉ siècle et de souligner

1. P. Laslett, « The English Revolution and Locke's Two Treatises », *Cambridge historical Journal*, 1956, p. 40-55.

l'influence que Thomas Gordon, Bolingbroke, l'évêque Warburton, B. Mandeville, les rédacteurs du *Craftsman*... ont exercée sur les « philosophes » des Lumières françaises. Mais on a tendance à oublier que la pensée libérale s'est exprimée plus tôt en Angleterre à la faveur d'une effervescence sociale et intellectuelle qui reflète le trouble politique, éthique et religieux du temps[1].

1. L'élan libéral anglais

La pensée politique anglaise, au siècle des révolutions, est loin d'être homogène. Quoique dominée par la haute stature philosophique de Thomas Hobbes qui, à son dire même, avait fait naître « la science politique » en transportant dans le monde civil les schèmes du mécanisme galiléen, la littérature politique anglaise, avec mille nuances, militait pour la liberté. Ainsi coexistent en elle une tendance républicaine, aristocratique et puritaine, qui est essentiellement théorique et une tendance démocratique qui, hormis Winstanley, manque de doctrinaires. Cette diversité correspond à des besoins sociaux, éthiques et intellectuels qui vont aller rapidement en s'intensifiant.

Dès 1628, sir Edward Coke[2] s'était fait, dans le pays de Thomas More et de John Fortescue, l'« oracle de la Common Law ». Il avait été le protagoniste du *Bill of Rights* et, l'un des premiers, avait prôné la liberté par la

---

1. Cf. Basil Willey, *The seventeenth Century Background*, Londres, 1962. L'auteur insiste sur le trouble qui règne parmi les idées religieuses. Mais, en Angleterre, un tel trouble ne peut pas ne pas avoir d'incidences politiques.

Cf. également Christopher Hill, *Intellectual Origins of the English Revolution*, Oxford, 1965 ; *Le Monde à l'envers*, trad. française, Paris, Payot, 1977.

Un propos plus général est tenu par R. Marx, *L'Angleterre des Révolutions*, Paris, A. Colin, 1971. Consulter G.H. Sabine, *A History of political Theory*, 3ᵉ éd., 1963.

2. Cf. J. Beauté : *Un grand juriste anglais, sir Edward Coke, 1552-1634*, Paris, P.U.F., 1975.

loi dans un contexte doctrinal qui est déjà celui de la démocratie occidentale moderne. Sous son influence, se développèrent des thèses constitutionnalistes qui insistaient sur l'importance, aux Communes, des représentants élus de la nation anglaise. Elles prirent une telle virulence que Hobbes, effrayé, s'exila et qu'elles tracèrent le chemin au bout duquel devaient se profiler le régicide de Charles Ier et la République du Lord Protecteur O. Cromwell. En même temps, se manifestaient divers mouvements protestataires plus ou moins violents qui avaient pour but d'ébranler les assises socio-économiques de la société anglaise. Leur action était plus ou moins spectaculaire ; mais elle installait un climat général de crise.

Ainsi assiste-t-on, dès le milieu du siècle, à l'amplification du mouvement protestataire de groupes aux noms suggestifs qui, plus ou moins associés aux sectes religieuses des Quakers et des Muggletoniens, se rejoignaient, malgré des procédés différents, dans un unique dessein : subvertir la société aristocratique anglaise. Les *Levellers* (Niveleurs[1]), les *Diggers* (Bêcheux[2]) n'ont assurément pas le scepticisme des *Seekers* (Chercheurs) ou des *Ranters* (Divagateurs) ; mais, leur vague contestataire était puissante et elle attisait l'hostilité qui régnait en Angleterre entre les

---

1. Le groupe des *Niveleurs*, formé à l'origine de soldats appartenant à l'armée de Cromwell, s'est constitué en 1647 à l'instigation de John Lilburne et de Richard Overton. Leur objectif était de promouvoir une justice véritable et selon eux égalitaire, c'est-à-dire refusant toute espèce de privilèges sociaux ou politiques. Leur « radicalisme » en matière politique signifie qu'ils voulaient retrouver les *racines* mêmes du pouvoir : ils les cherchaient dans le peuple, en quoi ils ne voyaient rien d'autre qu'une somme d'individus. Cf. Th. Pease, *The Leveller Movment*, Washington, 1916 ; O. Lutaud, *Les Niveleurs, Cromwell et la République*, Julliard, Paris, 1967 ; *in* G.H. Sabine, *op. cit.*, p. 407 sq.

2. Les *Bêcheux* ne constituaient qu'un groupuscule. Le nom qu'ils s'étaient donné provenait de leur conception communautaire de la propriété terrienne. Ils combattaient la propriété privée et mêlaient à leur profession de foi « communiste » des arguments plus ou moins mystiques.

différentes classes sociales[1]. Elle provoqua ce que Hooker appelle « l'extraordinaire fermentation des esprits », qui se traduisit par l'ébranlement des croyances et des valeurs établies.

Le puritanisme anglais[2] n'arrangeait pas les choses et, s'il ne répondait plus, au XVIIe siècle, au vœu de religion purissime qui était, un siècle plus tôt, celui de l'Écossais John Knox, à tout le moins révélait-il encore combien il est difficile, outre-Manche, de séparer la religion et la politique. Or, l'Église officielle était manifestement impopulaire[3]. Il y avait même dans le peuple anglais une « passion iconoclaste[4] » qui s'en prenait aussi bien à la magistrature civile qu'à la cléricature spirituelle. Tandis que le roi faisait figure d'anté-Christ, la *vox populi* passait pour être *vox Dei*. On clamait bien haut l'amour de la liberté[5]. Les prédications puritaines développaient l'espérance millénariste[6] avec quoi l'on confondait les perspectives d'une révolution sociale, sans trop savoir ce qu'elle pourrait être.

Certes, les Niveleurs avaient leurs têtes pensantes comme Richard Overton, qui avait publié en 1646 *A Remonstrance of Many Thousands Citizens*[7] et John Lilburne, dont le libelle intitulé *London's Liberty in Chains* avait, en 1646, fait un certain bruit. Mais ces écrits, célèbres en leur temps, aussi bien que ceux, moins bruyants, de William Walwyn ou de Thomas Goodwin, étaient des pamphlets ou des appels. Ils n'exposaient pas vraiment de doctrine. Cela, d'ailleurs, eût été

1. Sur ce point, cf. L. Stone, *The Crisis of Aristocracy : 1558-1641*, Oxford, 1965.
2. Sur ce problème, consulter A.S.P. Woodhouse, *Puritanism and Liberty*, 1938. Ch. Hill, *Puritanism and Revolution*, Panther éd. et *Anti-Christ in Seventeenth Century in England*, Oxford, 1971.
3. Cf. par exemple un texte comme celui de Edmund Hall, *A Scriptural Discourse on the Apostasie and the Antichrist*, 1653, dont le ton est particulièrement violent mais représentatif d'un état d'esprit latent.
4. Ch. Hill, *Le Monde à l'envers*, Paris, Payot, 1977, p. 27.
5. Cf. Haller, *Tracts on Liberty in the Puritain Revolution : 1638-1647*, Columbia University Press, 1933.
6. Cf. N. Cohn, *The Pursuit of the Millenium*, 1957.
7. Le texte est cité par Haller, *op. cit.*, tome III, p. 362.

difficile : si les groupes protestataires formulaient des griefs communs et avaient aussi des espoirs communs, ils étaient entre eux très différents d'esprit et n'étaient pas d'accord sur les moyens qu'ils préconisaient pour mener leur action[1]. Celle-ci demeurait assez anarchique et, partant, peu opérante.

Aussi bien convient-il de considérer, à côté de cette agitation finalement désordonnée, l'effervescence intellectuelle qui bouillonna en Angleterre de Cromwell à Guillaume d'Orange[2]. Elle emplit le demi-siècle, laissant présager des mutations prochaines.

D'abord, Gerrard Winstanley[3], qui fut, avec Everard, le chef des *Diggers* (ou Bêcheux), avait publié, en 1649, *A Watchword to the City of London and the Army*, où il déclarait que « la liberté, c'est l'homme résolu à mettre le monde à l'envers[4] ». Il y avait là tout un programme... En 1652, il dédiait à Olivier Cromwell son *Law of Freedom in a Platform* où il proposait une utopie communiste dont les accents sont plus proches du phalanstère de Fourier que des rêves de Platon ou de Thomas More. La possession commune de la terre, l'altruisme généralisé étaient ses thèmes favoris.

Il n'est pas sûr que la théorie de Winstanley ait constitué pour Locke, ainsi que le soutient C.B. Macpherson[5], une solide source d'inspiration. Néanmoins, elle a valeur de sondage et fournit un document sur l'état d'esprit et l'atmosphère politique des années

---

1. Cf. Ch. Hill, *Le Monde à l'envers*, p. 59.
2. Consulter G.P. Gooch, *The History of the democratic idea in the seventeenth Century*, Cambridge, 1898 ; rééd. 1927. — C.J. Friedrich, *Évolution de la pensée constitutionnelle en Angleterre*, Cours de droit, Paris, 1955-1956 ; C. Cahen et Braure : *L'Évolution politique de l'Angleterre moderne : 1485-1660*, Paris, Albin Michel, 1960. Également, G.H. Sabine, *op. cit.*
3. Sur Winstanley, l'ouvrage essentiel est celui d'O. Lutaud, *Winstanley, son œuvre et le radicalisme Digger. Puritanisme, révolution et utopie sociale (1648-1660)*, Paris, Didier, 1976. Cf. également E. Dell, *G. Winstanley and the Diggers*, The modern Quarterly, IV, p. 138 sq.
4. Ch. Hill, *op. cit*, p. 87 ; cf. G.H. Sabine, *op. cit.*, p. 316-317.
5. C.B. Macpherson, *The Political Theory of Possessive Individualism*, Oxford, 1962, traduction française, p. 157-158.

troubles qui séparèrent les deux révolutions d'Angleterre. Il n'est pas sans importance de remarquer que *The Law of Freedom* a pour sous-titre : *True Magistracy Restored*. Or, selon l'auteur, « le retour du véritable gouvernement » implique, au lieu de la référence traditionnelle à la transcendance du droit divin, une foi panthéistique proche des thèses spinozistes et qui, un siècle avant Diderot, invoque l'« élargissement » de Dieu. Cette ferveur nouvelle s'accompagne d'un constant appel à l'idée de Nature et d'une immense confiance dans les données sensorielles; cette fois, Locke n'est pas loin.

Surtout, l'Angleterre du second XVIIe siècle répercutait en l'amplifiant l'écho des thèses que le vieux poète Milton (1608-1674[1]), ancien secrétaire du gouvernement républicain, exposait en 1667 dans son *Paradis perdu*. Déjà, en 1644, il n'avait pas hésité, dans l'*Areopagetica*[2], qui traite de la liberté d'imprimer, à partager certaines prises de position des Niveleurs et, surtout, à condamner la censure comme une offense aux droits du croyant et du citoyen. La liberté, disait-il, est « une bonne vieille cause ». Passionnément, et avec une sincérité exemplaire, quoi qu'on ait dit de l'ambivalence de ses écrits, il voua sa vie à la défendre. En 1651, reprenant, comme dans l'*Eikonoclastes* de 1649, les thèses des Monarchomaques écossais Knox et Buchanan, il n'hésitait pas à justifier l'exécution de Charles Ier. Dans une *Pro populo anglicano Defensio*, il démontrait la vérité politique du tyrannicide et expliquait le bien-fondé du châtiment suprême infligé au prince indigne; ce châtiment, disait-il, est l'expression du droit naturel lui-même. Trois ans plus tard, dans une nouvelle *Défense* du peuple anglais, il disait la

---

1. Sur le sens politique de l'œuvre de Milton, cf. D.M. Wolfe, *Milton and the Puritan Revolution*, 1941.
2. L'œuvre dont le titre rappelle l'*Aréopagitique* d'Isocrate (436-338 av. J.-C.) (cf. *Histoire universelle*, Bibliothèque de la Pléiade, tome 3, p. 66), a la forme d'une adresse au Parlement; mais elle n'a pas grand-chose à voir avec l'éloquence oratoire du rhéteur grec. C'est bien à un problème de fond que s'attaque Milton.

confiance qu'il accordait à Cromwell et déclarait retrouver dans le Protectorat les vertus antiques du républicanisme. En février 1660, le souffle républicain
passe dans un libelle *The Readie and Easie Way to
Establish a Free Commonwealth* où, toujours au nom du
droit naturel, il fustigeait l'absolutisme monarchique et
vantait la république. En 1667, *The Paradise Lost* ne
constituait pas, comme on l'a dit parfois, un appel à la
subversion — qui, d'ailleurs, eût été malaisé à entendre
parmi la profusion des mythes bibliques et classiques
que contient le poème. Quel que soit le lyrisme qui s'y
déploie, ces pages n'appartiennent pas non plus à la
veine du romantisme politique. Milton n'y fait pas
figure de révolutionnaire et la liberté anarchiste de
Satan, enivré d'individualisme, n'est pas celle qu'il
appelait de ses vœux. Avec plus de profondeur, Milton
proclamait de nouveau la liberté naturelle de l'homme
et ne reculait pas devant l'apologie du régicide, quand il
est nécessaire pour sa sauvegarde. Comme Ed. Cham-
berlayne en 1669 dans ses *Anglicæ Notitiæ* et comme
Locke dès ses premiers écrits sur la tolérance, Milton
estimait que la séparation de l'Église et de l'État s'imposait : on ne mêle pas le Ciel et la Terre. Toujours au
nom de la liberté de l'homme, il n'acceptait pas que les
consciences aient à subir la contrainte du pouvoir
séculier. Il croyait donc à la responsabilité de l'homme
et, avant Locke, il ouvrait la voie à l'éthique kantienne
de l'autonomie.

Assurément, en ces temps incertains, le sens du mot
de *liberté* n'était pas fixé. Près d'un siècle plus tard,
Montesquieu en évoquera encore plaisamment, mais
gravement, le vertige sémantique[1] avant de transporter
l'héritage qu'il aura précisément reçu des idées
anglaises dans une définition qui devait ouvrir une ère
historique nouvelle : « la liberté est le droit de faire tout
ce que les lois permettent[2] ». Mais, lors même que, vers
1670, on ne savait pas bien encore le sens du mot de

---

1. Montesquieu, *L'Esprit des lois*, livre XI, chap. 2.
2. *Ibid.*, livre XI, chap. 3.

liberté, un vent de liberté s'était levé sur l'Angleterre,
excédée de l'absolutisme des Stuarts, de la dictature de
Cromwell, de la Restauration et de ses abus de pouvoir.
Rien n'était bien clair chez les doctrinaires. Tous, et par
exemple Richard Baxter, Erbery, Edward Burrough ou
Isaac Barrow, ils mêlaient des considérations religieuses, sociales, morales et politiques. L'image de la
monarchie conservait pour eux un certain prestige et, à
bien des égards, ils se méfiaient du « peuple ». Ils lui
accordaient des droits et des puissances mais ils en
redoutaient la lourdeur et la crédulité. Aussi ne se
faisaient-ils jamais une idée claire de la citoyenneté.
Néanmoins, une nouvelle vérité était en train de naître,
qui s'appelait liberté. A l'heure de la Restauration, elle
plongeait ses racines dans la nation anglaise. Une
aurore sans pareil se préparait.

Il n'y a rien d'étonnant que l'éveil de la conscience
politique ait d'abord emprunté la voie du mythe. C'est
ainsi que James Harrington[1] — que, nonobstant son
aristocratique naissance, Toland devait appeler « le
fameux républicain d'Angleterre » — proposa au gouvernement de Cromwell, en 1656, dans l'*Oceana*[2],
l'appui doctrinal qui faisait défaut au Lord Protecteur.
Sous le couvert de l'allégorie, Harrington, comme
Thomas More dans l'*Utopia*, faisait une analyse impi-
toyable de la politique anglaise et des difficultés auxquelles elle se heurtait. Les régimes politiques, expli-
quait-il, en subordonnant le politique à l'économique,
sont en fait tributaires de la répartition de la propriété.
Aussi la chute de la monarchie résulte-t-elle de la

1. Sur Harrington, cf. Ch. Blitzer, Introduction aux *Political
Writtings de J. Harrington*, New York, The liberal Arts Press, 1955 ;
R. Polin « Économie et politique au XVIIᵉ siècle : L'*Oceana* d'Har-
rington », *Revue française de Science politique*, 1952, p. 24-41 ;
C.B. Macpherson, *op. cit.* chap. III : « Harrington : l'État et l'égali-
té des chances », p. 177-213.

2. L'*Oceana* parut en 1656 ; en 1700, Toland réédite l'œuvre
d'Harrington ; la même année, Bernard, dans *Les Nouvelles de la
République des Lettres*, en donne des extraits ; en 1737, la *Bibliothèque
britannique* entreprend de faire connaître « les traités politiques » de
Harrington.

dislocation, voire de la disparition des grands domaines terriens. Et, s'il est vrai que, dans la typologie des régimes, la république est la meilleure forme de gouvernement, elle exige la « balance » de la propriété : au lieu que la propriété des terres soit le privilège du petit nombre, elle doit être aux mains d'une classe moyenne, apte, par son « industrie », à la faire fructifier. Harrington réclamait donc une loi agraire d'après laquelle cinq mille propriétaires — la *gentry*, assurément — ce partageraient, en *Oceana* — l'Angleterre, à n'en pas douter — les trois quarts de la terre ; le quart restant appartiendrait au reste des habitants. Tel est le plan de ce qu'il appelait *The Equal Commonwealth*.

Le statut de la propriété étant ainsi fixé — laissant d'ailleurs dans l'ombre tout ce qui relève de l'essor industriel et commercial dont Harrington ne semble pas avoir eu clairement conscience — l'auteur de l'*Oceana* réclamait pour le gouvernement une assise constitutionnelle qui établisse la « balance » des forces dans le corps public[1]. Il est difficile de dire si Harrington est « démocrate » tant est ambiguë la définition du « peuple » dans son œuvre. Il était, de surcroît, assez peu confiant dans la nature humaine. Cela explique probablement qu'il ait préconisé, plutôt que le gouvernement des hommes, le gouvernement de la loi et que, à l'époque où les métaphores physiologiques envahissaient la science politique[2], il ait établi une analogie entre la nécessaire rotation des magistratures et la circulation du sang : c'était pour lui une question d'hygiène politique. De même, il estimait que le peuple ne pouvait se gouverner lui-même ; par conséquent, dans un bon gouvernement, il faut, disait-il, que ce soit par la médiation de ses représentants que le peuple ait l'initiative des lois et qu'un Sénat en délibère. De la sorte, il dessinait pour l'Angleterre un projet constitutionnel. Mais peut-être faut-il chercher ailleurs sa

1. Harrington développe ce « projet constitutionnel » dans *The Art of Lawgiving*, 1659, *Works*, édition Toland, 1734, tome I.
2. Peut-être faut-il voir là, plus ou moins directe, une influence de Hobbes.

préoccupation fondamentale, plus éthique que juridique car, en toutes ses propositions, il demeurait toujours soucieux de l'accord de l'obligation sociale avec la liberté de conscience.

L'ouvrage d'Harrington, qu'admirera Hume et que citera Montesquieu[1], fut lu en son temps comme une curiosité. Mais Cromwell lui-même en dénonçait l'inefficience : nourri d'images antiques devenues non pertinentes, ce n'était qu'un beau rêve...

Pourtant, l'éveil de la conscience politique ne devait pas tarder à avoir ses martyrs. Algernon Sidney (1622-1683[2]), quoique demeuré dans l'ombre[3] est, en fait, un héros méconnu du libéralisme. Contemporain de Spinoza et de Richard Cumberland, il connaissait le *Tractatus theologico-politicus* (1670) et la *De legibus natural disquisitio philosophica* (1672). Comme eux, il avait compris qu'un ferment d'imposture et un désir d'omnipotence habitent toute monarchie. Aussi voulut-il, en exposant la leçon de l'Antiquité grecque et romaine, apporter un enseignement de liberté. Il en paya le prix par l'exil, la misère et la mort. En effet, arrêté en 1683 en même temps que Russell, lord Howard, le jeune Hampden et le duc de Monmouth lors du complot de Rye House, il fut condamné et décapité. L'exécution de la sentence frappa Locke par son iniquité. C'est alors qu'il partit en exil à Amsterdam où l'attendaient tracasseries et persécutions.

L'œuvre de Sidney lui survécut et ses *Discourses concerning Government* furent publiés en 1698, avec la mention significative *Sidney redivivus*[4]. Dans ces dis-

---

1. Montesquieu (*Esprit des lois*, livre XI, chap. 8) reproche à Harrington d'« avoir bâti Chalcédoine en ayant le rivage de Byzance devant les yeux », ce qui revient à lui reprocher son peu de goût pour l'observation et, en conséquence, son manque de lucidité devant la réalité anglaise.

2. Sur cet auteur peu connu, cf. Ch. Ewald, *The Life and Time of Algernon Sidney, 1622-1683*, Londres, 1873.

3. D'après l'abbé Dedieu, A. Sidney est l'un des auteurs anglais qui marqua la pensée politique de Montesquieu ; cf. *Montesquieu et la tradition politique anglaise en France*, éd. de Paris, 1909, reprint Slatkine, 1971, p. 314 sq.

4. Les *Discours*, qui parurent à Londres (Littleburg, 1698 ; 2ᵉ éd. 1704), ont été traduits en français dès 1702 par P.A. Samson et

cours, composés à l'entour des années 1680, Sidney répondait à la *Patriarcha* de sir Robert Filmer et niait farouchement le droit divin des rois. La similitude entre les traités politiques de Locke et les discours de Sidney est frappante. Le seul pouvoir légitime, affirment-ils l'un et l'autre, repose sur le consentement du peuple. Sidney, tout particulièrement, ressuscitait la vieille théorie selon laquelle la souveraineté du peuple — mais non l'autorité du prince ou la forme du gouvernement — est de source divine : c'est bien ce que signifie la maxime *Potestas a Deo per populum*. De même, la liberté du peuple ne dépend pas de la libéralité du Prince ; elle est fondée en Dieu et dans la Nature même. En outre, l'exercice du pouvoir ne saurait avoir d'autre finalité que le bien de la communauté publique, c'est-à-dire la sécurité et la paix. Sans mettre en question le régime monarchique, Sidney plaçait la loi au-dessus du roi. Il vantait le régime de la représentation dans lequel il voyait la condition première de la sauvegarde de la liberté[1]. Dans la perspective contractualiste qu'il adoptait à l'instar de la plupart des monarchomaques protestants, il estimait que la nation a le droit de demander des comptes au prince qui la gouverne ; il justifiait cette

publiés à La Haye (L. et M. Van Dole), 3 vol. in-12° ; rééd. en 1755 et 1794. Rousseau semble avoir connu cet ouvrage, probablement à travers Barbeyrac qui, dans sa traduction du *De jure naturæ et gentium* de Pufendorf (Livre VI, chap. II, § 10, note 2 *in* tome II, p. 241) écrit : « Depuis Hobbes, un chevalier de la même nation, nommé Robert Filmer, a publié un livre intitulé *Patriarcha*, pour prouver que tout gouvernement doit être absolu et monarchique, et il établit pour fondement de son opinion, que le pouvoir paternel est la même chose que l'Autorité royale, et que ce Pouvoir est entièrement Despotique. On peut voir dans le *Discours du Gouvernement* par Algernon Sidney, et dans la première Partie du Traité de Mr. Locke sur la même matière, comment ces habiles écrivains renversent de fond en comble les conséquences de son faux principe. »

1. Dans ses *Discours sur le Gouvernement*, Sidney écrit : « Pour peu de sens commun que l'on ait, on voit clairement que la liberté de ceux qui agissent en personne, et celle de ceux qui agissent par leurs députés est exactement la même, et qu'on ne peut faire aucun changement dans la manière d'exercer l'autorité souveraine que de leur consentement », section XLIV, *in* traduction P.A. Samson, nouvelle éd. Paris, an II, tome III, p. 374-375.

assertion en faisant appel à la tradition anglaise établie par la *Magna Carta*, déclaration solennelle des libertés d'après laquelle, rappelait-il, ni le Prince ni le Peuple ne peuvent oublier les devoirs qui s'attachent à elles.

La littérature politique anglaise qui foisonnait à la fin du XVIIᵉ siècle reprenait volontiers ces thèmes qui, au milieu des soubresauts de l'histoire, préparaient la grande mutation des États modernes de l'Occident. Il ne saurait être question ici de mentionner tous les auteurs et toutes les œuvres[1]. Cependant, nous ne saurions passer sous silence deux auteurs, bien différents l'un de l'autre, mais dont Locke a pu subir, de façon plus ou moins consciente, la double influence. Il s'agit de lord Halifax et de James Tyrrell.

George Savile, marquis de Halifax, est assurément un auteur mineur, mais il est original et bien « anglais ». On devait le surnommer « le prince des Trimmers[2] ». Il fut un whig modéré dont les thèses parfois ambiguës purent servir l'idée de Restauration. Dès 1684, sous la Restauration précisément, commençaient de circuler des feuilles qu'il avait intitulées : *The Character of a Trimmer*. Elles furent publiées en 1688. Dans la langue des marins, un *trimmer* est celui qui, en agissant sur le gouvernail, tient le bateau en équilibre. Du gouvernail au gouvernement, l'image est suggestive. L'équilibre ne s'établit que dans la voie du juste milieu où la balance exclut les extrêmes : ni trop à droite ni trop à gauche, donc, ni absolutisme monarchique, car il est tenté par l'arbitraire, ni républicanisme démocratique, que risquent de gangrener les intérêts et les passions. Ainsi, dans l'humour politique de Halifax, le *trimmer* symbolise le gouvernement mixte

---

1. Ch. Bastide (*op. cit.* Seconde partie, chap. I et II, p. 135-176) a brossé le tableau d'ensemble des théories politiques anglaises du XVIIᵉ siècle. Cf. également G.P. Googh, *Political Thought in England from Bacon to Halifax*, Londres, 1914 ; et *The History of english democratic Ideas*, Cambridge, 1927.

2. Cf. H.C. Foxcroft, *A Character of a Trimmer, being a short life of the marquis of Halifax*, Cambridge, 1946.

où se conjuguent l'autorité du prince et la liberté des sujets. Comme l'autorité du prince ne saurait se confondre avec son caprice, elle exclut, dans le gouvernement mixte, tout pouvoir aveugle; et, comme la liberté des sujets ne saurait se confondre avec la licence, elle va de pair, en ce type de gouvernement, avec l'obéissance à la loi positive. Le navire politique est alors en équilibre. Y aurait-il en cette image quelque réminiscence de la *politeia* d'Aristote? Il apparaît bien plutôt qu'un sage bon sens britannique, soucieux d'observation, d'expérience et de pragmatisme ait inspiré l'auteur de cet « évangile du juste milieu[1] ». Ses idées pouvaient d'autant moins déplaire à Locke qu'il ne manquait jamais d'en appeler à Dieu et à la Nature.

Mais Locke fut plus sensible encore à la réplique que son ami James Tyrrell[2], qu'il avait connu jeune avocat à Oxford, adressa à la *Patriarcha* de Filmer en 1681. Il retrouvait en elle ce goût profond de la liberté qu'il insuffla lui-même à son œuvre politique. Le nom de Tyrrell demeure surtout attaché à son *Histoire d'Angleterre* que, après Davenant[3], il présenta en 1718 dans son *Enquiry into the ancient Constitution of the English Government*. Pour des raisons chronologiques évidentes, Locke ne put retenir que l'opposition de Tyrrell aux thèses monarchistes de Filmer. Elle lui apparut comme l'expression de la volonté de rupture en quoi il décelait la condition nécessaire d'une politique nouvelle, adaptée aux besoins de l'époque. Sans jamais prendre ses distances par rapport à l'idée de Dieu, il avait néanmoins compris, comme son ami Tyrrell, que les temps n'étaient plus ceux de la *Civitas Dei*. Le droit divin des rois fut l'affaire de l'enfance intellectuelle de l'humanité. Or, le temps de la maturité arrivait, où la politique devrait connaître aussi sa révolution copernicienne et, en tout cas, se manifester comme l'affaire des

1. J.-J. Chevallier, *Histoire de la pensée politique*, tome II, p. 33.
2. De nombreuses lettres ont été échangées entre Locke et Tyrrell.
3. Davenant devait publier en 1701 ses *Essays upon the balance of power*.

hommes mêmes. Autrement dit, la *Patriarcha non
Monarcha* de Tyrrell révéla à Locke les indices d'une
sensibilité épistémologique nouvelle qui était le fruit de
la conjoncture politico-religieuse et qui correspondait
aux conditions sociales et économiques du moment.

Locke fut d'autant plus sensible à cette effervescence
intellectuelle et socio-politique que la condamnation à
mort de Sidney le décida, en 1683, à s'exiler aux
Pays-Bas, terre d'asile et de tolérance qui devait être la
base logistique des idées nouvelles et des Lumières.
C'est là que cristallisa sa pensée et que, dans le droit fil
de l'agitation libérale qui secouait son pays depuis
plusieurs décennies, il lui donna un tour définitif.

2. *Le combat de Locke contre la théocratie anglicane*

Lorsque, après le prétendu complot papiste *(Popish
Plot)* de 1678 pour la succession du duc d'York —
Jacques, frère du Roi et catholique — à la Couronne
d'Angleterre, la tête d'Algernon Sidney, chef du parti
whig, tomba sous le couperet du bourreau
(décembre 1683), Locke éprouva douloureusement ce
que signifiait le triomphe de Charles II et il mesura les
dangers de la Restauration absolutiste. En Hollande, où
il se réfugia, il dut encore subir des affronts et des
persécutions d'autant plus vexatoires qu'après l'insur-
rection de Monmouth, il fut rangé parmi les quatre-
vingt-quatre conspirateurs dont l'envoyé du Roi réclamait l'extradition. Condamné à la clandestinité, il lit, il
rencontre divers réfugiés parmi lesquels Jean Le Clerc
qui lui demandera de collaborer à sa *Bibliothèque*;
surtout, il réfléchit. Il réfléchit à la théorie du droit
divin des rois qu'exposait Robert Filmer dans la
Patriarcha[1], écrite en 1640 mais publiée seulement en
1680 par les soins de son fils. Plus encore, il réfléchit à

---

1. Le titre exact est *Patriarcha or the natural Power of Kings*,
Londres, Davis, 1680. Cf. l'édition donnée de ce texte par Peter
Laslett, Oxford, 1949. Sur ce texte, cf. P. Carrive, *Cahiers de
philosophie politique et juridique*, n° 5, 1984.

tout ce que son ami Tyrrell entendait opposer à Filmer dans sa *Patriarcha non Monarcha*[1]. Les idées de son ami n'ont certes pas pour lui l'accent de la nouveauté puisque, dès l'*Essai sur la tolérance*[2] qu'il écrivit en 1666 sans toutefois le publier, il s'élevait, en véritable whig, contre la monarchie absolue, qu'elle soit d'origine divine ou consensuelle. Mais il approfondit alors son analyse et précise son argumentation afin de combattre la doctrine de la souveraineté théocratique, redoutable par ses longs états de service. Cela lui tient d'autant plus à cœur que, scandalisé par le comportement de la police de Jacques II qui le traque toujours, il rencontre de nombreux huguenots français qui, même avant la révocation de l'Édit de Nantes, étaient loin de toujours accepter les thèses absolutistes et l'idée de l'obéissance passive. Les controverses vont donc bon train et, si elles n'ont pas d'influence directe sur la pensée de Locke, à tout le moins la stimulent-elles. Le rationalisme qu'il a puisé chez les latitudinaires[3], la haine du cléricalisme qui lui vient des Indépendants anglais, le respect qu'il a toujours réclamé pour les droits de la conscience individuelle sont chez lui plus vifs que jamais. Ils passent alors dans ses écrits et leur donnent un accent décisif.

Toutefois, nous avons quelque incertitude quant aux dates de composition des traités politiques de Locke. D'après Fox Bourne[4], Locke aurait mis sur le métier, dès 1680, alors qu'il séjournait à Oxford, la réfutation de la *Patriarcha*. De son côté, P. Laslett avance l'hypothèse selon laquelle Locke aurait, dès 1679, commencé à écrire un ouvrage sur le gouvernement[5] où, après en avoir discuté avec Shaftesbury, il voulait se référer aux

---

1. En fait, pendant les heures éprouvantes de 1680-83, Locke avait souvent accepté l'hospitalité de Tyrrell et ils avaient travaillé ensemble. La *Patriarcha non Monarcha* avait été écrite en sa forme première dès le début de 1680, puis sensiblement augmentée et modifiée après la parution de l'ouvrage de Filmer.
2. Le texte se trouve in Fox Bourne, *Life of John Locke*, tome I, p. 174-194.
3. Ch. Bastide, *op. cit.*, p. 374.
4. Fox Bourne, *op. cit.* tome II, p. 165 *sq.*
5. P. Laslett, Introduction à l'édition des *Deux traités*, p. 59.

thèses de Filmer. Mais ce travail était, dit P. Laslett, le *Second Traité*, non le *Premier* dont il semble n'avoir eu l'idée qu'après avoir eu connaissance de la *Patriarcha non Monarcha* de Tyrrell, du moins en sa forme première[1]. Arrivé en Hollande en 1683, il aurait, vraisemblablement sous le coup de l'émotion après la mort de Sidney, retouché et complété son manuscrit. Il l'aurait alors égaré au cours des mois où il se trouva contraint de se cacher. Reprenant des notes et remaniant des réflexions antérieures, il prépara un *Essay concerning the true Original, Extent and End of Civil Government* en même temps d'ailleurs qu'il rédigeait en latin son *Epistola de Tolerantia* où il traitait des rapports de l'Église et de l'État. En janvier 1688, son ami Jean Le Clerc publiait dans sa *Bibliothèque universelle* un *Extrait d'un livre anglais qui n'est pas encore publié, intitulé Essai concernant l'entendement, où l'on montre quelle est l'étendue de nos connaissances certaines et la manière dont nous y parvenons ; communiqué par Monsieur Locke*. Il est tout à fait possible aussi que Locke ait consacré la dernière année de son séjour en Hollande et tout particulièrement à Rotterdam où il était arrivé en février 1688, à parfaire le texte du *Second Traité*. Fox Bourne suppose même[2] qu'il n'aurait rédigé les derniers chapitres, relatifs au droit de résistance et au droit qu'a le peuple souverain « d'instituer un nouveau régime ou, en conservant l'ancien, de le remettre en d'autres mains, suivant qu'il le juge à propos[3] » — ce qui définit très exactement une « révolution » — qu'après son retour en Angleterre et l'accession de Guillaume d'Orange au pouvoir. Reprise par J.W. Gough[4], répétée par J. L. Fyot[5], cette thèse conserve son caractère hypothétique qu'aucun document, en l'état actuel du déchiffrage des manuscrits, n'infirme ou ne confirme.

1. En tout état de cause, il semble bien que le *Premier Traité* ait été composé entre la première édition (1680) et la seconde édition (1685) de la *Patriarcha*. C'est en 1681 que Tyrrell avait publié sa réponse à Filmer.
2. Fox Bourne, *op. cit.* tome II, p. 165-166.
3. *Second Traité*, § 243 ; ce sont les dernières lignes de l'ouvrage.
4. J.W. Gough, *John Locke's Political Philosophy*, p. 126.
5. J. L. Fyot, Introduction à la traduction du *Second Traité*, p. 7

Quoi qu'il en soit de ces hésitations chronologiques, Locke, cinquante-six ans, avait publié ses œuvres maîtresses et sa philosophie se présentait comme un vaste plaidoyer pour la liberté de l'homme. Huit ans avant la publication des *Discourses* de Sidney, il présentait, à partir du concept d'esclavage, la critique la plus radicale de l'absolutisme. Retrouvant l'intuition fondamentale de La Boétie, il laissait entendre que l'acceptation du pouvoir absolu arbitraire ressemblait fort, de la part des sujets, à une servitude volontaire. L'idée est grave et elle a une portée générale. C'est pourquoi présenter les traités politiques de 1690 comme écrits au lendemain de la *Révolution* afin d'en apporter une justification théorique directe[1] est certainement une erreur. Le souci de liberté est, chez Locke, ancien et profond : il s'exprimait déjà dans l'*Essai sur la tolérance* composé en 1666 ; il n'est pas absent, en 1664, des *Essays on the Law of Nature*. Le plaidoyer pour la liberté que contiennent les deux traités politiques de 1690 ne correspond donc pas à la théorisation de l'événement en sa singularité. Il ne répond nullement non plus à un calcul politicien destiné à s'attirer les faveurs d'un régime. A sa manière, Locke — dans l'ombre de Shaftesbury d'abord, puis de manière personnelle après la mort du comte — a été un militant et le combat contre l'absolutisme qu'il avait mené obscurément depuis plus de vingt années a trouvé son expression naturelle lors de la mutation politique de 1688. Beaucoup plus qu'une œuvre de circonstance, les traités politiques de Locke sont une œuvre de doctrine.

La doctrine politique de Locke possède une double originalité qui la différencie nettement du style de la « science politique » hobbienne, tout entière élaborée « dans l'abstrait ». D'une part, elle a un caractère polémique qui, bien au-delà de la réfutation méthodique de la *Patriarcha*, se prolonge, jusque dans le langage, par l'opposition radicale et constante du

1. *Ibid.*, p. 47 et 48.

Second Traité à toutes les formes de l'absolutisme. D'autre part, elle relève d'un « expérimentalisme[1] » qui, malgré des différences de méthode et d'intention[2], est parfaitement congruent avec l'attitude intellectuelle adoptée par le philosophe dans l'*Essai concernant l'entendement humain*. C'est en effet dans la tradition historique anglaise, tragiquement occultée par l'épisode des Stuarts, qu'il découvre l'idée-force du *trusteeship* sur laquelle repose la doctrine libérale.

a. L'aspect polémique des traités politiques

Le texte du premier traité politique, sur ce point, parle de lui-même puisque l'*Essai sur le gouvernement civil* porte en sous-titre : « *the false principles and foundations of Sir Robert Filmer and his followers are detected and overthrown* ». Les onze chapitres de l'ouvrage sont un réquisitoire en règle contre le premier chapitre de la *Patriarcha*. L'« acharnement analytique[3] » de Locke est si féroce que non seulement il écrit cent pages pour « anéantir » vingt pages de son adversaire, mais qu'il n'a guère besoin d'aller au-delà du chapitre I rédigé par Filmer ; en effet, ayant démontré que les principes de la *Patriarcha* sont « faux », le reste, de lui-même, s'écroulait. Filmer, qui était mort en 1653, n'a évidemment pas connu cette attaque. Elle l'eût certainement surpris car il était convaincu d'avoir su trouver dans les Saintes Écritures les fondements irréfutables de sa foi absolutiste.

Au demeurant, R. Filmer n'était pas aussi pédant et aussi sot que le dit Vaughan[4]. Il n'était pas non plus un auteur tout à fait négligeable qui, sans la critique de Locke, eût été voué à l'oubli. P. Laslett, dans son

---

1. A. Leroy, *Locke*, p. 21. Cf. également F. Duchesneau, *L'Empirisme de Locke*, La Haye, 1973.
2. Cf. P. Laslett, Introduction aux *Deux Traités*, p. 83.
3. B. Gilson, Introduction à la traduction du *Deuxième Traité*, p. 17.
4. Vaughan, *Studies*, tome I, p. 130, note.

édition de la *Patriarcha*, a retracé sa biographie. Né en 1588, la même année que Hobbes, il était l'aîné d'une famille de dix-huit enfants, ce qui, à bien des égards, explique son attachement aux droits de primogéniture. Devenu, à la mort de son père, patriarche du comté d'East Sutton, il fut appelé à rencontrer des légistes, des historiens, des clercs, des théologiens, des commerçants... qui participaient activement à la vie politique, économique et intellectuelle de l'époque. C'est ainsi que Filmer fut amené à prendre parti, dans nombre d'opuscules, sur les problèmes de son temps. Ses écrits, manuscrits, passaient de main en main et circulaient de château en château[1]. Il traita de la sorte des problèmes monétaires — *Quæstio Quodlibetica, or a discourse whether it may be lawful to take interest for money* (1630), commentaire de *A Treatise of Usurie* de Roger Fenton, paru en 1611 — et, surtout, revint à plusieurs reprises sur la question politique[2] en se référant à Aristote, Bodin, Grotius, Hobbes, Milton..., ce qui montre combien il était attentif aux débats d'idées. Mais, parmi tous ces manuscrits, la *Patriarcha* est le plus important.

Vraisemblablement composé avant 1640[3], il a peut-être été inspiré par la controverse de 1635-1638 autour

---

1. Cf. l'Introduction de P. Laslett à son édition de la *Patriarcha*, p. 3.

2. Au texte de la *Patriarcha*, P. Laslett a adjoint, dans son édition d'Oxford, les opuscules suivants :

— *The Freeholder's Grand Inquest touching the King and his Parliament.*

— *Observations upon Aristotle's Politiques touching Forms of Government.*

— *Directions for Obedience to Government in dangerous or doubtful Times.*

— *Observations concerning the Original of Government : Observations on M. Hobbes's* Leviathan ; *Observations on M. Milton* Against Salmasius ; *Observations upon H. Grotius* De jure Belli ac Pacis.

— *The Anarchy of a Limited or Mixed Monarchy.*

— *The Necessity of the Absolute Power of all Kings.*

3. P. Laslett présente comme une certitude qu'il en ait existé un ou plusieurs manuscrits avant la rupture entre le Roi et le Parlement qui, en 1642 (l'année du *De Cive* de Hobbes), conduisit à la guerre civile, *ibid.*, p. 3.

du *Ship-Money*[1]. Une certitude, à tout le moins, a-t-elle pu être établie : c'est que le texte est postérieur à 1635 puisque Filmer y fait mention du *Mare Clausum* de Selden, publié cette année-là. Par ce manuscrit, que, pourtant, il ne publia pas, Filmer acquit, dans le cercle de ses amis, la réputation d'un défenseur inconditionnel de « la prérogative royale ». Charles Ier avait du reste récompensé son zèle monarchiste en lui conférant un titre. A l'époque républicaine, sir Filmer ne modifia pas ses convictions, ce qui lui valut un séjour en prison et le pillage de sa demeure. C'est alors qu'assigné à résidence, il se consacra à la théologie, avec l'intention ferme de publier dorénavant ses œuvres. En 1647, il prit part à la controverse constitutionnelle, entrant ainsi dans l'histoire de la pensée politique anglaise. Quelques mois plus tard, on pouvait trouver dans le commerce un ouvrage de Filmer, qui n'était autre que l'édition, revue et complétée, des derniers paragraphes de la *Patriarcha*. Dès lors, quoique prématurément vieilli et malade, il se lança dans les débats de doctrine politique en répliquant au *Treatise of Monarchia* que Philip Hunton avait publié en 1643 afin de critiquer l'absolutisme et d'exposer les avantages de la *mixed monarchy*. En 1649, il fut parmi ceux qui applaudirent à la Restauration. Après la publication du *Léviathan* (1651), il fit éditer trois essais critiques concernant Hobbes, Milton et Grotius[2]. Sa dernière œuvre politique fut consacrée, en 1652, à la politique d'Aristote[3]. Après quoi, il écrivit et

---

1. Conformément à une vieille coutume, le Roi pouvait demander aux ports, en cas de menace de guerre, de lui fournir un certain nombre de navires. Charles Ier, par le *Ship-Money* (1635) réclama, au lieu de navires, de l'argent, établissant ainsi — en temps de paix et non seulement pour les ports mais pour tout le royaume — un nouvel impôt, général et permanent.

La mesure fut mal accueillie. Hampden, invoquant le principe traditionnel selon lequel aucun impôt ne devait être levé sans le consentement du Parlement, refusa de payer le *Ship-Money*. Il fut condamné à la prison et à la confiscation de ses biens après un procès retentissant qui dura près de deux ans (1637-1638). C'était le triomphe de l'absolutisme de Charles Ier.

2. Laslett, *op. cit.*, p. 237-274.

3. *Ibid.*, p. 185-230.

publia en 1653, juste avant de mourir, un essai sur la sorcellerie.

L'œuvre de Filmer n'est pas une œuvre de génie. Mais elle n'a pas non plus le caractère odieux et quasi caricatural que les critiques whigs et tout particulièrement Sidney lui ont prêté. Tyrrell et Locke, quoique plus modérés, ont néanmoins combattu sévèrement les thèses qu'ils ont retenues de la *Patriarcha*.

En présentant les écrits de Filmer, P. Laslett souligne le fait qu'ils ne constituent pas un corps de doctrine politique. Tout au plus convergent-ils en se complétant les uns les autres pour développer et corriger les arguments avancés dans l'esquisse originaire de la *Patriarcha* qui était « un essai sur l'obligation politique et l'origine historique du pouvoir politique[1] ». En réalité, c'est surtout au second point de son projet que s'attacha Filmer en faisant dériver le pouvoir royal du pouvoir paternel. Ce sera, plus tard, la thèse qu'exposeront Bossuet dans sa *Politique tirée des propres paroles de l'Écriture sainte* (1709[2]) et Ramsay, dans son *Essai philosophique sur le gouvernement civil* (1719). Mais si, à l'entour des années 1640, lorsque écrit Filmer, l'idée semble proche de la théorie du droit divin des rois fréquemment soutenue au XVIIe siècle, elle ne coïncide pas cependant avec elle, et c'est ce qui en fait l'originalité.

Considérant, comme nombre de ses contemporains aussi différents que Hobbes et Winstanley, que la *Bible* est l'unique source de tout savoir et enseigne seule la volonté de Dieu[3], c'est aux *Écritures* que Filmer demande la caution de sa thèse. En se référant aux *Textes sacrés*, il entreprend, dit-il, de ruiner les assertions désespérantes de Buchanan et de Parsons selon lesquelles les peuples peuvent déposer leurs Princes.

---

1. Introduction de P. Laslett, p. 11.
2. Très précisément, cf. livre II, art. I, prop. 3 et 4.
3. Signalons le texte bien caractéristique à cet égard qu'un certain A. Evan publia en 1652 : *A voice from Heaven to the Commonwealth of England*.

Pour mener à bien cette démonstration, il explique que l'origine de la société humaine remonte à Adam et que la relation qui s'établit dans la société politique entre gouvernants et gouvernés dérive de l'autorité paternelle. Ces deux arguments lui permettent de considérer que la société est une vaste famille dont Adam est l'unique souche (chap. III) et, partant, d'écarter tout prétendu droit de sédition enraciné dans une liberté naturelle originaire du peuple. Autrement dit, Dieu, en créant Adam, lui a donné autorité sur tous ceux qui viendraient après lui, d'abord sur Ève (chap. V) puis sur leur postérité (chap. VI). Ainsi affirme-t-il que la souveraineté qu'Adam a reçue directement de Dieu s'est transmise par héritage de Caïn à Charles 1er selon un droit de primogéniture. Dans ce contexte, la femme et les enfants, hormis le fils aîné, sont en un état de subordination qui est le signe de leur infériorité. La signification de ces thèses est claire : l'idée de liberté naturelle est vide de sens. En effet, à raison de leur origine et par la volonté de Dieu, les hommes sont toujours assujettis à leurs pères ; en conséquence de quoi, ils ne sont ni égaux ni libres. De là il ressort qu'un roi est, conformément à la volonté divine, le père de son peuple. Autrement dit, le rapport du prince et de ses sujets est de même nature que la relation du père et de ses enfants (chap. II). La société politique, identique en sa nature à la société familiale, ne requiert en rien l'artifice logique d'un contrat consensuel : tout simplement, elle existe depuis que Dieu a donné Ève à Adam. Quant au rapport de commandement à obéissance qui existe en une telle société — familiale ou politique, c'est tout un —, il est originairement déterminé par l'arbitre de Dieu lui-même et ne peut, en tant que tel, tolérer ni réserve ni exception : l'obligation politique se ramène ainsi à une allégeance totale envers l'autorité patriarcale du prince. Voilà ce qu'enseigne, dit Filmer en recourant à une pléthore d'exemples, l'histoire de l'*Ancien Testament*. Et les patriarches d'antan[1], qui sont devenus

1. Il faut entendre le terme *patriarche* au sens spécifique que lui donnait alors la théologie : il désigne le chef de la famille ou de la

les princes des États du XVIIe siècle, ont, comme ceux dont ils sont les descendants, une autorité naturelle que rien ne peut briser. On comprend que, dans ces conditions, Filmer ait condamné non seulement le droit d'opposition, mais la *mixed monarchy* ou toute autre forme de parlementarisme. Le monarque absolu — Charles Ier, à n'en pas douter — est à ses yeux le prince parfait des temps modernes. Son absolutisme est à la semblance de l'omnipotence divine.

La thèse de la *Patriarcha* ne semble pas éloignée de la théorie de l'origine divine du pouvoir civil telle qu'elle avait été énoncée depuis saint Augustin[1]. Position officielle de l'Église catholique romaine, elle n'était que la longue glose de la parole de saint Paul : *Non est potestas nisi a Deo* (Rom. XIII.I). Filmer, comme les théoriciens classiques de cette doctrine, estime que Dieu est « la source naturelle » et « le principe nécessaire » de l'autorité politique[2]. Mais il va plus loin et adopte un

tribu en tant qu'il est investi d'un office de commandement et de tutelle.

1. La théorie du droit divin des rois comporte deux aspects qu'il ne faut pas confondre : d'une part, en soutenant l'origine divine du pouvoir civil, elle est dirigée surtout contre les prétentions de la Papauté à exercer un pouvoir temporel; d'autre part, elle se fait essentiellement politique lorsqu'elle soutient l'absolutisme de la monarchie de droit divin. Sur ce dernier aspect, en l'occurrence le plus important (cf. L. Duguit, *Souveraineté et Liberté*, Paris, 1922, p. 89), voir : Pierre du Belloy, *De l'autorité des rois* (1587); Jacques Ier, *Basilicon Doron; Trew Law of free Monarchies* (1598); *Apologia pro Juramento Fidelitatis* (*Political Works of James Ist*, Harvard, 1918); William Barclay, *De regno et regali potestate* (cf. Locke, *Second Traité*, § 232); J. N. Hertius, *Dissertatio de modis constituendi civitates* (1685) (*Commentationes et opuscula*, Francfort-sur-le-Main, 3 vol. in-4°, tome I, p. 431).

Parmi les adversaires de la théorie du droit divin des rois (cf. J. W. Allen, *A history of political Thought in the Sixteenth Century*, p. 268 sq. et 367 sq.), il convient de remarquer tout particulièrement Pufendorf, *De jure naturæ et gentium*, livre VII, chap. III, « Origine et fondement de la souveraineté. » On trouvera un bon exposé d'ensemble de la doctrine — *pro et contra* — in J. N. Figgis, *The Divine Right of Kings*, 1896, rééd. New York, Harper Torch Books, 1965.

2. Tel est d'ailleurs le point de vue de Hornius que résume Pufendorf, in *De jure naturæ et gentium*, livre VII, chap. III, § 3 : « Il (Hornius) pose en principe, écrit Pufendorf, que la cause de la société civile n'est pas en même temps celle du Gouvernement civil et de

point de vue politicien qui n'est pas le leur. Tandis que l'objectif de la doctrine classique est de donner un fondement à l'autorité politique, non de défendre un régime politique, Filmer entend s'opposer au puritanisme et aux idées whigs pour justifier l'absolutisme monarchique comme héritage direct de l'*imperium* paternel d'Adam.

En 1680, lors de la publication de la *Patriarcha*, les défenseurs de l'obéissance passive trouvèrent aisément leur maître à penser ; plutôt que Barclay, Overall ou Jacques Ier, ce maître fut sir Robert Filmer. Le décret d'Oxford de 1683 apporte en quelque sorte la consécration officielle du gouvernement aux idées de Filmer ; pris en parfaite conformité avec les canons séculaires de l'Église anglicane, ce décret va jusqu'à condamner Hobbes, aux côtés de Buchanan, Milton et Baxter, pour avoir dit qu'un contrat était générateur de souveraineté. Dans le même temps, toute une littérature, fiévreuse et péremptoire, déclare que la monarchie absolue de droit divin est supérieure à tous les autres régimes et réclame, à raison de son origine transcendante et de l'*imperium paternale* du prince, l'obéissance totale et aveugle[1] des sujets à leur roi.

À l'heure où la monarchie anglaise incarnait sans nuances les idées dont Filmer s'était fait le porte-parole et où la bataille parlementaire entre whigs et tories à propos de l'intolérance politique dont elles apportaient

l'autorité souveraine ; sans doute, il admet que les sociétés civiles se forment par le moyen de pactes, mais il soutient par contre que le pouvoir souverain est conféré immédiatement aux Princes par Dieu même, et que les hommes ne contribuent en rien à la produire. Quand un peuple libre élit un Roi, il ne lui confère pas par là la majesté souveraine, mais se borne à désigner la personne à qui cette majesté sera conférée par des voies divines, tout comme dans un grand nombre de municipalités les magistrats sont élus par le conseil sans pour cela tenir de ce conseil leur pouvoir, qui leur vient du Souverain même. » Traduction Barbeyrac. Pufendorf résume ainsi la théorie qu'expose J. F. Hornius dans son *De civitate*, livre II, chap. I.

1. Ch. Bastide (*op. cit.*, p. 165) donne en exemple le texte de Sherlok : *The Case of Resistance to the Suprem Powers*, 1684. Cf. également la présentation donnée par Didier Deleule du texte de Berkeley, *De l'obéissance passive*, Paris, Vrin, 1983, notes p. 31 sq.

la justification s'envenimait au point de devenir meur-
trière, il fallait réagir. C'est précisément ce que fit
Locke, à l'exemple de Tyrrell, en entreprenant la
réfutation méthodique de la *Patriarcha*[1].

S'il est exact, comme le soutient P. Laslett, que le
Second Traité — les *vrais* principes du politique — était
déjà composé, du moins en ses grandes lignes, lorsque
Locke entreprit de dénoncer, à travers le livre de
Filmer, les *faux* principes du gouvernement civil — il
est bien difficile de séparer le « commentaire négatif »
qu'en constitue le *Premier Traité* du « commentaire
positif » que donne le *Second*. Locke lui-même les relie
l'un à l'autre et cela prouve que la tonalité polémique
du premier essai n'a pas disparu dans le *Second Traité*.
Pour lui, en effet, il n'est question de rien de moins que
de « l'émancipation du politique[2] » et cela implique un
combat.

Ce combat, James Tyrrell l'avait entrepris au grand
jour, répliquant à la *Patriarcha*, dès 1681, par sa
Patriarcha non Monarcha. Alors que s'imposait plus
violemment que jamais l'absolutisme de Charles II,
Tyrrell affirmait que l'autorité d'un père sur ses enfants
n'est pas absolue puisqu'elle est soumise à la loi naturelle et, qu'en conséquence, lors même qu'on admet-
trait que l'autorité royale s'apparente à l'autorité paternelle, il est impossible de la dire absolue. D'ailleurs, la
thèse patriarcaliste est erronée : l'autorité paternelle,

---

1. Notons pour mémoire que Rousseau réfutera lui aussi les
thèses de Filmer — qu'il connaît à travers Barbeyrac — dans l'article
Économie politique où il parle de « l'odieux système » du Chevalier
Filmer (Pléiade, tome III, p. 244) et évoquera la *Patriarcha* dans *Le
Contrat social*, livre I, chap. II, en disant, non sans quelque mépris :
« Je n'ai rien dit du roi Adam, ni de l'empereur Noé, père de trois
grands Monarques qui se partagèrent l'univers », *in* éd. cit. p. 353.
Voir Pufendorf, *De jure naturæ et gentium*, Livre IV, chap. IV, § 4 ; et
note 3 dans la trad. Barbeyrac.
2. Nous n'entendons pas cette expression au sens que lui donne
L. Dumont dans *Homo æqualis*, p. 68. Cet auteur entend surtout
s'occuper, à travers l'œuvre de Locke, de la relation entre les facteurs
économiques et la vie politique (p. 72). — Sans nier l'importance de
l'économie, nous insistons quant à nous principalement sur la dimension politique du gouvernement.

dit Tyrrell, est naturelle, tandis que l'autorité souveraine — Hobbes lui-même l'a démontré — implique un artifice institutionnel. Il n'insiste pas, toutefois, sur la nature ou sur les considérants du pacte générateur de la société civile ; il n'envisage pas non plus les conséquences qui pourraient naître de la rupture de ce pacte. Son analyse critique demeure courte. Elle met néanmoins en question de manière vigoureuse l'*imperium paternale* des rois. Le combat contre l'absolutisme est engagé.

Locke est bien décidé à le poursuivre. Il était, de longue date, un ami intime de Tyrrell. Les deux hommes, bien des fois, avaient débattu du problème. Mais Locke ira plus loin que Tyrrell et donnera à son combat un tour doctrinal qui fera date dans l'histoire de la pensée politique. Locke est plus philosophe que Tyrrell ; et il est beaucoup plus attentif que lui à la crise intellectuelle de l'époque. En Hollande, où il rédige l'essentiel de ses traités, il ne peut ignorer ni Bayle[1], ni Jurieu[2], ni Spinoza[3]. Bien qu'il ne soit nullement juriste (malgré sa contribution à la *Constitution de la Caroline*), il connaît aussi les positions adoptées par Grotius[4] et surtout par Pufendorf[5]. Il sait leur attachement à la droite raison, à la loi naturelle, à la paix et à la sécurité des citoyens. L'importance qu'ils accordent à l'« institution » de l'État l'a frappé. Et il est assez surpris que, hormis Spinoza et Jurieu qui militent franchement pour la démocratie, la plupart de ces auteurs, dussent-ils être en cela peu cohérents,

1. Le *Dictionnaire historique et critique* ne paraîtra qu'en 1696 ; mais depuis vingt ans, Bayle revendique les droits de la conscience et de la raison, seule servante de la vérité. Bayle, néanmoins, est demeuré absolutiste, ce qui était peut-être pour lui une manière de demeurer fidèle à la France.

2. Les *Lettres pastorales* sont publiées de 1686 à 1689.

3. Le *Tractatus theologico-politicus* date de 1670 ; le *Tractatus politicus*, de 1677. Pour Spinoza, la liberté est la fin véritable de l'État.

4. Le *De jure belli ac pacis* a été publié en 1625.

5. Le *De jure naturæ et gentium* a été publié en 1672 ; en 1673, en apparaît un abrégé sous le titre *De officio hominis et civis juxta legem naturalem*.

demeurent absolutistes. Sans que nous puissions déterminer exactement l'influence qu'ils ont exercée sur la pensée de Locke — il faudrait étudier les relations intellectuelles de Locke en Hollande comme G. Bonno a étudié les relations intellectuelles de Locke en France — il est certain que l'intensité de la réflexion politique chez les protestants réfugiés aux Pays-Bas n'a pas été étrangère à la philosophie des *Traités politiques*. Comme le remarque Condorcet, esprit libéral et protestantisme ont, en ce temps, partie liée.

Dans le premier commentaire, la réfutation de Filmer se résume en une phrase terrible : « Le malheur (de Filmer) fut d'insister sur des principes qui ne pouvaient s'accommoder ni à la nature des choses ni aux affaires humaines, qui ne pouvaient s'accorder ni à la constitution ni à l'ordre du monde voulus de Dieu et qui, en conséquence, devaient offenser souvent et le bon sens et l'expérience » (§ 137)[1]. Afin de montrer la « fausseté » de ces principes, Locke reprend un à un les arguments de Filmer — la création d'Adam, l'empire que Dieu lui donna sur terre, la sujétion d'Ève et de leurs enfants — et, en suivant le récit biblique, sépare l'ordre de la nature, qui porte la marque de la Création divine, de l'ordre politique, qui porte la marque de la volonté humaine. Ainsi, à l'heure de la Création, Adam, dit Locke, ne pouvait être un monarque : il était seul ; or, il n'y a pas de prince sans sujets. Tout au plus pourrait-on dire que son autorité était potentielle, mais non réelle. — Lorsque Dieu créa la femme, le pouvoir d'Adam sur Ève, puis sur leurs enfants, fut un pouvoir domestique, non un pouvoir politique. La puissance paternelle ne confère nullement au père le droit d'ôter la vie que Dieu a créée ou permise. D'ailleurs, poursuit Locke, le pouvoir politique n'est apparu qu'à l'époque des rois, donc, plus tard, bien après Adam, Noé et les

---

1. Nous nous référons au texte du *Premier Traité* donné par l'édition Laslett. Voir également ce texte, en langue anglaise, dans l'édition Carpenter (Everyman's Library, 1924 ; de multiples réimpressions). Traduction française partielle par B. Gilson (Paris, Vrin, 1967). Nous traduisons d'après l'édition Laslett.

Patriarches. — Quant à la transmission du pouvoir politique, elle n'est pas assimilable à l'héritage en matière de propriété. Les textes bibliques ne font d'ailleurs pas état d'une chaîne continue dans la suite des monarques et l'on voit mal en quoi et comment les rois actuels auraient reçu le legs de l'autorité originaire d'Adam. De surcroît, l'*Écriture* est muette sur la question de la légitimité de leur gouvernement. Il est donc clair que la souveraineté n'est pas réductible à l'autorité paternelle. Le patriarcalisme de Filmer est un mythe d'autant moins intelligible que, prétendument fondé sur les histoires sacrées, celles-ci, tout autant que la nature des choses, le démentent[1]. Les principes en sont *faux*. Il serait contraire au bon sens et à l'expérience de bâtir à partir d'eux une théorie de l'autorité souveraine. Aussi bien convient-il, puisqu'ils sont « démasqués et renversés » (*detected and overthrown*) de préciser l'« origine, l'étendue et les fins *véritables* » (*The TRUE Original, Extent and End*[2]) du gouvernement civil. « Il faut nécessairement trouver une *autre* genèse du gouvernement, une *autre* origine du pouvoir politique et une *autre* manière de désigner et de connaître les personnes qui le détiennent, que celles enseignées par sir Robert Filmer » (*Second Traité*, chap. I, 4°). Si donc le *Second Traité* est à considérer comme la partie « positive » de l'œuvre, il est en parfaite continuité avec le premier *Essai* : Locke continue de montrer que « les droits de prérogative privée d'Adam et sa puissance paternelle » (*Adam's private dominion and paternal jurisdiction*) sont nuls et non avenus ; l'erreur de Filmer est d'avoir cru que les hommes, dans leur vie communautaire, n'obéissent pas à d'autres règles que les bêtes chez qui triomphe le droit du plus fort (*Second Traité*, chap. I). Or, si les hommes se comportaient de la sorte, le

1. Dans le *Second Traité*, Locke consacrera de nouveau un long chapitre (chap. VI, § 52 à 76) à réfuter, sur la double base des *Textes sacrés* et de la réalité historique, toute assimilation du pouvoir politique à la puissance paternelle, celle-ci vînt-elle de Dieu.
2. C'est nous qui soulignons. Mais il est patent que les deux « essais » font diptyque.

désordre, le trouble, le tumulte, la sédition se trouveraient justifiés. Contre une telle hypothèse, Filmer et
ses pairs prétendent s'élever à grands cris. Ne voit-on
pas que leur incohérence s'ajoute à leur erreur ? C'est
donc contre eux — et non contre Hobbes — que Locke,
dans le *Second Traité*, affine la controverse amorcée par
Tyrrell et déjà déployée dans l'argumentation critique
du premier *Essai*. Les *Two Treatises* constituent un
anti-Filmer destiné à établir, contre les « faux principes » du patriarcalisme, la vérité du gouvernement
civil.

Le programme de recherche que s'assigne Locke est
d'établir les origines, l'étendue et la finalité propres de
l'autorité politique. Sur l'énoncé de ce programme,
plane, à l'évidence, l'ombre géante du *Léviathan* exposant « la matière, la forme et le pouvoir de la république
ecclésiastique et civile[1] ». Mais les rapports de la pensée
de Locke avec la philosophie politique de Hobbes sont
délicats. D'une part, quelle qu'ait été la tentation hobbienne du jeune Locke à l'entour des années 1660[2],
celle-ci n'a jamais été une adhésion aux thèses du

---

1. Tel est le sous-titre donné par Hobbes au *Léviathan* en 1651.
2. Rappelons qu'il avait rédigé, entre 1660 et 1662, deux essais,
l'un en anglais, l'autre en latin, qui sont demeurés inédits et qui
traitent du *Magistrat civil*. Abordant, dans le second essai, plus
doctrinal que le premier (qui est une réponse, au tour polémique, à
un pamphlet d'Ed. Bagshaw, *The great question concerning Things
indifferent in Religious Worship*) le problème de l'origine du pouvoir
politique, il montre qu'il n'y a de société civile possible que si les
hommes transfèrent leur liberté originelle de nature à un prince ou à
une assemblée. La thèse de Hobbes lui est présente à l'esprit. Mais il
ne suit pas Hobbes aveuglément et, à la différence de l'auteur du
Léviathan, il insiste sur le fait que le peuple n'est jamais enclin à se
départir de plus de liberté qu'il n'est nécessaire à l'établissement du
pouvoir civil. En outre, jamais Locke n'a souscrit à la thèse de
Hobbes qui conçoit le souverain Léviathan *ex lege*, lui conférant ainsi un
pouvoir absolu. Dès le *Civilis Magistratus*, Locke souligne au
contraire l'impérieuse obligation de l'obéissance du magistrat civil
aux lois divines et, tout particulièrement, à la loi naturelle qui est
rationnelle et divine. On voit donc que, même à l'heure où la
philosophie de Hobbes exerce sur Locke une incontestable fascina-
tion, elle ne lui fournit pas un modèle politique.

Léviathan. D'autre part et *a contrario*, l'intention de
Locke n'a jamais été de s'opposer à Hobbes[1]. Il lui sait
même gré d'avoir si bien distingué l'état de nature où
les individus se comportent comme des bêtes et se font
la guerre, de l'état civil où les hommes peuvent être
véritablement humains en faisant bon usage de leur
raison. Néanmoins, Locke, à la différence de Hobbes,
n'aborde pas dans le *Second Traité* la question du
gouvernement ecclésiastique. Ce point est capital. En
effet, quelques mois plus tôt, l'*Epistola de Tolerantia*[2]
énonçait la nécessaire séparation du pouvoir spirituel de
l'Église et du pouvoir temporel de l'État : il importe
que les ecclésiastiques « laissent de côté les affaires
politiques et se consacrent uniquement au salut des
âmes[3] » ; réciproquement, le magistrat civil n'a été
chargé, ni par Dieu, ni par les hommes, du soin des
âmes, qui est stricte affaire de conscience. La distinction du gouvernement de la Cité et du ministère de la
religion — l'une des idées-force qui obsédaient Locke
depuis plus de vingt ans[4] — était ainsi posée une fois

1. Il est symptomatique que le nom de Hobbes ne soit pas
prononcé une seule fois dans le *Second Traité* ; seul, le *Léviathan* est
une fois mentionné, au § 98. Plus tard, après la publication en 1695
de *Reasonableness of Christianity*, l'évêque de Winchester, R. Willis,
prétendra même que Locke utilise des arguments empruntés à
Hobbes.

2. Publiée au printemps de 1689 en latin, puis à l'automne en
anglais, la *Lettre sur la Tolérance* n'est pas davantage la justification du
Toleration Act pris, au lendemain de la Révolution, par le nouveau
souverain Guillaume III d'Orange, que le *Second Traité* n'est la
justification *a posteriori* de la Révolution de 1688. De manière
identique, les deux textes sont l'expression réfléchie du courant de
pensée que manifeste l'événement. Nous nous référons pour cette
Lettre à la remarquable édition et traduction donnée par R. Klibansky et R. Polin, Institut international de Philosophie, Paris, P.U.F.,
1965.

3. *Lettre sur la tolérance*, éd. cit. p. 97.

4. Au cours du séjour qu'il avait fait en France entre 1675 et 1679,
Locke avait été frappé par le spectacle de la politique religieuse de
Louis XIV. Il avait, à ce sujet, fait de nombreuses observations et
remarques dans son *Journal*. Dans son ouvrage *Les Relations intellectuelles de Locke avec la France*, G. Bonno (pp. 107-116) rappelle que,
sur ce point, Henri Justel, avec qui il entretiendra une correspondance abondante et suivie après son retour en Angleterre, fut un
informateur précieux. Mais Locke s'était en outre procuré de nom-

pour toutes comme l'axiome fondamental de la philosophie politique de Locke[1]. Sans faire reproche à
Hobbes de son enquête sur le pouvoir ecclésiastique, le
très chrétien Locke se borne donc à n'étudier dans le
Second Traité que « le gouvernement civil ».

Soucieux d'écarter toute confusion, il insiste, dès le
principe, sur la spécificité qu'il reconnaît, comme
naguère Aristote[2], au « pouvoir politique » (*Second
Traité*, § 2). Il le définit comme le droit de faire des lois
et de les faire exécuter, au besoin en recourant à la force
et à des sanctions pénales, uniquement en vue du bien
public (§ 3). Cette définition n'est pas dirigée contre
Hobbes qui aurait pu y souscrire ; elle prolonge la
controverse du premier traité en portant condamnation
de tous ceux qui, précisément en Angleterre où l'anglicanisme a tant d'importance, font du magistrat civil le
serviteur d'une Eglise. En même temps, elle détermine
le type de problème qu'entend étudier Locke : il lui
faut expliquer pourquoi et comment trois puissances —
législatrice, exécutrice et pénale — collaborent *de facto*
et *de jure* dans un gouvernement civil à assurer la
finalité du politique. L'intention de Locke n'est pas
d'opérer « le retournement » de la politique hobb-
bienne[3]. Pas davantage, quelles que soient ses préférences, il n'a dessein d'opposer la doctrine d'un whig

---

breux ouvrages relatifs à la situation politico-religieuse de la France.
Parmi eux, G. Bonno cite ceux d'E. Davila, *Historia delle guerre civile
di Francia* ; Simon Goulart, les *Mémoires de l'Estat de France sous
Charles le Neuviesme* ; les *Pensées* de Pascal ; la *Politique du clergé de
France* de Jurieu ; le *Commentaire du Compelle intrare* de P. Bayle.

1. *Lettre sur la tolérance*, éd. cit., pp. 9-11 : « afin que personne
ne donne pour prétexte à une persécution et à une cruauté peu
chrétiennes le souci de l'État et le respect des lois ; et afin, au
contraire, que d'autres, sous le couvert de la religion, ne cherchent
pas la licence des mœurs et l'impunité de leurs crimes ; afin que
personne, soit comme sujet fidèle du prince, soit comme croyant
sincère, n'en impose ni à lui-même, ni aux autres, j'estime qu'il faut
avant tout distinguer entre les affaires de la cité et celles de la religion
et que de justes limites doivent être définies entre l'Église et l'État ».

2. Aristote, *La Politique*, I, 1252, a 5-10.

3. L'expression est de J.-J. Chevallier, *Histoire de la pensée
politique*, tome II, p. 42.

à la doctrine d'un tory. Il combat non point sur le terrain de l'« idéologie », mais sur celui de la philosophie. Son effort polémique vise à modifier, en faisant appel à une sensibilité intellectuelle nouvelle, le point d'insertion de l'homme dans la vérité et le rapport de l'homme avec lui-même[1].

b. L'expérimentalisme de Locke : la politique, carrefour de la rationalité et de l'expérience.

De retour d'Angleterre, Voltaire écrira dans la Treizième des *Lettres philosophiques :* « Tant de raisonneurs ayant fait le roman de l'âme, un sage est venu, qui en a fait modestement l'histoire. » L'allusion à l'*Essai concernant l'entendement humain* ne fait aucun doute. Mais Voltaire aurait pu ajouter en faisant allusion aux traités politiques, qu'avec la même modestie, Locke a écarté les romans et les utopies politiques pour faire l'histoire du pouvoir civil. En cette histoire, se fixe le style philosophique de la politique de Locke.

1. Du point de vue méthodologique, il est certain que la démarche de Locke est différente de celle de Hobbes. Mais en cette différence, il n'y a pas de volonté expresse d'opposition : ce sont deux styles de philosophie qui trouvent leur expression.

Hobbes, en effet, élabore, en termes généraux et abstraits, une « science politique ». Sa démarche est rationnelle et déductive. Elle construit, par analyse et synthèse corrélatives, la *persona civilis* du Léviathan, homme artificiel et fiction juridique qui symbolise l'idéalité de l'État. Nous renvoyons ici à notre Introduction du *De cive* (*Le Citoyen*, Paris, GF Flammarion, 1982) et à notre ouvrage *Le Droit et la loi dans la philosophie de Thomas Hobbes*, Paris, Klincksieck, 1975.

Locke ne voit pas dans la question du politique un problème de science rigoureuse, d'abord parce que les mots, dans leur fixité conceptuelle, falsifient à la fois, selon lui, les idées et les réalités (*Essai concernant l'entendement humain*, 3e partie); ensuite, parce que la démarche rationnelle déductive ne rend pas compte, à ses yeux, de la complexité des situations humaines réelles. Donc, pour Locke, une théorie générale du politique n'est pas de mise. Modestement, il observe; il applique aux faits et à l'expérience politiques une inlassable curiosité. Son *Traité*, loin de proposer un *devoir-être* politique, décrit ce qui est et veut donner une explication positive du fait gouvernemental. En cela, Locke émancipe le politique des *a priori* de la raison spéculative. C'est dans l'esprit même de la Royal Society que, sans jamais défier la raison, il fait appel au donné de l'expérience.

α. La première question qu'examine le philosophe est celle de l'origine du pouvoir politique. Cela le conduit d'abord à considérer « en quel état se trouvent naturellement les hommes » (§ 4). Mais, pour lui, en appeler à « l'état de nature » n'est pas utiliser une fiction méthodologique ayant valeur d'hypothèse de travail fabriquée par la raison. L'état de nature n'est pas problématique. Il ne se demande pas, à l'instar de Hobbes, ce que serait la condition naturelle des hommes *si* les acquêts de l'industrie humaine étaient un à un biffés par l'imagination. Il opère sur le donné naturel un simple constat, qu'il exprime à l'indicatif[1] et qui lui permet de définir la nature de l'homme : l'état de nature est un état de liberté et d'égalité (§ 4). Chaque individu est libre en tant qu'il règle ses actions et dispose de ses biens comme il l'entend. Seulement, cette liberté n'est pas licence car il n'y a pas de liberté sans loi (§ 57). En outre, l'expérience et l'histoire montrent que la supériorité des pères, qu'invoque Filmer à la suite de Grotius, ou bien n'existe pas, ou bien n'est que temporaire. Le Seigneur n'a pu, par une déclaration expresse de sa volonté, établir une hiérarchie parmi les créatures de même espèce et confier à certaines d'entre elles un pouvoir de domination (§ 4). La liberté et l'égalité se définissent donc pour l'homme par rapport à la loi de nature.

Ainsi, très traditionnellement[2], comme la plupart des auteurs de son temps et, en particulier comme Pufendorf qu'il a lu, Locke déclare, dans une perspective très cicéronienne, qu'une *loi naturelle*, qui est celle de Dieu et de la raison, gouverne l'homme (§ 6) et oblige tout un chacun. Dans le *Second Traité*, Locke n'analyse pas cette loi de nature. Il ne la définit même pas. Vaughan a donc pu facilement dénoncer la « contradiction » qui,

---

1. Cela ne signifie pas que Locke attache son analyse à des références historiques (cf. § 14). Il n'en appelle à l'histoire que pour répondre à d'éventuelles objections. Il sait d'ailleurs qu'un argument qui conclut du fait au droit « n'a pas grande force » (§ 103).

2. Sur la loi de nature, cf. Otto Gierke, *Natural Law and the theory of Society, 1500-1800*, trad. Barker, Cambridge, 1934.

soutient-il, existe entre l'affirmation de cette loi naturelle et la critique des idées innées faite par l'*Essai
concernant l'entendement humain*[1]. Sur ce point, les
choses, de prime abord, ne sont pas très claires. Mais,
d'une part, nous ne possédons pas l'intégralité du texte
écrit par Locke. Nous ne trouvons dans les deux traités,
ainsi qu'il en fait confidence dans la *Préface* de 1690,
que « le début et la fin » d'un plus ample discours dont
toute une partie — vraisemblablement, ce qui suivait le
§ 169 du premier essai — s'est perdue lors de ses
tribulations politiques de 1683 en Hollande. D'autre
part, les huit *Essays on the Law of Nature* dont la
rédaction était achevée en 1664, mais que Locke n'avait
pas publiés[2], permettent de lever toute équivoque : si le
corpus des lois naturelles y apparaît comme un postulat
sans démonstration, il participe de la conviction du
philosophe selon laquelle l'univers n'est pas abandonné
au hasard ou au caprice. Les rapports des hommes
entre eux obéissent, comme le donné de la nature, à des
raisons ; en conséquence, ils ne peuvent être compris
que rationnellement. La « loi de nature », expose donc
Locke, est tout ensemble un commandement de Dieu,
une règle de la raison et la loi qui régit la nature de
toutes choses. Les *Essais* II et V expliquent que
l'homme connaît cette loi à partir de l'expérience sensible et grâce à la lumière naturelle, en dehors de toute
révélation divine ; et ce qu'enseigne l'expérience est
pleinement intelligible sans qu'il soit besoin de recourir
à des raisonnements complexes. En effet, puisque la
raison se confond avec elle[3], elle est directement acces-
sible en son existence et en son sens par les créatures
raisonnables. Elle est « un fait intelligible et évident

1. Vaughan, *Studies...*, tome I, p. 163 : « elle sort, écrit-il, tout
armée du cerveau de l'homme, à l'aube même de son histoire. Elle ne
doit rien à l'expérience ».
2. Rappelons que W. von Leyden a publié ces *Essais* en 1954.
Nous avons donné, dans le numéro V des *Cahiers de Philosophie
politique et juridique*, une traduction de l'*Essai n° IV* due à Hubert
Vauthier.
3. Dans le *Premier Traité*, Locke dit : « *Law of nature... is the law
of reason* », § 101.

pour une créature douée de raison », répétera le *Second Traité* (§ 12). Autrement dit, une expérience primordiale suffit aux hommes pour qu'ils sachent ce qu'est la loi naturelle. Elle leur enseigne directement que, puisqu'ils sont tous égaux, nul n'est fondé à léser autrui en sa vie, sa santé, sa liberté ou ses biens (§ 6). La Providence veut la paix. De cette même expérience primordiale, les créatures raisonnables que sont les hommes dégagent aussitôt les commandements de la loi naturelle (§ 135) : en entrant dans la vie, ils savent que chacun doit veiller à sa propre conservation et à celle du genre humain (§ 6 et § 7) et que quiconque viole cette prescription s'expose aux châtiments de tous les autres (§ 8)[1].

Bien qu'il existe entre le *Second Traité* et les *Essais* des différences qui interdisent de situer les deux textes dans l'exact prolongement l'un de l'autre, on retrouve ici et là la même préoccupation « pratique ». La postulation de la loi naturelle permet à Locke d'affirmer, comme Cumberland, la sociabilité originelle de l'homme[2], et comme Pufendorf, qu'« il n'est pas convenable que l'homme vive sans loi[3] ». Il peut donc insister, à l'instar du « judicieux Hooker[4], sur l'obligation qu'ont les hommes, parce qu'ils sont doués de

---

1. Les analyses de Locke sont très proches de celles de Cumberland dans son *De legibus naturæ* de 1672. Ce texte, bien entendu, n'a pas pu influencer Locke lors de la rédaction des *Essays* de 1660-64. En revanche, il a pu être connu de lui et le confirmer dans ses analyses puisque Tyrrell devait publier en 1692 *A brief Disquisition of the Law of Nature* qui est une paraphrase du traité de Cumberland à laquelle il avait longtemps travaillé.

2. Cumberland, *De legibus naturæ*, chap. II, § 2 et § 28.

3. Pufendorf, *De jure naturæ et gentium*, livre II, chap. I, § 6 et chap. III, § 15 : « La sociabilité doit être entretenue conformément à la constitution et au but de tout le genre humain. » — Notons que cette thèse, d'origine aristotélicienne et stoïcienne, se trouve également chez Grotius, *De jure belli ac pacis*, *Proleg.*, § 8; qu'on la retrouvera plus tard chez Burlamaqui, *Principes du Droit naturel*, Seconde partie, chap. IV, § 13; et qu'elle trouvera une transposition toute naturelle, au XVIIIᵉ siècle, par exemple chez Diderot, *Encyclopédie*, tome V, article « droit naturel »; tome XV, article « société » ou chez Condillac, *Traité des Animaux*, livre II, chap. VII, p. 370 B.

4. Cf. Hooker, *Ecclesiastical Polity*, livre I, 10.

raison, de respecter la loi naturelle. Quiconque en transgresse les commandements manifeste qu'il vit selon une autre règle que celle de la raison et de l'équité commune ; en acceptant que la violence et l'injustice trouvent place dans l'humanité, il porte atteinte à la dignité de l'espèce. La loi de nature révèle ainsi sa vocation morale. Le souci philosophique de Locke est là tout entier, souci fondamentalement éthique dont il reproche inlassablement à Filmer d'avoir fait fi, et qui laisse transparaître la responsabilité de chacun dans la gouverne de sa vie.

Telle est l'intuition primordiale avec laquelle Locke regarde autour de lui. Il lui apparaît que dans la vie humaine, il n'y a pas de césure entre la raison et l'expérience : ou bien les hommes obéissent à la loi rationnelle de nature et ils vivent heureux dans un état de paix ; ou bien ils en transgressent les commandements et, perdant la dignité qui les fait hommes, s'exposent aux haines et aux violences de l'état de guerre. Dès lors, le *Traité* ne saurait avoir pour office d'exposer une théorie abstraite et désincarnée de la condition humaine[1] : il doit indiquer aux hommes ce qui peut les guider en leur conduite. En cette tâche, le philosophe n'a pas à opérer de déductions logiques qui, en leur rigueur ou en leur systématicité, pourraient s'éloigner de l'expérience. Locke retrouve l'art du médecin qui combine rationalisme et empirisme. Afin d'indiquer aux hommes ce qui leur est utile en cette vie, il convient de les persuader de prendre en charge la conduite de leur propre existence puisque chacun, dans la grande communauté humaine, n'en est remis qu'à soi par la loi universelle de nature pour conserver sa vie et ses biens propres (§ 4-6). Autrement dit, il incombe à chaque individu de se faire l'exécuteur du droit naturel (§ 7-8)[2] au point que, en l'état de nature où l'a mis le

_____

1. Remarquons que, de même l'*Essai concernant l'entendement humain* n'a pas pour objectif d'élaborer une théorie de la connaissance.

2. Le rapport du *droit naturel* à la *loi naturelle* n'est pas chez Locke ce qu'il est chez Hobbes. Dans la perspective mécaniste hobbienne, le droit de nature est un pouvoir qui se définit en termes de force (*power, strenght*) ; la loi de nature est, quant à elle, un précepte de la raison qui conseille, par un calcul téléologique d'intérêts, de chercher toujours

Créateur, chacun se sert à soi-même de juge et de bourreau (§ 87).

Pour Locke, donc, la loi de nature qui régit la vaste communauté originaire des hommes n'est pas une loi de détermination, mais une loi d'obligation. En cette spécification éthique de la loi naturelle, réside le *primum movens* de sa philosophie « pratique ». La loi de nature a beau être la « mesure » des actions humaines, elle a beau régir dans l'harmonie les mœurs de la *communitas* et faire que, selon la raison, les hommes profitent ensemble des avantages communs de la nature (§ 19), lors même qu'elle prescrit aux individus, conformément à la sagesse divine, de ne point s'écarter de la droite raison, il faut bien reconnaître qu'ils sont enclins aux passions, voire aux vices. La « faiblesse humaine » (§ 143) les fait errer. Leur attachement à leur « droit naturel » et, en particulier, à leur propriété (§ 25-51), les arrache à la quiétude originaire. Du jour où ils ont convenu d'attribuer « à un petit morceau de métal jaune » plus de valeur qu'au blé ou à la viande, la soif de l'appropriation privée a grandi chez eux démesurément et les a fait dégénérer (§ 128). Au lieu de la paix et de la sécurité que provoque l'observance, selon la raison, de la loi de nature, les querelles et les guerres ont éclaté ; ils ont recouru à la force et se sont entre-déchirés. L'esclavage et la subordination faisant suite à l'état de guerre, ils se sont laissé griser par le mirage du pouvoir que confère la plus grande force. Dès lors, la loi de nature n'était plus observée. Mais vouloir devenir le maître ou se donner volontairement un maître — ou encore,

---

la paix et, pour l'obtenir, de renoncer à son droit de nature. Si bien que le droit de nature est générateur de la guerre de tous contre tous tandis que la loi de nature indique le chemin de la paix. — Pour Locke, *right of nature* et *law of nature* ont beau être différents par le langage, ils ne s'opposent pas ; au contraire, le « droit » est inclus dans la « loi » : ainsi, punir le délinquant, c'est se faire, dans le cadre de la loi naturelle, l'exécuteur du droit naturel ; et cette exécution est une obligation. Le droit appelle ainsi l'obligation. Comme tel, il fait partie de la loi. Leur distinction est nominale, et non réelle. Le droit naturel comme la loi naturelle imposent de ne pas s'écarter de l'obéissance à la droite raison (§ 11).

l'accepter, ce qui revient au même — est tout ensemble contraire à la loi de nature et à la nature humaine. Les hommes ne pouvaient donc s'abandonner à ce comportement contre-nature sans se dépouiller et de leur droit de nature et de leur dignité d'hommes. Ils étaient au rouet : afin de respecter l'obligation à la loi de nature immanente à la nature humaine[1], il leur fallut pallier la fragilité *(frailty)* qui les empêchait d'accomplir leurs droits naturels. Tel est, selon Locke, le principe originaire des sociétés civiles : la sociabilité naturelle n'acquiert son effectivité que si les hommes scindent la grande communauté naturelle primordiale en sociétés particulières (§ 128)[2]. Afin de sauvegarder dans la paix et la sécurité les droits inhérents à leur nature, ils ont consenti à cette scission par un acte volontaire et libre (§ 95). Ils en étaient capables puisqu'ils sont des êtres raisonnables, aptes à obéir aux prescriptions de la loi rationnelle de nature[3]. Dans l'avènement des sociétés civiles, la raison du « leur seule étoile » et « leur seule boussole[4] ».

Ainsi, dans l'expérimentalisme de Locke, l'origine

1. Rappelons cette donnée essentielle de la philosophie de Locke, à savoir que la nature spécifique de l'homme en était la dimension originaire : celle d'Adam lors de la Création (cf. § 55).

2. Notons ici l'originalité de Locke. La société civile ne naît pas, selon lui comme selon Hobbes, de la sommation arithmétique des individus. La partie n'est pas pour lui antérieure au tout. Il faut donc souligner l'importance fondamentale en sa pensée de la téléologie divine et rationnelle : c'est la *communitas* originaire qui, à raison des passions et des vices des individus, a dû être divisée en *civitates* pour que les prescriptions de la loi de nature puissent être observées et que règnent effectivement parmi les hommes la paix et la sécurité.

3. Là encore, la différence par rapport à Hobbes est notoire : les sociétés civiles n'impliquent pas de la part des hommes un calcul téléologique d'intérêts effectué par une raison rationnelle et spéculative. La raison humaine est, selon Locke, plus « raisonnable » que « rationnelle ». C'est la sagacité (cf. *Essai concernant l'entendement humain*, Livre II, chap. XXI, § 2 et § 54) qui est en elle la principale qualité efficiente.

4. *Premier Traité*, § 58 ; Locke dit dans ce paragraphe que « quiconque suit parfaitement la raison s'élève au niveau des anges ». Quant à ceux qui s'écartent de sa voie, ils retombent, cyniquement, au niveau des bêtes (*Second Traité*, § 172).

du gouvernement civil est à chercher au carrefour de la raison et de l'expérience où la loi de nature manifeste sa suprématie : immanente à l'homme, elle s'identifie en lui à la droite raison et oblige tout un chacun à travailler aux conditions du bonheur et de la liberté.

β. Dès lors, l'existence des sociétés civiles particulières, en trouvant sa raison d'être et sa justification dans la téléologie même de la loi de nature qui inscrit constamment l'espérance du bonheur à l'horizon de la vie humaine[1], apparaît comme un *devoir* qu'il importe à chacun d'assumer. L'examen de ce second problème met de nouveau en lumière la conjonction, dans la sphère du politique, du rationalisme et de l'empirisme. L'important est, en effet, pour Locke, de saisir l'enjeu de ce devoir[2]. Cela qui permet, en examinant le passage de l'état de nature à l'état civil, de répondre à la question des *fins* du politique.

Locke s'interroge tour à tour sur *le pourquoi* et sur *le comment* de ce passage.

Pourquoi l'homme quitte-t-il l'état de nature où, pourtant, la loi de nature a inscrit la paix et la bienveillance réciproque ?

Remarquons d'abord que Locke ne s'interroge pas sur le statut épistémologique du concept d'état de nature. Qu'il désigne un fait originaire — « au commencement, toute la terre était une Amérique »

---

1. Dans l'*Essai concernant l'entendement humain*, le bonheur est très souvent présenté comme étant la fin de la vie humaine : cf. Livre II, chap. XXI, § 43 et 73 ; chap. XXV, § 27 ; chap. XXVII, § 26. Le bonheur, dit Locke, est « notre plus grand bien » et nul ne saurait se vouloir malheureux (livre II, chap. XXI, § 64 et § 70). C'est pourquoi l'homme, en tant qu'il est raisonnable, a pour devoir, afin d'atteindre le bonheur qui est la visée normale de la vie, d'écarter tout ce qui, pour lui, est malheur *(misery)*.

2. Locke avait traduit trois des *Essais de Morale* que Pierre Nicole, l'ami de Pascal, avait publiés en 1670 et 1671. Dans le troisième *Essai*, Nicole explorait le cœur humain et énonçait les moyens, pour l'homme, de préserver la paix. Il faisait de cette tâche un devoir. Il n'est pas impossible que Locke ait conservé vivace le souvenir de cette morale de Port-Royal.

(§ 49[1]), ou qu'il soit une fiction opératoire n'est pas pour lui un véritable problème. En revanche, ce qui importe pour lui, c'est la manière dont s'articulent l'un à l'autre l'état civil et l'état de nature. Ils ne sont pas vraiment antithétiques comme l'a cru Hobbes. L'un n'est pas supplanté par l'autre puisque l'état de nature est déjà un état social. Seulement, il contient la socialité de la même manière qu'il enveloppe la raison et la liberté : non pas comme des puissances à actualiser ou des virtualités à transformer en réalités, mais comme l'indication d'un programme éthique à remplir. Pourtant, Locke ne parle pas le langage idéaliste du devoir-être. Cela ne lui est pas possible puisqu'il ne décrit pas l'état de nature, à la manière de Hobbes ou, plus tard, de Kant, comme l'enfer de la misère et de la guerre auquel il faut impérativement s'arracher pour conjurer la peur et la mort. Tout simplement, il constate, ou bien en interrogeant l'histoire de son siècle, ou bien en interprétant les *Textes sacrés*, que si l'état de nature indique bien, en sa téléologie immanente, le dessein moral de l'humanité, il ne comporte pas les moyens d'en assurer avec certitude l'accomplissement. Certes, chaque individu, en l'état de nature, est l'exécuteur de son droit (§ 13). Mais un homme est aussi une « personne », c'est-à-dire un sujet capable de responsabilité et d'imputation[2], ce qu'aucun animal ne sera jamais. Dès lors, si la personne humaine s'avère « capable de loi » et apte à disposer de son corps, de ses biens (§ 7) et du résultat du travail de ses mains (§ 27 ; § 87), il suffit d'avoir un peu vécu pour s'apercevoir qu'en un tel état, il n'existe « aucun juge commun compétent » pour trancher un différend qui s'élève entre des individus (§ 19). Il n'existe non plus aucune règle positive fixant le bien et le mal, ni aucun pouvoir de contrainte

1. Cf. *Premier Traité*, § 130.
2. Cf. *Essai concernant l'entendement humain*, livre II, chap. XXVII, § 26 où Locke rappelle que « le terme de *personne* est un terme de barreau qui approprie des actions, et le mérite ou le démérite de ces actions ; et qui, par conséquent, n'appartient qu'à des agents intelligents, capables de loi, et de bonheur ou de misère »

susceptible d'imposer aux parties adverses une solution conforme à la raison. Autrement dit, l'état de nature est un état défectif (§ 124, 125, 126) où se révèle la faiblesse de l'homme[1]. Chacun, en vertu du droit de nature, y est bien juge et armé du droit de punir — « il est raisonnablement juste que j'aie le droit de détruire ce qui me menace de destruction » (§ 16) — mais quel que soit le privilège qu'il attache à l'individu, le droit de nature qui, en somme, n'en appelle qu'au Ciel, n'enveloppe ni effectivité ni garantie. En conséquence, la condition naturelle des hommes est mauvaise (§ 127) : le droit naturel, en effet, y est dépourvu de dimension juridique. Cela n'entraîne pas que l'état de nature soit un état de guerre, car la guerre est l'usage illégal de la force contre la personne d'un homme (§ 19); elle est la distorsion du droit de nature, sa dénaturation, par quoi, bafouant la raison, elle est injurieuse (*injuria*). Il reste que l'état de nature, quoique caractérisé, conformément à la loi de nature, par la bienveillance et la bonne volonté, est privé de toute garantie. C'est pourquoi il est rare que les hommes y demeurent longtemps : « les inconvénients auxquels les y expose l'exercice irrégulier et incertain que chacun fait du pouvoir qu'il a de punir les infractions des autres les incite à chercher refuge à l'abri des lois établies d'un gouvernement et à tenter de sauvegarder ainsi leur propriété » (§ 127)[2].

1. Ce thème de la « faiblesse de l'homme » se trouvait chez Nicole.

2. Nous avons utilisé dans ce passage la traduction très concise et rigoureuse de B. Gilson.

Il importe de ne pas commettre de contresens sur le terme de propriété (*property*) qui ne désigne pas les biens matériels, mais, beaucoup plus généralement, ce qui appartient en « propre » à chacun : la vie, la liberté et les biens (§ 123). Barbeyrac, dans sa traduction du *De jure naturæ et gentium* de Pufendorf, dit très justement : « Locke entend par là non seulement le droit qu'on a sur ses biens ou ses possessions, mais encore sur ses actions, sur sa liberté, sur sa vie, sur son corps, etc., en un mot, toute sorte de droits », Préface, p. XVII, note c. — Sauf dans le chapitre que Locke consacre dans le *Second Traité* à « la Propriété », c'est en ce sens général qu'il emploie le mot *property* (ce qui, d'ailleurs, est conforme à l'usage du XVIIe siècle). Cf. § 123 et § 173; *Lettre sur la Tolérance*, éd. cit., p. 11.

Voilà *pourquoi* les hommes, dans leur quête du bonheur, aspirent à un *autre* état, qui supprime les violences de la guerre et ses antinomies[1] et qui comporte la sécurité et les garanties que réclame la raison. En ce nouvel état, les hommes n'en appelleront plus au Ciel, mais à un juge légal. Sans ce pouvoir de juridiction, « tout ce qui appartient à chacun » — sa propriété : sa vie, sa liberté, ses biens — lui est assurément connaturel et fondé en droit, mais demeure sans assurance. Locke ne dit jamais, comme Hobbes, que la peur, individuelle ou collective, étreint les hommes en l'état de nature ; il ne peut le dire puisque, selon lui, le droit de nature se confond avec la rationalité de la loi de nature. Mais, avec le regard réaliste et observateur du médecin, il constate que l'homme n'a, par lui-même, qu'une jouissance précaire de ses droits. Etre exécuteur de son droit, voire juge et bourreau quand ce droit est violé ou menacé, constitue une situation si inconfortable et si incertaine que l'homme est obligé de demander à la société civile « un système juridique et judiciaire commun » *(a common established law and judicature)* (§ 87) qui soit un gage de sécurité[2].

Nous trouvons là le « fondement juridique » princi-

---

1. Comment, dans la guerre, l'un peut-il attenter à la liberté de l'autre au nom de sa propre liberté ? Comment le « droit » de la guerre implique-t-il l'unique recours à la *force* ? Comment expliquer que ce soient des hommes qui se fassent la guerre alors qu'ils se comportent dans son cours comme des bêtes ?

2. L'*Essai sur la tolérance* rédigé en 1666 contient déjà sur ce point l'essentiel de la pensée politique de Locke : « La mission, la puissance et l'autorité du magistrat lui sont confiées dans leur ensemble à seule fin qu'il s'en serve pour le bien, la conservation et la paix des membres de la société sur laquelle il est établi. Aussi est-ce cela seul qui est et qui doit être la norme et la mesure sur laquelle il doit régler et ajuster ses lois, former et disposer son gouvernement. Car si les hommes pouvaient vivre ensemble dans la paix et la tranquillité, sans s'unir par des lois déterminées, ni former d'État, il n'y aurait absolument pas besoin de magistrats ni d'hommes politiques, qui n'ont été institués que pour protéger en ce monde les hommes contre leurs fraudes et leurs violences réciproques. Ce qui constitua de la sorte le motif d'instituer un gouvernement doit être la seule règle de son fonctionnement », cité d'après Fox Bourne, *Life of John Locke*, tome I (*Essai...*, p. 174-194), p. 174.

piel des sociétés civiles (§ 127). Locke souligne donc
d'emblée l'office législateur et sanctionnateur (§ 88)
qu'exerce la société civile afin de préserver la vie et la
sécurité de ses membres. Le critère de la société civile
est le pouvoir de *juridiction* qui appartient au législatif
(§ 89) et qui s'exerce sur des personnes, c'est-à-dire sur
des sujets *juridiquement* capables et responsables, afin
de protéger *de jure* leur liberté et leur propriété.

Quant à la question de savoir *comment* s'opère le
passage de la communauté naturelle aux sociétés politiques, elle a pris dans la littérature politique, surtout
depuis le développement des théories contractualistes,
une importance de premier rang. Il est certain que,
adversaire de Filmer, Locke cherche dans l'idée de
contrat le principe générateur des sociétés civiles. Son
argumentation est claire ; sa conception du pacte social
est originale. Mais le plus intéressant, en cette question,
est de mesurer l'engagement politique de Locke.

Revenant à la critique des thèses de Filmer dans un
long chapitre consacré à la puissance paternelle
(chap. VI), Locke rappelle que l'état de nature n'est pas
a-social, mais que « les sociétés civiles ou politiques »
ne sont pas des sociétés naturelles. A l'inverse de
Hobbes qui conçoit l'état de nature comme la sommation d'individus insulaires que leur égalité rend hostiles
les uns aux autres, Locke pense, à l'instar de Pufendorf,
non seulement que la sociabilité est naturelle aux
hommes, mais qu'il n'y a pas d'existence humaine qui
ne soit sociale. Dès l'état de nature, la sociabilité est
obligation à la société. On peut donc dire que si la
grande communauté de l'espèce humaine *(mankind)*, où
la vie est selon la raison, est une société naturelle, il
appartient aux hommes de la spécifier en sociétés particulières qui, reposant sur un contrat consensuel,
adjoignent un aspect artificiel à leur enracinement dans
la nature. Ainsi la première société, celle du mari et de
la femme, résulte-t-elle, comme chez les animaux,
d'une disposition naturelle ; mais, par-delà la procréation et la perpétuité de l'espèce, il faut qu'elle soit

durable afin de pouvoir élever les enfants jusqu'à l'âge adulte. Elle repose donc sur un pacte volontaire (§ 78) qui fait le lien conjugal plus solide et plus durable chez les hommes que chez les autres espèces animales (§ 81). Dans le couple, le commandement échoit tout naturellement à l'homme, qui est par nature le plus fort et le plus capable. Mais le pouvoir de l'époux sur son épouse n'est pas celui d'un monarque absolu : il n'a pas droit de vie et de mort sur elle et leur union, établie sur la base d'un pacte, peut être dissoute aux termes mêmes de ce pacte (§ 78). De façon générale d'ailleurs, la société conjugale et domestique est complexe : fondée sur l'affection naturelle, elle implique, dans sa fonction éducative, des facteurs volontaires par lesquels elle transcende la nature, non pour la contrarier, mais pour mieux en accomplir les desseins. Si donc, dans la société domestique, les enfants sont naturellement soumis à la puissance paternelle, celle-ci n'est pas un pouvoir de sujétion qui subordonne le faible au fort : elle est le « devoir » qu'a le père de prendre soin de sa descendance (§ 58), d'aider ses enfants, en formant leur esprit et en guidant leur activité, à développer la raison qui les rendra autonomes. La puissance paternelle est l'obligation du père envers ses fils (§ 63).

Quelle que soit donc l'autorité du père pour commander à ses fils, la puissance paternelle n'est pas une souveraineté ; l'éducation des enfants n'est pas un gouvernement. Le père n'a même pas sur ses enfants « l'ombre du pouvoir » propre au magistrat (§ 65), c'est-à-dire du pouvoir juridique de légiférer et de sanctionner (§ 74 et § 88). Sa puissance, de surcroît, n'est que temporaire (§ 65, 66, 67) ; elle prend fin avec la minorité de l'enfant qui, néanmoins, conserve affection et piété envers ses parents. La puissance paternelle diffère, en sa nature et en ses fondations, de la puissance politique (§ 71).

Locke concède, en citant Hooker dans une note probablement ajoutée au texte de façon tardive[1], qu'il

1. Cf. P. Laslett, *op. cit.*, p. 56-57.

fut certainement facile, aux premiers temps du monde, de passer du rôle de père de famille à celui de prince de la maison (§ 74 et note). Historiquement, ce passage s'est souvent effectué : il suffit de laisser le père exercer seul le pouvoir exécutif du droit naturel ; tout se passe alors comme s'il était détenteur d'un pouvoir monarchique sur sa famille (§ 74). C'est ainsi que, par transitions insensibles les pères naturels des familles sont devenus des monarques politiques (§ 76). Les royaumes, de cette manière, ont pu devenir héréditaires. Mais ce fait, dit Locke, ne donne nullement raison à Filmer et ne permet pas de conclure à la connaturalité de la puissance paternelle et du pouvoir souverain. En effet, si le père, en certaines circonstances de l'histoire, s'est comporté en roi, il n'a dû son pouvoir qu'au consentement, exprès ou tacite, de ses enfants. Entre la puissance paternelle et la puissance politique, existe une différence de nature irréductible (§ 110).

De façon générale, le maître de famille, entouré de tous ceux qui, femme, enfants, serviteurs, esclaves[1], occupent une place subordonnée dans sa maison, exerce sur eux un pouvoir domestique qui ne possède ni la forme ni la nature du pouvoir politique. Même si l'autorité du *paterfamilias* ajoute à son fondement naturel des clauses contractuelles, elle est distincte de l'autorité politique dont elle n'a ni le critère de juridicité ni la finalité tout entière tendue vers la sauvegarde commune de la « propriété ». C'est une erreur de les confondre (§ 169-174) : d'ailleurs, tel maître de famille jouant les rois tout-puissants a une autorité qui n'est ni solide ni durable puisqu'elle est illégitime. La différence entre la puissance paternelle et la souveraineté politique s'explique par la genèse spécifique des sociétés civiles.

Locke examine donc la manière dont se forment les sociétés civiles. Il en scrute le « commencement »

---

1. Il ne faut point confondre le serviteur et l'esclave. L'homme n'est serviteur que par contrat (§ 85) ; quant à l'esclave, il est soumis à l'empire absolu de ses maîtres, ce qui est la continuation de l'état de guerre entre un vainqueur et le captif (§ 24).

(chap. VIII) et lors même qu'il concède qu'en cette affaire, la certitude nous échappe[1], il déclare qu'il y a un seul procédé pour adopter les liens de la société civile : c'est de passer une *convention* avec d'autres hommes, aux termes de laquelle les parties doivent s'assembler et s'unir en une communauté « afin de vivre dans le confort, la sécurité et la paix, de jouir en sûreté de leurs propriétés, et d'être protégés contre ceux qui ne sont pas des leurs » (§ 95). Une société politique ne peut se former que sur une base contractuelle.

L'idée n'est pas nouvelle. Elle est même tout près de devenir un lieu commun de la pensée politique et de soulever, par son inflation, de vertigineux problèmes[2]. Locke n'ignore nullement les développements qu'à déjà connus le thème du contractualisme politique. Il possédait des ouvrages de Grotius et de Pufendorf ; il avait lu le *Tractatus theologico-politicus* de Spinoza ; le *Léviathan* lui était familier ainsi que le commentaire de Lawson, *Examination of Political Part of Leviathan*, 1657. Il avait également acheté à l'intention de Tyrrell les *Vindiciæ contra Tyrannos*, alors attribuées à Junius Brutus. Pourtant, il conçoit de manière originale la convention par laquelle « commence » la société civile ou politique.

Cette convention ne saurait être un pacte d'association puisque, conformément à la loi de nature, la société est naturelle. Elle n'est pas non plus un pacte classique de soumission par lequel les sujets s'engagent à l'allégeance envers leur prince. Le schéma mécaniste du *covenant* selon Hobbes est également étranger à Locke :

1. Cf. § 105 et 106. Burlamaqui, probablement en suivant Locke, dira dans ses *Principes du droit politique*, première partie, chap. II, § 3 : « Il ne nous reste que très peu de monuments de ces premiers siècles (et) on ne peut rien dire de bien certain sur la première origine des sociétés civiles. » — Kant (*Doctrine du Droit*, § 49. A) dira que l'« origine du pouvoir suprême est insondable au point de vue pratique » et (§ 52) considérera comme « vaine » la recherche des origines historiques de l'institution civile. Mais c'est parce que, comme Rousseau et à la différence de Locke, il s'interroge sur la fondation (*questio quid juris*) des sociétés civiles. Locke ignore la question *Quid juris ?* et s'en tient à la question *Quid facti ?*

2. Nous renvoyons à notre livre *L'Interminable Querelle du contrat social*, Presses de l'Université d'Ottawa, 1983.

le pouvoir souverain (*potestas*) ne résulte pas mathématiquement de la somme de tous les pouvoirs (*potentiæ*) que tous les individus, en se désistant de leurs droits de nature, ont transférés à la *persona civilis* de l'État-Léviathan. Selon Locke, il y a société civile lorsque des hommes, en nombre quelconque, décident de s'unir de telle sorte que, chacun renonçant volontairement au pouvoir exécutif qu'il tient du droit naturel, le confie au public (§ 89). Cette convention qui fait naître un arbitre et un juge public, ne se résume pas d'un mot. Elle est d'abord un acte strictement individuel que chacun n'accomplit que volontairement et pour lui-même : même un père ne peut s'engager pour ses fils (§ 117 et § 119). En effet, comme les hommes sont par nature libres, égaux et indépendants, nul ne peut être dépossédé de ces qualités naturelles. Il ne saurait donc être question d'obtenir de quiconque, par la contrainte ou la menace, qu'il soit partie à ladite convention. Pour la même raison, nul, en souscrivant au pacte, ne peut engager autrui. Elle implique le consentement libre de celui qui pactise (§ 95). — Ensuite, chaque contractant doit accepter de renoncer à exécuter son droit de nature pour faire lui-même justice, et, par le même mouvement, il doit le confier à la société qui naît de l'accord de tous. La convention implique ainsi un transfert du pouvoir exécutif de chacun au corps public qu'il autorise à faire des lois pour son compte. — Enfin, ceux d'entre les hommes qui, préférant librement l'ordre public à la liberté privée, « consentent à faire une communauté ou gouvernement » forment, par leur décision même, un « corps politique » juridiquement habilité à les protéger. Ceux qui ne consentent pas à renoncer à leur liberté naturelle pour endosser les liens de la société civile restent libres et propriétaires de leurs droits naturels, mais ils demeurent en l'état de nature et ne peuvent prétendre à trouver dans le corps public protection ou sécurité. En ces caractères, se retrouvent les traits fondamentaux que Pufendorf, à la suite de Grotius, assignait à l'acte contractuel : individualisme, volontarisme, consensualisme. Mais, ici, trois remarques doivent être faites, qui montrent l'originalité de la conception de Locke. La première est que la convention d'où naît le corps politique exige avant tout le consentement de chaque contractant au pouvoir législateur du *Commonwealth* : il faut qu'il consente à entrer dans la vie civile ; il faut qu'il consente à ne plus exécuter dorénavant son droit de nature ; il faut qu'il consente à le transférer au public ; il faut qu'il consente à obéir aux lois qu'édictera la « république ». L'idée de « *consentement* » est l'idée-maîtresse du contractualisme de Locke. — En second lieu, il convient de remarquer que Locke ne suit pas la construction juridique par laquelle Pufendorf, traitant *De la constitution essentielle de l'État*[1], expose la théorie des deux contrats — d'association, puis de soumission — et l'illustre par l'exemple de la fondation de Rome[2]. Selon Pufendorf, le pacte d'association n'établit que « les commencements et l'ébauche d'un État[3] », celui-ci n'est véritablement institué « comme une seule personne » que par le pacte de gouvernement. Locke refuse le schéma du double contrat, peut-être parce que l'auteur du *De jure naturæ et gentium* avait, chemin faisant, mentionné — comme Filmer ! — que « l'autorité des pères de famille » avait « pu être érigée en souveraineté[4] ». Il lui préfère une procédure qui, divisant la société naturelle coextensive à l'humanité (§ 128) en « groupements plus restreints », leur « incorpore » ceux qui ont consenti à ce changement. — Il convient enfin de remarquer que, à la différence du *covenant* hobbien, la convention génératrice du corps politique que ne requiert pas, selon Locke, l'unanimité. Les hommes peuvent, « quel que soit leur nombre » (§ 89, 94, 95), instituer une communauté civile. Ce qui importe en cette institution est le consentement individuel des contractants ; il contribue à former un « corps unique » qui, par la nature des

1. Pufendorf, *De jure naturæ et gentium*, livre VII, chap. II.
2. *Ibid.*, VII, II, § 8.
3. *Ibid.*, VII, II, § 7.
4. *Ibid.*, VII, III, § 6 début.

choses, ira dans le sens où l'entraînera la force la plus
grande, c'est-à-dire la volonté de la majorité (§ 96)[1].

Ainsi, le consentement qui engage les individus dans
le corps politique est *ipso facto* un acte de confiance —
un *trust* — envers l'institution que le pacte même
établit. Désormais, ce corps politique — quels que
soient son régime, ses structures et ses gouvernants —
est comme une volonté unique (§ 96) dépositaire de la
confiance de tous ceux qui y ont consenti. Le *trust* ne se
réduit pas, de façon par trop simple, à la confiance que
les gouvernés accordent à leurs gouvernants après avoir
consenti à la vie civile[2]. Il est, de façon beaucoup plus
significative, l'adhésion libre et volontaire des individus
à l'état civil, c'est-à-dire la confiance qu'ils placent dans
l'autorité législatrice, seule compétente pour déterminer l'ordre juridique qui assurera leur protection et leur
sécurité.

La nature de ce *trust*, concomitant et inhérent au
consentement, s'éclaire par l'extraordinaire signification qu'il recouvre. Il apparaît à travers lui que le
pouvoir politique doit son existence au *consentement du
peuple*, c'est-à-dire à l'ensemble des individus qui ont
adhéré à la vie civile (§ 89)[3]. L'autorité politique ne naît
ni du droit divin, ni de la puissance paternelle; elle ne
naît pas non plus de la force qui ne conduit qu'à la
conquête ou à l'usurpation (§ 175-196; 197, 198).
L'essence du gouvernement civil résidant dans la juridicité qu'expriment les pouvoirs législateur et sanctionnateur, celui-ci implique une souveraineté dont l'assise est
le « peuple » (§ 112 et § 175). L'idée, certes, n'est pas
inédite[4]; elle mérite néanmoins d'être considérée avec
attention.

1. Nous reviendrons plus loin sur le problème de la règle majoritaire p. 81 sq.

2. Cf. par exemple, J.-J. Chevallier, *op. cit.*, tome II, p. 39.

3. C'est au § 89 que le mot de *people* apparaît pour la première fois
dans le texte de Locke : « *And this (political or civil society) is done
wherever any number of men, in the state of nature, enter into society to
make one people, one body politic under one supreme government.* »

4. Dès le XIVe siècle, Marsile de Padoue (cf. J. Quillet, « Souveraineté et citoyenneté chez Marsile de Padoue », in *Cahiers de
philosophie politique et juridique*, 1983, no 4), puis, au XVIe siècle, les
Monarchomaques huguenots (cf. S. Goyard-Fabre, *Cahiers de philo-*

Locke est loin de plaider pour la *démocratie* ; le sens de ce vocable est d'ailleurs, comme celui du mot *peuple*, très ambivalent à la fin du XVIIᵉ siècle et lesté encore d'une connotation péjorative dont il ne se débarrassera qu'à la fin du XVIIIᵉ siècle[1]. En outre, le dessein de Locke n'est ni d'élaborer une typologie des régimes ni d'établir la théorie du meilleur gouvernement, qui exigerait des références normatives et des jugements de valeur auxquels se refuse sa philosophie « expérimentaliste ». Par l'argument de la souveraineté du peuple, il entend combattre l'absolutisme monarchique : celui que les Stuarts ont souillé de tant de méfaits et de crimes, celui qui, de Richelieu à Louis XIV, caractérise « la maladie française ». De façon générale, il estime qu'un pouvoir absolu est arbitraire (§ 8 ; § 137 et 139). Il existe certes une différence entre les deux adjectifs : un pouvoir « arbitraire » ne s'inspire que de l'arbitre de son détenteur ; il est donc un pouvoir « sans lois établies et permanentes », que, objectivement, guettent l'instabilité et l'anarchie, reflet de l'inconstance et des humeurs subjectives du monarque érigé en seul maître ; le pouvoir « absolu » s'exerce sur tout et sur tous ; rien ne résiste à sa puissance. Quand l'absolutisme d'un prince se confond avec l'arbitraire d'un seul, ce qui est généralement le cas, le régime politique devient détes-

---

sophie politique et juridique, 1982, nº 1 et nº 2) s'étaient faits les défenseurs de cette idée. Il est malaisé cependant de spécifier sur ce point les sources de Locke, encore que l'on sache qu'il connaissait le *De jure regni apud Scotos* de Buchanan et les *Vindiciae contra tyrannos*.

1. Sur le concept de *peuple* chez Locke, cf. G. Zarone, *John Locke*, Bari, 1975, p. 197-203.

Notons que Diderot, dans l'article « Autorité politique » de l'*Encyclopédie*, s'inspire de très près de la thèse de Locke. Le terme de peuple conserve néanmoins pour lui une acception péjorative : « L'homme du peuple est le plus sot et le plus méchant de tous les hommes ; se dépopulariser ou se rendre meilleur, c'est la même chose », *Règne de Claude et de Néron*, éd. Assézat-Tourneux, 1875-1877, tome III, p. 263. De même, Montesquieu prête au terme *peuple* un sens très ambigu ; il assimile parfois le peuple et le bas-peuple ou la populace. C'est ce que fait également Voltaire : « Quand la populace se mêle de raisonner, tout est perdu », lettre à Damilaville du 1ᵉʳ avril 1766.

table. D'une part, il constitue une atteinte ou une menace pour les droits naturels et la liberté fondamentale des individus. D'autre part, il implique la distorsion de l'idée même de société civile. Loin de répondre à la finalité du politique — parer et remédier, par un ordre juridique et juridictionnel, aux inconvénients de l'état de nature — il demeure englué dans l'état de *nature* puisque le souverain, ignorant des lois et des exigences d'un ordre de droit, s'y prétend le seul juge et le seul interprète de la loi de nature. Rien n'est donc plus pervers ni plus contradictoire en matière politique que l'absolutisme.

Au-delà du combat contre l'absolutisme, qui, en 1690, a évidemment une résonance conjoncturelle et place Locke dans le camp des « révolutionnaires » orangistes, l'idée de souveraineté du peuple enveloppe des implications juridiques qui ne tarderont pas à trouver place dans les nouvelles théories du droit public. Avec la naissance de la société civile, s'affirme la volonté du corps politique (§ 89). Celui-ci s'identifie au « peuple »; et voilà le mot même de « peuple » qui, à travers la fonction constituante dont il est d'emblée investi, acquiert un sens politique pour désigner indivis les membres du *Commonwealth*. Locke ne fait pas, à la manière exemplaire de Hobbes, l'analyse des concepts du vocabulaire politique ou juridique qu'il utilise. Mais il recourt aux termes techniques du droit public. C'est ainsi que la reconnaissance du peuple comme entité juridique l'amène à esquisser une théorie de l'*autorisation* (§ 89) à la faveur de laquelle le peuple apparaît comme l'*auteur* véritable des lois de la république[1]. Comme le pouvoir législatif appelle l'exécution des lois et la sanction des illégalités, l'idée d'autorisation exprime, en même temps que la souveraineté du peuple en corps, le primat de la *loi* dans l'État. Le *Commonwealth* s'identifie donc en droit au corps législatif et, seule, la loi est juge des litiges qui viendraient à troubler

---

1. Le terme de « république » est à entendre au sens de *Res publica*, *Civitas* ou *Commonwealth*.

la vie civile. Autrement dit, le peuple est détenteur des pouvoirs de faire les lois, de les faire exécuter et de juger de leur application. Seulement, le peuple n'exerce pas directement ces pouvoirs ; il les a confiés, par son consentement à la vie civile, au « corps » qui légifère en ses lieu et place et aux « magistrats » qu'il nomme. Le consentement à la vie politique appelle donc une théorie de la *représentation*. Même une démocratie parfaite ne pourrait être une démocratie directe : le peuple y nomme des « magistrats de son choix » pour faire appliquer les lois (§ 132). En toute « république », la médiation des représentants est une nécessité (§ 133).

Locke ne s'attarde pas à spécifier les problèmes de technique juridique de la représentation : le mécanisme des modes de scrutin, les modalités de l'élection, le décompte des voix... ne l'intéressent pas. L'important est pour lui que la *règle de la majorité* soit le corollaire de l'idée représentative. Il faut (§ 98) que chacun, dans le corps public, accepte le consentement de la majorité comme l'équivalent rationnel de la décision de l'ensemble et, partant, s'y soumette. Il y a là un impératif pratique : en effet, des circonstances contingentes comme « des défaillances de santé » et « des empêchements d'affaires » font qu'il est presque toujours impossible de réaliser l'unanimité ; de surcroît, la diversité des opinions et la contrariété des intérêts sont telles qu'un pouvoir public qui voudrait tenir compte de tous serait voué à un pointillisme incohérent qui le déchirerait : « *it will be only like Cato's coming into the theater, tantum ut exiret* » ; il ne survivrait pas au jour de sa naissance (§ 98). A raison de cette inéliminable dimension de fait du politique, Locke postule — comme Machiavel — qu'un gouvernement n'assume sa vocation que s'il dure. L'engagement des citoyens envers lui doit par conséquent transcender les convenances personnelles et les intérêts conjoncturels. Réciproquement, les arrêts du pouvoir ne peuvent être pris circonstantiellement, « un à un », en n'ayant égard qu'à l'événement ponctuel ou à la singularité des opinions. Donc, la *majority rule* est une maxime pratique de sagesse politique, non le moyen de faire triompher un parti ou une faction. Mais cette maxime pratique n'en est pas moins la condition *sine qua non* de la perpétuité de la république et de l'efficacité du pouvoir législateur. *For where the majority cannot conclude the rest, there they cannot act as one body, and consequently will be immediately dissolved again* (§ 98). Non seulement semblable résultat est contraire à la finalité essentielle du corps politique, mais il est psychologiquement incongru : comment concevoir que des individus ne s'unissent par un contrat que pour défaire leur union au gré de leurs intérêts individuels ? L'autorité de la majorité est le droit même de la république.

En définitive, l'idée de *trust* enveloppe une théorie de la *citoyenneté* par laquelle Locke ouvre la voie à la pensée politique des Lumières. Par le consentement à la vie civile et la confiance qu'il accorde au pouvoir législateur public, l'individu se transforme en citoyen, ce qui constitue pour lui une mutation et une promotion. En s'« incorporant » librement au « corps public », chacun participe désormais à sa gestion : il accède à la dignité politique. Davantage : auteur, par la médiation de ses représentants qu'il autorise à décider pour lui, du dispositif législatif de la république, le citoyen est en même temps sujet et son devoir d'obéissance civique ne connaît pas d'excuse. Mais le citoyen-sujet n'est pas assujetti : en abandonnant sa liberté naturelle à la société et en renonçant à son pouvoir d'autoprotection, c'est un gain qu'il a effectué. Son gain est même double : d'une part, il a gagné d'échapper à l'incertitude de l'état de nature ; d'autre part, il obéit en tant que sujet de la république à la loi, qu'en tant que citoyen, il a contribué à édicter. Son autonomie civique est déjà le principe d'une liberté politique consciente d'elle-même. Le libéralisme politique, désormais, a trouvé son axiome de base. Non seulement Locke, comme Spinoza ou Rousseau, a compris que l'homme est plus libre sous la loi que sans la loi, mais les deux idées connexes de *consentement* et de *trust* l'amènent à montrer que les droits du citoyen sont une obligation à la citoyenneté et que quiconque n'assume pas ce devoir n'accomplit pas son humanité[1].

Ainsi, la naissance d'une république ne s'explique que par le libre consentement des individus. Les gouvernements de la terre ne demandent rien au ciel. Locke complète dans le *Second Traité* ce qu'il disait sur ce point dans sa *Lettre sur la Tolérance*. La loi civile, estimait Locke dans cette lettre, n'a pas à prescrire des articles de foi. Le magistrat, assurément, peut être bon chrétien, mais son office public est totalement étranger aux affaires de l'Église. Lors donc que le philosophe concluait, à raison des finalités différentes de l'État et de l'Église, à l'impossible confusion des prérogatives et des charges des magistrats publics et ecclésiastiques, il mettait en accusation la théocratie anglicane. Depuis trente ans, Locke, persuadé qu'il y a un rapport entre l'histoire du monde et la politique de chaque jour, en avait stigmatisé l'intolérance et les excès. Sa grande habileté était de plaider pour la tolérance non pas au nom des « droits de la conscience » comme le faisait Bayle, mais au nom de la raison. C'est cette perspective « raisonnable » que développe le *Second Traité* en s'opposant, par l'idée de souveraineté du peuple, à toute politique théocratique. Locke ne met pas en cause la religion. Mais, à la faveur de l'histoire anglaise, il a compris les dangers que recèle une politique qui prétend se fonder dans la volonté divine. D'avance, il condamne les théories de Bossuet ; et, bien qu'il ne parle pas de la révocation de l'Édit de Nantes, un tel acte a dû lui apparaître comme l'effet le plus odieux du césaro-papisme. Le *Second Traité* entreprend donc de désacraliser le pouvoir civil jusques en ses sources. Il n'y a en cela aucun scepticisme. C'est bien plutôt l'affirmation que le rapport à Dieu n'a pas de place en politique, même aux origines. Le gouvernement civil est l'affaire des hommes mêmes. L'autorité politique —

---

1. Nous renvoyons ici à notre article « Souveraineté et citoyenneté dans le libéralisme de John Locke », *Cahiers de philosophie politique et juridique*, 1983, n° 4.

Diderot, qui connaît bien les « idées anglaises », le comprendra admirablement — ne peut trouver sa raison d'être que dans la libre décision des hommes instituant par un contrat un ordre législatif commun qui se passe de toute caution théologique. Locke rejoint Grotius : le droit civil ou politique est « *un establissement humain* », à quoi rien ne serait changé « quand même on accorderait, ce qui ne se peut sans un crime horrible, qu'il n'y a point de Dieu[1] ». A l'heure où l'*Essai concernant l'entendement humain* combat les « idées innées », marque du Créateur sur sa créature, le *Second Traité*, en conjoignant les clartés de la raison et les leçons de l'expérience, annonce le déclin de l'absolutisme qui avait jusqu'alors prévalu dans la Chrétienté d'Occident. Locke annonce la mutation, c'est-à-dire l'émancipation de la conscience politique[2].

3. *L'organisation du gouvernement civil*

L'origine et les fins de la société civile ont été clairement précisées : enraciné dans le consentement populaire, le *Commonwealth* est destiné à protéger, par l'ordre juridique qu'il instaure (§ 127), la paix et les propriétés de ses membres.

Reste à organiser ce « système juridique et judiciaire commun » que nous appellerions aujourd'hui de droit public. Pour Locke, deux questions se posent : la question, politique, du régime gouvernemental et celle, plus technique, de son aménagement institutionnel.

a. Du régime politique de la société civile

La naissance de toute société civile se place sous le signe de la règle majoritaire. On peut donc dire que, originairement, la majorité s'étant unie pour donner

---

1. Grotius, *De jure belli ac pacis*, Prol., § 11.
2. Cette phrase condense toute la portée du *Second Traité* : l'enfant « devient un homme libre et il a la faculté de choisir le gouvernement auquel il se soumettra, le corps politique auquel il s'unira » (§ 118).

des lois à la communauté et nommer des magistrats de son choix afin de les faire appliquer, le gouvernement est, en sa forme, « une parfaite démocratie ». Mais la communauté qui s'est formée peut confier le pouvoir de légiférer à un petit nombre d'hommes choisis : c'est alors une oligarchie. Enfin, elle peut le placer dans les mains d'un seul homme : on a affaire à une monarchie, soit héréditaire, soit élective. Comme la manière de placer le pouvoir de faire les lois détermine la forme de la république (§ 132), on conçoit aisément, dit Locke, que, à partir de ces éléments, des régimes composés et mixtes soient possibles. Mais le philosophe ne s'étend pas sur la typologie des régimes : peut-être considère-t-il qu'il n'y a là qu'un vieux problème sur lequel tout, déjà, a été dit ; plus vraisemblablement, il n'attache pas encore à cette question l'importance et la gravité que lui accordera Montesquieu en découvrant, au-delà de la « nature » des divers régimes, le « principe » qui les meut. A tout le moins Locke n'est-il pas très sensible à la dynamique socio-politique des formes gouvernementales. Il se borne à remarquer — quitte à revenir sur le problème — que, dans le cas où le pouvoir législatif est confié à des magistrats « pour leur vie durant », il fait retour, à la mort de ses détenteurs, au corps public qui en dispose de nouveau et peut dorénavant l'attribuer de telle sorte qu'apparaisse une nouvelle forme de république.

On peut se demander les raisons de cette discrétion. Locke ne cherche pas à élaborer une logique classificatoire du politique ; il ne s'interroge pas non plus à la manière classique sur « la meilleure forme de gouvernement ». Son souci est fondamentalement éthique : et c'est pourquoi l'hostilité qu'il nourrit à l'égard de la monarchie absolue, creuset d'arbitraire et d'injustice, est si intense. Toutefois, il n'oppose pas de réticence au régime monarchique, pourvu qu'il soit légitime et procède du choix de la majorité du peuple souverain. Ce qu'il dénonce, ce sont les vices qui, nés des abus de pouvoir du prince et de la confusion qu'il commet entre le public et le privé, détournent le politique de sa

finalité. Il sait par expérience que les risques d'arbitraire et d'absolutisme sont grands en régime monarchique ; néanmoins, ils n'en représentent à ses yeux
qu'une distorsion ; c'est à celle-ci, et à celle-ci seule,
qu'il intente procès. — En outre, Locke est homme du
XVIIe siècle ; même si, par ses idées, il appartient déjà
au XVIIIe siècle qu'il inspirera si intensément, il ne
parvient pas à conférer au terme de *peuple* un statut
sémantique bien clair. Par voie de conséquence, le
régime dit démocratique, lors même qu'il est qualifié de
« parfait », demeure embué de quelque équivoque. Il
n'est pas impossible que Locke — qui a montré dans
l'*Essai concernant l'entendement humain* l'importance du
langage[1] — ait eu conscience de cette imperfection
lexicale. Il semble néanmoins que le concept de peuple
ne soit pas clair pour lui en son acception politique et
juridique parce qu'il demeure ambigu du point de vue
sociologique. Sans doute le peuple est-il politiquement
constitué par les sujets du *Commonwealth* (§ 89). Sans
doute correspond-il juridiquement à la notion de
citoyenneté car il atteste, comme elle, la mutation et la
promotion de l'individu dans le corps de la république.
Cependant — sans suivre pour autant C.B. Macpherson dans son interprétation des « présupposés d'ordre
social » qu'il prête à Locke[2] — il faut reconnaître que
tous les membres du *Commonwealth* n'y sont pas politiquement membres à part entière : les mendiants, la
classe laborieuse et les femmes, qui sont dans un état de
« dépendance » (ce qui est d'ailleurs, dans l'Angleterre
puritaine du XVIIe siècle une tare morale), ne sont pas
des citoyens actifs et n'ont aucune capacité politique :
ils ne sont que des sujets sous les lois de la république.
Dans ces conditions, il est difficile à Locke d'apurer les
deux concepts connexes de peuple et de démocratie. Il
se contente d'évoquer l'essence nominale et non

---

1. Cf. *Essai concernant l'entendement humain*, livre III, en particulier, chap. IX et X : « De l'imperfection des mots » et « De l'abus
des mots », p. 385 et p. 413.
2. C.B. Macpherson, *op. cit.*, en particulier p. 244 sq.

l'essence réelle[1] du régime démocratique. Quant à
l'idée de faire l'apologie de ce régime, elle ne lui vient
même pas à l'esprit : tous les hommes ont beau être
égaux dans l'état de nature voulu de Dieu, ils ne sont
pas tous capables, au même degré, de vivre conformément à la loi rationnelle de nature. Comment dès lors
faire également confiance à tous dans le gouvernement
d'un État ? En fait, Locke, comme beaucoup d'autres
auteurs jusqu'à la fin du XVIIIe siècle, conserve quelque
méfiance envers le peuple dont la *reasonableness* est
parfois douteuse[2]. — Quant à l'oligarchie, il en donne
une définition purement nominale : elle est le régime
dans lequel le pouvoir de légiférer est confié à un petit
nombre d'hommes choisis (§ 132). Qui sont ces
hommes « choisis » ? Comment et selon quels critères le
sont-ils ? Manifestement, cela n'intéresse pas Locke.

Le problème que se pose le philosophe n'est pas celui
des caractéristiques des régimes gouvernementaux. Il
est, comme l'histoire d'Angleterre le lui a enseigné,
celui de l'aménagement et de la « balance » des « pouvoirs » au sein de la république.

b. L'aménagement institutionnel de la république

L'organisation du corps politique est évidemment
destinée à pallier les carences de la condition naturelle
où font défaut trois conditions : « il manque une loi
établie » (§ 124), « un juge connu de tous et impartial »
(§ 125), « une puissance exécutrice des décisions »
(§ 126). Comme l'existence d'un pouvoir juridictionnel
est le critère même de l'état civil, Locke ne distingue
pas un « pouvoir judiciaire » appartenant à un organe
spécifique ; le *Commonwealth* tout entier se caractérise
par sa capacité juridictionnelle[3]. En revanche, il y a

1. *Essai…*, livre III, chap. VI, § 3. L'essence nominale est une
idée abstraite dont un nom désigne la signification ; l'essence réelle est
l'en-soi substantiel.

2. Les derniers paragraphes du *Second Traité* laisseront entendre
une tonalité sensiblement différente.

3. On pourrait citer ici Périclès, que mentionnera Montesquieu :
« Périclès donna au peuple toute la puissance judiciaire. *Consilia
totiusque Reipublicae gubernationem.* »

dans l'État, selon Locke, trois pouvoirs distincts : un *pouvoir législatif* et un *pouvoir exécutif*, assorti d'un troisième pouvoir appelé « *fédératif* ». Chacun d'eux a ses caractères propres ; leur fonction spécifique est déterminée par leur finalité. Mais l'important est qu'ils s'inscrivent — comme dans la Constitution d'Angleterre[1] — dans une hiérarchie dont la structure et le fonctionnement rendent compte du sens des visées « constitutionnelles » de Locke.

Apparemment, les choses sont simples ; leur signification est cependant subtile.

L'établissement du *pouvoir législatif*, qui est « le pouvoir suprême de la république » (§ 134) et, à ce titre, ne fait qu'un avec le pouvoir constituant du peuple[2], est l'objet de la première loi positive de toute société politique (§ 134 et § 212). Il a un caractère « inaltérable et sacré ». Il s'enracine dans la volonté unique née du pacte générateur de la société civile, c'est-à-dire dans la volonté de la majorité — à moins, précise Locke,

---

1. Le réalisme observateur de Locke ne peut, en ce point, être pris en défaut. A peine ajoute-t-il à la Constitution anglaise deux réformes : une plus équitable répartition des circonscriptions électorales et une refonte de la confession de foi anglicane.

2. *Remarque* : C'est assurément un des aspects les plus frappants de la théorie de Locke, aux yeux d'un juriste français, que cette inclusion du pouvoir constituant dans le pouvoir législatif. La distinction de la loi ordinaire et de la loi constitutionnelle, du pouvoir législatif et du pouvoir constituant, représente en effet une composante essentielle, voire traditionnelle, de la pensée juridique française. Elle était pratiquée dès l'Ancien Régime, dans le cadre même de la monarchie absolue, où l'on différenciait « les lois fondamentales du Royaume » et « les lois du Roi ». Elle a occupé, dans l'esprit des révolutionnaires de 1789 comme de ceux de 1793, une place de premier plan (et un théoricien comme Sieyès lui a même apporté à cette époque des perfectionnements remarquables). Elle a conservé depuis lors, même si elle a été parfois quelque peu occultée, comme en 1830 et en 1871, une importance fondamentale. En Angleterre au contraire, il est de tradition que les règles relatives à l'organisation et au fonctionnement des pouvoirs publics, c'est-à-dire les règles constitutionnelles — dont on sait, au demeurant, qu'elles sont, pour leur plus grande part, coutumières — n'aient aucun statut spécifique ; ces règles sont posées et modifiées selon la même procédure et par la même autorité que les autres, à savoir par le législateur. Il en était ainsi du temps de Locke ; il en est toujours ainsi aujourd'hui.

qu'une stipulation expresse n'exige l'accord d'un nombre supérieur à la majorité (§ 99). L'important est qu'il soit « l'âme » qui donne à la république « sa forme, sa vie et son unité » (§ 212).

Il n'y a là rien que de bien classique depuis *La République* de Bodin et, n'était la réticence de Locke à utiliser les termes de « souverain » ou de « souveraineté », nous pourrions dire que le pouvoir législatif est le « pouvoir souverain » qui, donnant l'être à l'État, en condense l'essentialité.

Cependant, la pensée de Locke ne va pas sans un accent personnel lorsqu'il insiste sur le fait que le pouvoir législatif manifeste le choix du peuple désignant ses gouvernants — un ou plusieurs (§ 135) — et les habilitant à faire les lois qui le régiront (§ 212), que ce pouvoir existe en permanence ou de manière intermittente (§ 135). L'important ne réside pas dans les modalités de la législation, mais dans le fait qu'aucune autre procédure ne soit possible pour légiférer : comme le peuple s'érige en juge pour pallier les carences de l'état de nature, il faut aussi qu'il soit investi d'une puissance pour exprimer et manifester ses sentences ; donc, le pouvoir législatif ne peut habiliter qui que ce soit d'autre à légiférer et nul législateur ne peut ni transmettre ni aliéner le pouvoir qu'il a reçu du peuple (§ 141). De la sorte, le pouvoir législatif ne peut comporter aucun risque d'arbitraire. C'est pourquoi les lois sont des règles permanentes (§ 136, 137) qui, en leur généralité, sont les mêmes pour tous, paysans ou courtisans, pauvres ou riches (§ 142) ; elles doivent être « établies et promulguées » (§ 136 ; 142), leur publicité étant un gage de stabilité. De surcroît, comme les individus n'ont consenti à la vie civile qu'en vue du bien commun, les lois, en exprimant la volonté publique, se limitent en leurs prescriptions, conformément à la téléologie de la loi de nature, à ce qu'exige le bien commun (§ 135). Autrement dit, les lois écrites du *Commonwealth* explicitent la loi de nature et, en la rendant claire et sans équivoque à l'esprit des hommes, lui confèrent aussi une plus grande efficace (§ 136).

Le bilan positif du pouvoir législatif ne fait aucun doute. D'une part, il établit la pérennité de la république en vertu de la mission qui a été confiée aux magistrats. D'autre part, il se fait le protecteur de l'individu puisque tout se passe comme si, par la règle législative, le juge public l'empêchait d'errer en demeurant exécuteur de son droit naturel. En même temps, le pouvoir législatif est un pouvoir sanctionnateur soucieux de faire régner la justice dans le *Commonwealth*. Il est ici à remarquer que Locke ne présente pas l'office du pouvoir législatif en énonçant les clauses d'une Constitution. Peut-être les idées « constitutionnalistes » de Locke étaient-elles contenues, ainsi que le suggère P. Laslett[1], dans la partie perdue des traités politiques. Peut-être Locke a-t-il estimé, au temps où il rédigeait son texte, que l'énoncé de clauses constitutionnelles expresses aurait été un comportement dangereux dans le contexte historique pré-révolutionnaire. Il nous semble surtout que Locke veut assigner au pouvoir législateur de la république une fonction éthique. Il faut se rappeler l'admiration qu'il avait nourrie très tôt pour les institutions civiles de Rome[2] en quoi se projetait un style de vie et de pensée : pour le législateur romain, le pouvoir législateur n'était pas une « puissance » (*kratos*), mais il traduisait les modalités de la vie civile comme des instances éthiques (*ethos*). Tel est encore l'état d'esprit de Locke, soucieux du bien-être et du bonheur des citoyens, juste récompense de la confiance dont ils ont investi leurs représentants. Le pouvoir législatif accomplit une mission en déterminant, par les règles qu'il établit, les conditions de la paix et de la sécurité communes.

Quant à l'office du *pouvoir exécutif*, il consiste, très logiquement, à aider « sans discontinuité » le peuple du *Commonwealth* à accomplir ses devoirs dans le cadre des lois (§ 144). Il procède à l'application des règles législa-

---

1. P. Laslett, Introduction des *Two Treatises*, p. 77.
2. Fox Bourne, *op. cit.*, tome I, p. 153, mentionne que Locke devait écrire un ouvrage sur la décadence romaine. Si cet ouvrage a été écrit, il ne nous est pas parvenu.

tives, transformant ainsi leur obligatoriété en effectivité. Locke a compris qu'une loi que l'on n'applique pas est vaine et inutile. Il est, sur ce point, plus pertinent que Hobbes qui situait le souverain législateur en dehors et au-dessus des lois. Cette position, que Locke avait naguère adoptée dans ses *Essays on the Law of Nature*[1], lui apparaît erronée à l'heure du *Second Traité*. Le caractère obligatoire des lois civiles, affirme-t-il alors, ne connaît pas d'exception : aucun magistrat, puisqu'il fait partie intégrante de la communauté publique (§ 135), n'est *ex lege*[2]. Tous, à quelque niveau qu'ils se situent dans la hiérarchie, sont obligés par la loi, ce qui fait d'elle un rempart contre l'arbitraire ou le caprice auxquels ils seraient enclins de céder, la faiblesse de la nature humaine risquant toujours de réaffleurer.

Toutefois, le pouvoir exécutif n'est pas un simple exécutant des décisions du pouvoir législatif. S'il lui est, en un sens, lié et subordonné, il possède néanmoins, en un autre sens et, très précisément, « en l'absence d'une disposition légale ou parfois même à son encontre », un pouvoir discrétionnaire d'action, pourvu que son action vise au bien public (§ 160). Ce pouvoir est « *la prérogative* ». Son exercice ne masque nullement en la pensée de Locke quelque nostalgie de l'idéologie *tory*; il vient combler les lacunes et les silences de la loi. Mais on ne saurait oublier qu'il est lui-même légalement défini (§ 164) et que, partant, son caractère discrétionnaire ne s'apparente en rien à l'arbitraire; il répond, chez un bon prince, au souci de « faire le bien » (§ 164 et § 166). En tout état de cause donc, la prérogative est soumise aux prescriptions de la loi de nature et elle oblige le prince à la droite raison. L'action déraisonnable d'un magistrat suprême ne peut en aucune façon se prévaloir de la prérogative.

---

1. Cf. en particulier l'*Essay n° 1*.
2. Locke, toutefois, déclare avec prudence au § 195 qu'il ne disputera pas sur le point de savoir si les princes sont soumis ou non aux lois de leurs pays. Il ne reconnaît alors que leur obéissance irréfragable aux lois de Dieu et de la nature.

Il existe enfin en toute société politique un troisième pouvoir que Locke appelle le *pouvoir fédératif (federative power)* (§ 145), non sans dire drôlement que, pourvu que l'on comprenne de quoi il s'agit, « peu importe le nom qu'on lui donne » (§ 146). Ce pouvoir est en quelque sorte « naturel » parce qu'il ne s'exerce pas, à l'instar des pouvoirs législatif et exécutif, dans le cadre des lois positives du *Commonwealth*. En effet, comme Grotius et comme Hobbes aussi bien que comme Kant un siècle plus tard, Locke considère que le droit public du *Commonwealth* est exclusivement un droit interne. Aussi bien le corps de la république demeure-t-il « dans l'état de nature par rapport à tous les autres États » (§ 145) ou par rapport à « toutes les autres personnes » qui lui sont extérieures. Il n'existe pas de règles positives de droit international, public ou privé, aptes à régir les relations des différentes républiques entre elles ou les rapports de leurs ressortissants avec le *Commonwealth*. Lors donc que surgissent des différends, il faut qu'interviennent les pouvoirs publics pour les trancher afin que le juste ne soit pas méconnu ou bafoué. Ils interviennent par l'intermédiaire du « pouvoir fédératif » dont la compétence est de déclarer la guerre, de conclure des ligues ou alliances, de signer des traités de paix, d'adopter des conventions à usage interétatique en matière de monnaie, de communication ou de commerce par exemple. De façon générale, le pouvoir fédératif gère ce qu'en langage moderne nous appellerions « les relations extérieures[1] ».

1. *Remarque* : C'est un très grand mérite de Locke que d'avoir ainsi fait un sort sous le nom de « pouvoir fédératif », à ce que nous appellerions aujourd'hui la compétence internationale (ou plutôt les compétences internationales) de l'État. Ces compétences internationales, à les considérer de plus près, se révèlent hétérogènes et, par suite, on peut douter qu'elles correspondent à un pouvoir spécifique. Que recouvrent-elles en effet ? On y fera entrer au minimum : 1° Le pouvoir de conclure des traités (*jus tractuum*) ; 2° Le pouvoir d'entretenir et de recevoir des ambassades (*jus legationis*) et celui d'intervenir en faveur des ressortissants à l'étranger, lesquels représentent le pouvoir diplomatique proprement dit ; 3° Le pouvoir de faire la guerre (*jus ad bellum*). Or, la seconde et la troisième de ces compétences offrent au fond la même nature que le pouvoir administratif et le pouvoir de police par exemple dans l'ordre interne ; ce sont des

L'originalité de ce « pouvoir » est d'être une « fonction » plutôt que la « puissance » (*power*) d'un organe spécifique. Cette fonction, au lieu de s'inscrire dans le dispositif d'une législation positive, ne s'explique que par l'obligation à la loi de nature : il serait déraisonnable de laisser aller les affaires extérieures de l'État, en l'absence de règles légales, au gré des individus. Le pouvoir fédératif est donc moins, dans la politique de Locke, l'ébauche d'un droit international tel que l'entrevoyait Grotius, que la traduction du devoir qu'a l'homme d'obéir, en toutes circonstances, aux directives de la droite raison. L'éthique politique doit passer les frontières territoriales du *Commonwealth*. C'est pourquoi le « pouvoir fédératif » correspond davantage à un état d'esprit, très proche des intuitions kantiennes du *Projet de Paix perpétuelle*, qu'au projet juridique d'établissement d'un Code positif international.

Si tel est l'aménagement institutionnel de la république, peut-on soutenir que Locke propose une théorie de « la séparation des pouvoirs », dont il ferait la condition juridique de l'anti-absolutisme et l'axiome de base du libéralisme politique ?

En toute rigueur, cette doctrine — qui n'existe même

---

compétences d'essence exécutive, et il n'est pas surprenant qu'elles soient toujours confiées, dans la réalité positive, aux autorités gouvernementales. Le *jus tractuum* en revanche est, par définition, un pouvoir de poser des règles, ou de participer à leur édiction : c'est un pouvoir normatif dont il faut dire par conséquent, matériellement parlant, qu'il est d'essence législative ; aussi est-il le plus souvent exercé conjointement, au moins dans les cas les plus importants, par les autorités gouvernementales et les législatures. On conclura donc, si l'on se place dans cette perspective, que le pouvoir baptisé par Locke « fédératif » n'est pas un pouvoir autonome et qu'il se résorbe, pour une part, dans le pouvoir législatif, pour une autre part, la plus grande, dans le pouvoir exécutif. Mais ces observations n'enlèvent rien au mérite de Locke, qui est d'avoir parfaitement perçu, dans la lignée de Grotius et de Pufendorf, que l'analyse des pouvoirs de l'État ne saurait se cantonner sur le seul terrain de l'ordre juridique interne, et qu'elle doit embrasser l'ordre des relations inter-étatiques.

Nous développons ces remarques dans : « Réflexions sur le pouvoir fédératif dans le "constitutionnalisme" de Locke », *Cahiers de philosophie politique et juridique*, n° 5, Caen, 1984.

pas, quoi qu'on ait pu écrire là-dessus, dans la lettre de
L'Esprit des lois[1] — ne trouve pas place dans le *Second
Traité*. Certes, de façon nominale et même conceptuelle,
Locke distingue bien dans l'État les pouvoirs législatif,
exécutif et fédératif. Mais, d'une part, la conception qu'il
se fait de ces « pouvoirs » est plus fonctionnelle qu'organique et l'office qu'il leur assigne est aux confins du
juridique et de l'éthique. L'obligation à la loi de nature
s'impose en chacun d'eux au point de les situer toujours
dans l'orbe de la raison droite et raisonnable. D'autre
part, du point de vue de la technique juridique, ces
pouvoirs ne sont point « séparés » les uns des autres.
Locke est parfaitement explicite : l'exécutif et le législatif
sont nécessairement liés l'un à l'autre puisque l'un veille à
l'application des règles posées par l'autre ; et si l'exécutif
et le fédératif diffèrent entre eux par leur vocation qui les
tourne vers les affaires intérieures ou vers les affaires
extérieures de l'État, ils se trouvent en fait confiés, dit
Locke, aux mêmes magistrats, car il est impossible, sans
exposer la république au désordre ou à la ruine, de
soumettre à des commandements différents la force
publique dont ils font usage (§ 148). Plutôt que « séparation des pouvoirs », il y a, dans l'aménagement institutionnel de l'État, distinction, mais liaison des différents
pouvoirs. Telle est bien d'ailleurs la leçon que dégagera
Montesquieu de la Constitution d'Angleterre.

La liaison des trois pouvoirs entre eux et avec la
fonction juridictionnelle et judiciaire immanente à la
république mérite quelque attention. En effet, l'aménagement des institutions du *Commonwealth* implique selon
Locke, *de jure* comme *de facto*, une hiérarchie des pouvoirs. La règle fondamentale de toute république s'exprimant par la vieille maxime cicéronienne *Ollis salus populi
suprema lex esto*[2], elle se traduit par la convergence de tous
les offices publics vers la sauvegarde du bien de la
communauté ; dès lors, il est nécessaire que le pouvoir
législatif soit et demeure le pouvoir suprême auquel tous
les autres seront subordonnés, afin, tout particulière-

1. Nous renvoyons sur ce point à notre *Philosophie du droit de
Montesquieu*, Paris, Klincksieck, 2ᵉ éd., 1979, p. 320 sq.
2. Cicéron, *De legibus*, III, 3.

ment, d'empêcher que l'exécutif ne se place au-dessus ou en dehors des lois en cédant au vertige du pouvoir (§ 149). Malgré la parfaite logique de cette hiérarchie institutionnelle, Locke n'esquisse pas pour autant le principe d'une pyramide des règles de droit dans l'État. A la différence de Hobbes, il demeure étranger à l'intuition du positivisme juridique. Il n'a d'ailleurs aucun dessein de doctrine juridique. L'idée-force de sa pensée « constitutionnelle » est ailleurs : toutes ses analyses, parfois touffues et répétitives, convergent pour montrer que tout gouvernement civil se fonde, en son principe, en sa fin, en son organisation, en son action, dans le consentement et la participation du corps social. Les institutions ne sont légitimes que si elles procèdent de la volonté populaire et ne sont valides que si leur action tend au bien-être commun. La hiérarchie des pouvoirs a un sens politique plutôt que juridique. Le corps du peuple en est le principe et la fin : l'erreur de Filmer, faisant bon marché, dans le patriarcalisme, de la libre volonté des sujets aussi bien que le spectre de la monocratie absolutiste inclinant vers le despotisme (§ 169-174) sont l'une et l'autre conjurés. L'aménagement institutionnel de la république n'établit de hiérarchie entre les pouvoirs que pour mieux situer l'action politique entre la participation des citoyens et la sécurité des sujets.

Il est donc difficile de soutenir que l'organisation du *Commonwealth* que propose Locke trace l'épure d'une Constitution. D'une part, le philosophe s'est manifestement inspiré de la Constitution traditionnelle de la vieille Angleterre ; et ce n'est pas en réformateur qu'il rédige son *Traité*. D'autre part, il écrira plus tard, à la fin de l'année 1695, un bref discours intitulé *Old England's Legal Constitution* qu'il adressera, en manuscrit, *To Mr..., a member of Parliament*[1] ; il s'agira, cette fois, — justement parce que cela n'avait pas été fait auparavant — d'exposer un dispositif de clauses consti-

---

1. Ce texte est signalé par Fox Bourne, *Shaftesbury Papers* (séries VIII n° 6), *op. cit.*, tome II, p. 317 sq.

tutionnelles. En 1690, l'aménagement des pouvoirs s'opère, en sa pensée, contre l'esclavage ou, plus exactement, contre l'asservissement politique des hommes. Le fil conducteur du *Traité* est net : si la sujétion des enfants mineurs vis-à-vis de la puissance paternelle fait partie de l'ordre des choses en l'état de nature, il n'est pas possible qu'elle constitue une catégorie de la vie politique. Parce qu'il n'y a de gouvernement civil que sur la base d'un pacte consensuel libre et volontaire, politique et esclavage sont antinomiques (§ 174). A sa manière, comme La Boétie et avant Montesquieu, Locke écrit « à l'honneur de la liberté, contre les tyrans ».

4. Les bornes du pouvoir politique

Malgré le bref épisode hobbien de sa jeunesse, Locke n'a jamais fait mystère de ses préférences pour le parti whig, que l'amitié de Shaftesbury n'a fait que renforcer. Mais son hostilité pour toutes les formes de l'absolutisme n'était pas affaire de sentiment. Elle devait trouver une expression raisonnée dont le titre même du *Second Traité* est l'index : Locke consacre son essai non seulement — question classique — à *l'origine* et aux *fins* du gouvernement civil, mais aussi à son *étendue*, ce qui ne va pas sans sous-entendre que le pouvoir politique n'est pas illimité. Nous pouvons donc souscrire à la traduction proposée par B. Gilson parlant des « *limites* du pouvoir civil* ».

Mais il faut éviter toute méprise. Locke ne se pose pas en réformateur et n'utilise pas le langage du devoir-être. Il examine ce qui tient à la nature même des choses et expose, de manière descriptive, l'architectonique du gouvernement civil dont il a expliqué que l'origine est le consentement populaire et que la finalité réside dans la sécurité de ses membres. Il ne s'agit pas là, il faut y insister, d'un type de gouvernement parmi d'autres, mais de la nature essentielle du gouvernement politique. Or, cette nature essentielle — ce que l'on pourrait traduire par le terme juridique de « légitimité » ou par le terme philosophique d'« authenticité » — ne peut avoir d'autre fondement que le consentement de la majorité à la vie civile, ce qui implique son acte de confiance envers les représentants qu'elle choisit pour assurer le bien commun[1]. Par conséquent, le gouvernement comporte des bornes puisqu'il *exclut* toute autre origine que le pacte populaire et toute autre fin que la sauvegarde des vies, des libertés et des biens. Il ne s'exerce que dans son « domaine légitime » (§ 199), au-delà des limites duquel commence la tyrannie (§ 199), avec son cortège d'illégalités et d'offenses.

La question est de savoir quels principes sont en jeu pour que soit évitée l'hypertrophie pathologique du pouvoir dont la légitimité marque nécessairement les bornes.

Nous pouvons découvrir ces principes dans le fonctionnement normal et quotidien du *Commonwealth*. Mais ils apparaissent avec un relief saisissant lorsque des circonstances exceptionnelles déchirent la république.

a. Mesure et modération

Locke ne proposant pas dans le *Second Traité* de charte constitutionnelle ne peut dire, comme le fera Montesquieu, que, par un jeu de balance, « il faut que le pouvoir arrête le pouvoir ». Il est patent néanmoins que, à la fois contre l'existence de tout régime absolutiste et contre les théoriciens de la souveraineté comme Bodin et Hobbes, il affirme la valeur de la *mixed monarchy*. Mais il le fait dans un esprit tout à fait

---

1. On retrouve la même idée chez Pufendorf : *De jure naturæ et gentium*, livre VII, chap. IX, 3. « Le bien du peuple est la souveraine loi. C'est aussi la maxime générale que les puissances doivent avoir nécessairement devant les yeux, puisqu'on ne leur a conféré l'autorité suprême qu'afin qu'elles s'en servent pour procurer et maintenir le bien public, qui est le but naturel de l'établissement des sociétés civiles. » Mais le raisonnement de Pufendorf ne le conduira pas aux mêmes conclusions politiques et éthiques que Locke.

particulier qui révèle en quoi le critère juridictionnel qu'il assigne au gouvernement civil a des racines méta-juridiques.

Locke reprend à son compte la vieille idée platoni-cienne selon laquelle tout pouvoir et, *a fortiori*, le pouvoir absolu, est corrupteur. Bien qu'il ne se réfère point explicitement à la pensée politique gréco-romaine qui, pourtant, lui était familière[1], il retrouve le thème des constitutions mixtes qui fut pour elle un lieu commun[2]. Tout naturellement, l'idée de modération, en ce qu'elle a de fondamentalement moral, constitue le fond de sa pensée.

Il n'est pas impossible que lord Fortescue — qui fut le prédécesseur du chancelier Thomas More auprès du roi d'Angleterre (1394-1476), et que, d'ailleurs, il cite, ainsi que Bracton (§ 239) — lui ait montré le chemin. Empruntant à saint Thomas d'Aquin la notion de *regimen mixtum*, il vantait, en 1461, dans son *De Natura legis Angliæ* et, un peu plus tard, dans *The Difference between an Absolute and a limited Monarchy* (posthume), contre la monarchie absolue, le « *politicum et regale* » qui, disait-il, requiert l'appel au peuple par la voie élective afin que soit tempérée l'autorité royale. Le bon sens réaliste et bien anglais de Fortescue avait tout pour plaire à Locke. Nous ne savons pas néanmoins si le philosophe a vraiment puisé à cette source, les ouvrages de Fortescue ne figurant pas dans sa bibliothèque.

En revanche, Locke a lui-même souligné la richesse de vues de celui qu'il dénomme « le judicieux Hoo-ker[3] ». Le vieux théologien, dans l'*Ecclesiastical Polity*, comparait l'État anglais à « un câble triple » où compo-

---

1. Rappelons que Locke fut, au sortir de ses études, chargé de cours de grec à Christ Church et que, d'autre part, il avait projeté différents travaux sur l'histoire de Rome.

2. Citons par exemple Platon, *Les Lois*, livre III ; Aristote, *La Politique*, livre IV ; Polybe, *Histoire de Rome*, livre VI ; Cicéron, *De Republica*, livres I et II.

3. Richard Hooker (1553-1600) était un théologien anglican. Il avait composé *Of the Laws of Ecclesiastical Polity*, huit livres publiés en 1593. Cf. I. Walton : *The Life of Mr. Richard Hooker*, 1655, *Lives*, World's Classics Edition.

saient le roi, la noblesse et le peuple. En fait, cette idée
était banale dans l'Angleterre du XVIIe siècle où le parti
whig proclamait volontiers que « tout Anglais est censé
être présent au Parlement ». Locke la fait sienne
d'autant plus aisément que, toujours réticent pour
utiliser le terme de « souveraineté[1] », il trouve en elle le
symbole même de l'anti-absolutisme.

Aussi bien un gouvernement légitime, en sa structure
institutionnelle, — qu'on l'envisage d'un point de vue
organique ou d'un point de vue fonctionnel — ne
saurait-il excéder les compétences pour lesquelles le
peuple, majoritairement, lui a remis sa confiance et
donné mandat. L'important n'est pas pour Locke que
les divers pouvoirs de l'État soient distincts et ne
puissent empiéter les uns sur les autres dans l'exercice
de leurs prérogatives propres ; c'est que chaque pouvoir
soit mandaté par le peuple et lié par le mandat même
qu'il a reçu de lui. En ce point de la pensée de Locke, la
politique déborde le politique car nous trouvons en elle
« le miracle de la confiance[2] » : la créance que les
citoyens accordent aux rouages de l'État est le creuset
de leur obéissance aux lois, qui n'en est que l'autre
figure. Les pouvoirs de la république ne sauraient
donc, sans déviation téléologique et sans dénaturation
essentielle, ne pas remplir le mandat « fiduciaire » d'où
ils sont nés. Le roi lui-même est, selon le vieil adage,
« Roi en son Parlement » et, partant, son autorité, loin
d'être discrétionnaire, le lie à ses sujets et l'oblige
envers eux.

Locke, en se plaçant sur le plan des principes, renoue
avec la tradition historique parlementaire et libérale
interrompue par l'épisode des Stuarts et tout se passe
pour lui comme s'il existait, à titre d'exigence raison-

----

1. On connaît le mot célèbre de sir Edward Coke : « La *Magna
Carta* de 1215 est un gaillard qui ne souffre pas de Souverain » et la
non moins célèbre déclaration que les Américains prêtent au juge
Wilson en 1793, selon laquelle la Constitution des États-Unis, inspi-
rée précisément des idées de Locke, « ignore totalement le terme
Souverain ».

2. B. de Jouvenel, *Le Pouvoir*, Genève, 1947, p. 441.

née, un pouvoir « constituant » du peuple[1]. Cette exigence se confond pour lui, très concrètement, avec « l'âme » du gouvernement civil. Elle en est le principe de vie. Qu'elle disparaisse, et le gouvernement laissera place à la tyrannie, qui est un défi à l'essence du politique. Elle détermine donc rigoureusement les *bornes* du champ politique : né de la confiance du peuple, le pouvoir civil n'a vocation à légiférer qu'au nom du peuple et pour lui. Tout le reste est forfaiture ou imposture.

Loin donc que le contrat soit identique, dans la doctrine politique de Locke, ainsi que le déclare Leo Strauss, à un « contrat de sujétion » qui force le peuple à obéissance, il est au contraire l'acte qui assigne aux pouvoirs de la république, en même temps que leur champ spécifique d'action, une règle impérative d'obligation qui les limite et constitue la garantie des libertés du peuple. A l'opposé de ce qui se passe dans une monarchie absolue où le pouvoir ne s'arroge que des droits et exige des sujets, par tous les moyens, l'accomplissement de multiples devoirs d'allégeance arbitrairement imposés, la monarchie limitée exprime, selon Locke, la nature essentielle du gouvernement civil légitime, et requiert des gouvernants comme des gouvernés une conduite raisonnée : leurs droits sont la contrepartie de leurs devoirs. Il n'y a pas de prérogatives politiques sans charges. L'obligation politique, qui est une manière d'assumer la confiance reçue ou accordée, incombe à ceux qui gouvernent comme à ceux qu'ils gouvernent. Elle exclut, de part et d'autre, tout excès et toute défaillance. La *mixed monarchy*, par sa mesure et sa modération, est le modèle du pouvoir légitime dont l'action ne franchit pas les bornes que lui impose son essence. Si donc il y a « balance » dans le gouvernement civil, elle ne résulte pas, comme chez Montesquieu, d'un jeu d'équilibre dans la distribution des puissances qui se partagent les compétences éta-

---

1. « Le peuple demeure toujours en dernière analyse le pouvoir suprême », écrit justement R. Polin, *op. cit.*, p. 231.

tiques ; elle réside dans la déontologie propre au *trust* : confiance oblige.

b. Les circonstances exceptionnelles et le droit de résistance

Tout manquement du magistrat civil à l'obligation politique, c'est-à-dire toute déchirure faite à la confiance mise en lui crée des conditions exceptionnelles qui, à la faveur de la crise, révèlent, comme en un miroir grossissant, les bornes de l'autorité politique.

Le *Commonwealth* peut se trouver confronté à des circonstances exceptionnelles en deux occasions dont il ne faut pas confondre le sens (§ 211), même si une crise apparemment identique provoque alors la dissolution de l'union civile. La société civile peut en effet être dissoute ou bien par l'effet de la conquête extérieure, ou bien par l'effet d'une corrosion intérieure. Seulement, le même résultat — la désagrégation civile — n'a pas, ici et là, la même signification politique.

Quand l'union civile se défait sous la pression « d'une force étrangère qui la conquiert », le gouvernement ne disparaît que parce que la société qui s'était formée comme un organisme indépendant cesse d'exister comme telle. Les brigands et les pirates ne peuvent être les souverains de ceux qu'ils maîtrisent par la force (§ 176) : force, jamais, ne fait droit. D'une part, l'épée de guerre du conquérant est, dans son injustice, nécessairement destructrice, dans l'ordre public comme dans l'ordre privé. Alors, les victimes ne peuvent en appeler qu'au ciel (§ 176) : la loi de nature est leur seul recours. En effet, les rapports d'obéissance et de protection qui unissaient les individus en communauté sous un gouvernement sont pulvérisés ; l'ordre social juridiquement organisé qui aurait dû mettre la société à l'abri de la violence se défait ; aucun tribunal, aucun arbitre ne peut être saisi pour sanctionner les violences perpétrées. Chacun se trouve rendu à sa condition naturelle première, où il doit pourvoir à sa propre sécurité. Les conquérants suppriment les sociétés qu'ils conquièrent. Et, dès que la société est dissoute, le gouvernement ne peut subsister : il ne le peut pas plus qu'un corps de bâtiment ne peut rester debout lorsque la tempête a éparpillé les éléments qui le composent ou qu'un séisme les a réduits en un tas informe (§ 211). On ne peut mieux exprimer l'incompatibilité de la force et du droit.

Mais les gouvernements peuvent aussi se désagréger de l'intérieur. En ce cas, plusieurs hypothèses sont à envisager.

En premier lieu, le gouvernement s'effrite quand le pouvoir législatif — la volonté expresse de la majorité, « l'âme qui donne à la république sa forme, sa vie et son unité » — se désagrège lui-même. S'il arrive qu'un ou plusieurs individus prétendent légiférer sans avoir pour cela reçu mandat du peuple, leurs décisions ne peuvent avoir force légale et par conséquent, « le peuple n'est pas tenu d'obéir » (§ 212). Cela se produit lorsque certains personnages de la république mésusent ou abusent de leur pouvoir (§ 213). Quand donc un prince, aux lieu et place des lois, impose l'arbitre de sa volonté personnelle, interdit à la législature l'exercice libre et légitime de ses compétences, modifie arbitrairement les procédures électorales, livre le peuple à une puissance étrangère, ou encore quand un prince néglige le pouvoir exécutif (§ 219)…, le peuple est délié de son devoir d'obéissance. En de telles circonstances, qui révèlent concrètement le comportement du tyran exerçant le pouvoir au-delà des limites de son domaine légitime (§ 199), la légalité est bafouée et le droit est nié (§ 202). Un prince-tyran n'est plus véritablement un magistrat civil. Dès lors, de même qu'il est licite que je résiste au voleur ou au brigand qui m'attaque, de même, il est permis au peuple de résister à ce magistrat déchu (§ 202).

En second lieu, quand les dépositaires du pouvoir législatif, poussés par l'ambition, la peur ou la folie (§ 222), exercent des voies de fait contre la propriété des sujets — leur vie, leur liberté et leurs biens —

quand ils prennent des décisions en leur nom propre ou au nom d'un parti ou d'une classe, quand ils détournent des fonds publics ou pratiquent la corruption électorale, il est évident qu'ils faillissent à leur mission et commettent vis-à-vis du peuple un « abus de confiance » *(breach of trust)* de la plus haute gravité (§ 222)[1]. En soumettant les membres du corps civil à l'esclavage de leur pouvoir arbitraire, ils entrent en guerre avec eux : à raison des détournements de pouvoir qu'ils ont commis en abusant de la confiance du peuple, ils sont condamnés à déchéance et démis des fonctions d'autorité qu'ils avaient reçues pour agir en vue du bien commun ; chose plus grave encore, ils entrent en *guerre* contre le peuple. Donc, le pacte politique rompu, l'état civil est anéanti et l'état de nature resurgit, anomique et a-juridique. Puisque le magistrat suprême ignore délibérément la légalité, les hommes sont rendus à leur condition originaire de nature où ils reprennent leur liberté primordiale. Cela signifie qu'ils sont fondés à désobéir aux ordres frelatés qui leur sont donnés en marge de toute loi et que, déliés de leur engagement civique envers le pouvoir puisqu'il a renié lui-même son essence, fondés par conséquent à répudier le magistrat qui les a trompés et offensés, ils sont disponibles de nouveau pour établir une nouvelle législature.

Ainsi, dans la perspective contractualiste par laquelle il entend ruiner les thèses absolutistes, Locke élabore avec une parfaite logique une *théorie du droit de résistance*. Il sait bien que les Monarchomaques l'ont précédé en cette voie[2], précisément en justifiant le droit d'opposition (qui peut, selon certains, aller jusqu'au tyrannicide) par la rupture du contrat politique. Il se

1. En ces analyses et à travers les exemples de *breach of trust* qu'énumère Locke, se reflètent, à n'en pas douter, les forfaitures gouvernementales qui ont précédé et déclenché les événements de 1688. Ce sont, semble-t-il, ces paragraphes que le philosophe a rédigés dès son retour en Angleterre après la *Glorious Revolution*, juste avant la publication des *Traités*.

2. Nous renvoyons à notre article « Le peuple et le droit d'opposition », *Cahiers de philosophie politique et juridique*, 1982, n° 2.

souvient aussi d'une idée chère à Algernon Sidney et que les *Discours sur le gouvernement* feront connaître au public en 1698 : « le peuple est juge en sa propre cause[1] ». Bien que Locke n'ait pu souscrire à l'argumentation de Sidney assimilant l'établissement du gouvernement à l'engagement d'un domestique[2], il retient la thèse, déjà défendue par Milton, selon laquelle le mandat remis par le peuple aux magistrats, loin de leur conférer une puissance perpétuelle, est révocable. Surtout, il est irrité par les doctrines des docteurs anglicans qui, depuis un siècle, ressassent dans leurs homélies la thèse de « l'obéissance passive », affirmant qu'on ne doit jamais résister aux princes souverains[3]. Puisque, disent-ils, « un rebelle est pire que le pire des princes, et la rébellion pire que le pire gouvernement du prince le plus mauvais », les sujets doivent « souffrir toutes les injustices »[4]. Bien entendu, une telle doctrine proclame le fondement divin du pouvoir. Ils cherchent une caution dans la parole de saint Paul : « Celui qui résiste à l'autorité résiste à l'ordre que Dieu a établi » (*Romains*, XIII, 2). Voilà l'erreur que Locke n'a de cesse de combattre et dont, dit-il, l'antre de Polyphème le Cyclope, où Ulysse et ses compagnons n'avaient qu'à attendre d'être dévorés, livre le sens (§ 224). En suivant les indications des Monarchomaques et de Sidney,

---

1. « Le peuple pour qui ou par qui le magistrat est créé, lira-t-on dans les *Discours*, peut seul juger si ce magistrat remplit dignement les fonctions de sa charge. » Sidney, *Discours sur le gouvernement*, traduction Samson, édition conforme à celle de 1702, Paris, an II de la République, 3 tomes, chap. III, section XLI.

2. « Si j'ai quelque différend avec mon valet, touchant la manière dont il me sert, c'est à moi de le décider ; il faut qu'il me serve à ma mode, et même qu'il sorte de ma maison si je le juge à propos, quelque bien qu'il me serve... Je n'ai donc pas besoin de juge, à moins que d'être mon supérieur, et celui-là ne peut être mon supérieur, qui ne l'est pas de mon consentement », *ibid.*, tome III, p. 337.

3. Cf. en particulier Sherlock, *The Case of Resistance to the Supreme Power*, 1684, cité par Ch. Bastide, *op. cit.*, p. 165.

4. *In* un recueil d'homélies daté de 1569 et cité par Ch. Bastide, *op. cit.*, p.139. Une homélie de même nature est citée par R. Marx, *L'Angleterre des Révolutions*, Paris, Colin, 1971, p. 45.

Locke s'élève de toutes ses forces contre la doctrine de l'obéissance passive.

L'autorité politique, a-t-il montré, ne peut avoir d'autre fondement que le consentement du peuple. Il est d'autant moins possible d'invoquer la volonté divine pour justifier une obéissance civique aveugle que la magistrature civile, distincte de toute magistrature ecclésiastique, ne peut tolérer quelque empiétement que ce soit sur ces prérogatives. Le gouvernement de l'État est donc essentiellement un gouvernement laïc, étranger à toute confession comme au Ciel. Dès lors, tout est clair : non seulement, comme l'ont dit les Monarchomaques, le peuple est délié du devoir d'obéissance puisque le pacte civil est rompu et trompée la confiance que le peuple avait mise dans ses magistrats ; mais puisque le gouvernement que le peuple avait institué par son consentement s'est désagrégé à cause de la forfaiture du magistrat public, il n'existe même plus de loi dont l'observance puisse s'imposer. Le roi-tyran a cessé d'être roi (§ 239). Il n'y a plus d'État. Le tyran est le meurtrier et du *Commonwealth* et du peuple.

Proche des thèses monarchomaques, la théorie du droit de résistance énoncée par Locke est cependant beaucoup plus précise qu'elles. Le philosophe sait parfaitement qu'elle va susciter des protestations. Aussi apporte-t-il une double précision qui permet de répondre aux objections qu'il imagine. Ces précisions donnent une force singulière à sa pensée qui s'articule dès lors avec une étonnante prégnance aux événements d'Angleterre.

En premier lieu, le droit de résistance ne justifie nullement une rébellion destinée à provoquer la chute d'un gouvernement. La résistance n'est légitime que parce que les magistrats eux-mêmes, par des abus de confiance et des détournements de pouvoir, ont provoqué la dissolution du gouvernement. Ce sont donc les gouvernants qui, oublieux de la finalité de leur mandat, ont usé de la « force sans autorité » et se sont rendus coupables de « rébellion » en retournant à l'état de

guerre *(rebellare)*. Autrement dit, il faut savoir chercher
les responsabilités où elles sont. Ce n'est pas le peuple
qui, par sa résistance, défait le gouvernement, mais *le
gouvernement qui se défait lui-même* et, par sa défection,
rend légitime l'opposition du peuple[1]. Lorsque les
citoyens, lassés des sévices du pouvoir arbitraire
(§ 224), défendent leurs droits, il est incontestable que
des désordres et des effusions de sang peuvent avoir lieu
puisque règne alors un état de guerre apparenté à l'état
de nature. Mais de ces troubles navrants, le peuple n'est
pas responsable. Ceux-là seuls le sont qui, « coupables
de rébellion » (§ 227), ont porté atteinte à la sérénité et
au bien publics. Ils ont rétabli l'état de guerre (§ 226) ;
ils sont les vrais « rebelles », eux, ces magistrats sans
scrupule qui ont préféré la force à la loi et enfreint la
légitimité (§ 230). Sous la plume de Locke, la référence
au comportement de Jacques II est indubitable. C'est
dire que, même si l'opposition de Guillaume d'Orange
n'avait pas été pacifique, elle eût été justifiée : le roi,
déjà, et par sa seule culpabilité, n'était plus roi ; il
portait seul la responsabilité de la misère du peuple
anglais. La « révolution » ne fut donc pas, en
l'occurrence, le renversement d'un régime par la force.
Les événements d'Angleterre ont rendu le mot « révolution » à sa signification originaire : le pouvoir n'étant
plus assumé par celui à qui il avait été confié, a *fait
retour* à son unique propriétaire : le peuple[2]. C'est à la
communauté politique qu'appartient le pouvoir
suprême ; elle ne saurait s'en départir ; elle le « baille »
seulement, comme dira Diderot, à ses gouvernants.
Tant que dure le gouvernement, il est « dépositaire » de
ce pouvoir[3] — sans quoi il n'y aurait pas de société

1. L'argumentation de Locke peut être rapprochée de celle de La
Boétie dans le *Discours de la Servitude volontaire*, Paris, GF Flammarion, 1983, p. 136.
2. On mesure en cela combien sont fausses les assertions de
P. Janet selon qui Hobbes soutient l'absolutisme et combat la révolution, tandis que Locke se serait opposé à l'absolutisme et aurait
défendu la révolution. Cette lecture « idéologique » des deux philosophes méconnaît grossièrement la lettre des textes.
3. Diderot dira dans l'article « Autorité politique » qu'il en est
l'« usufruitier ».

civile ; mais il ne l'exerce que par la médiation des magistrats qui sont les représentants du peuple. Dès que le gouvernement se trouve dissous par les malversations et les forfaits de ces magistrats, leur déchéance entraîne le retour au peuple du pouvoir suprême. Dès lors, « il a le droit d'agir en souverain » : « il peut exercer lui-même le pouvoir législatif, ou lui donner une forme nouvelle, ou le laisser sous la forme ancienne mais le placer en d'autres mains, comme bon lui semble » (§ 243). Si donc le droit de résistance procède bien de la souveraineté du peuple, il en exprime clairement la responsabilité : le peuple est majeur, et capable d'autonomie. Il *doit* refuser l'obéissance passive qui n'est qu'une servitude volontaire déraisonnable et inadmissible.

Seulement, il importe en second lieu de souligner que le droit de résistance n'autorise jamais l'action violente individuelle. Il ne justifie ni l'anarchisme ni le terrorisme. Les intrigants à la tête turbulente qui fomentent quelque action violente contre le gouvernement « peuvent bien s'agiter autant qu'ils le veulent, ils n'arriveront jamais qu'à se ruiner et à se perdre eux-mêmes, comme ils le méritent » (§ 230). Ils commettent un crime qui est étranger au droit d'opposition. Quant à celui qui prétend faire lui-même justice, on pourrait croire que son appel individuel au droit de nature et l'exécution directe de ce droit sont inscrits dans l'ordre des choses et donc, sont licites. Mais c'est là une illusion : un acte d'*auto-défense* est toujours un acte *infra-politique* qui, en tant que tel, n'a rien à voir avec le droit de résistance. Ce droit n'appartient pas aux individus *ut singuli*, mais à ceux qui ont consenti par leur union à former le *Commonwealth*. Le droit de résistance est exclusivement le droit de la communauté civile. Il appartient au peuple souverain qui est un corps politique doté d'une volonté unique. C'est à lui seul, dans son ensemble, qu'il est permis de juger si le magistrat qu'il a mandaté remplit correctement l'office qui lui a été confié (§ 240 et § 242).

La doctrine du droit de résistance ainsi précisée

permet à Locke d'affiner la conception qu'il se fait du *peuple*. Le terme, tout au long du traité, avait conservé un halo d'ambiguïté. Certes, Locke avait déclaré que le peuple se forme par le consentement de la majorité à la vie civile ; qu'il est l'ensemble de ceux qui, par le *trust*, confient à leurs représentants mission de gouverner par des lois établies et promulguées en vue du bien général ; qu'il est investi du pouvoir de juger si les gouvernants ont assumé leur mission ou abusé de leur prérogative. Bien que Locke ait toujours hésité à employer cette expression, c'est une théorie du « peuple souverain » que le *Second Traité* avait, en ses grandes lignes, exposée. Seulement, cette théorie presque explicite s'était toujours heurtée, jusqu'aux derniers paragraphes du traité, à une difficulté qui, tenant au rapport du statut politique du peuple et des qualités psychologiques des hommes, l'obscurcissait. Locke a souvent insisté sur la « fragilité » et la « faiblesse » de la nature humaine (§ 11 ; § 128), qui ne sait pas toujours mettre en œuvre les « facultés » qui lui sont propres et qui mésuse des dons que Dieu lui a faits. La loi de nature a beau prescrire aux hommes tout un ensemble de devoirs, ils ne savent pas toujours, en leur imperfection, les accomplir. Comment, alors, accepter l'idée que le peuple soit « l'arbitre » du pouvoir, « le juge » des magistrats ?

Afin de lever cette difficulté, il faut saisir la différence entre les individus et le peuple : entre le pluralisme d'une multitude diverse et hétérogène et l'unité d'un corps public dont l'union a scellé une volonté unique. Hobbes, un demi-siècle avant Locke, avait montré comment le *covenant* explique cette irréductibilité : tandis que la multitude demeure en l'état de nature, le peuple en corps atteste le passage à l'état civil. Locke souscrit à cette discrimination ; il est surtout sensible à la différence psychologique des deux états. Tandis que l'individu risque toujours de céder aux passions et à l'intérêt, le peuple en tant que corps politique, est un être fondamentalement *raisonnable* qui ne cède pas à des humeurs changeantes et ne se nourrit pas d'opinions superficielles. Aussi la résistance qu'il manifeste envers le pouvoir n'est-elle à interpréter sommairement ni comme l'expression de son mécontentement ni comme l'intention de subvertir l'autorité ou de renverser l'ordre établi. Locke ne va pas jusqu'à dire, comme le fera Rousseau en l'une de ces formules dont la concision enserre tout un programme politique, que la volonté générale est toujours droite et ne peut errer. Mais, dans la résistance du peuple à l'oppression du tyran, il déchiffre la plus haute expression de la loi de nature. Aussi accorde-t-il au peuple, comme le fera Montesquieu, un bon sens qui, capable d'éprouver l'insolence des gouvernants comme une injure *(injuria)*, suffit à défier les intrigues et les forfaits (§ 230). Lorsque les individus deviennent citoyens et forment un peuple, leur promotion politique est aussi une promotion éthique : ils acquièrent le sens de la responsabilité qui jusqu'alors leur faisait défaut. C'est pourquoi, si le peuple sait supporter sans mutinerie ni murmure les menues fautes commises par ses gouvernants (§ 225), s'il comprend que ceux qui ont à administrer les affaires publiques peuvent commettre certaines erreurs, même graves, il a assez de discernement pour saisir la différence entre ces « fautes », qui sont des accidents de parcours dus à la faillibilité des hommes, et la longue suite d'abus, de prévarications et de fraudes qui dénature le pouvoir : c'est alors qu'il se soulève. L'opposition du peuple est une attestation de *majorité*.

La dignité politique et psychologique du peuple ainsi reconnue — et bien que les pages consacrées au droit de résistance aient été rédigées au lendemain de la Révolution[1] — l'opposition populaire ne consiste pas à brandir l'étendard de la révolution. Elle n'autorise ni la révolte haineuse ni l'appel à la guerre civile (§ 228). En de tels comportements, la résistance avilirait le peuple en le ramenant à l'indignité des bêtes ; elle effacerait ce qui, déjà selon Locke, apparaît comme la plus haute

---

1. Locke dit lui-même dans la Préface des *Deux traités* son intention de justifier à la face du monde le peuple d'Angleterre.

conquête de la vie civile : à savoir que la paix et le respect des droits trouvent leur garantie, non pas, comme l'a cru Hobbes, dans le *gouvernement* civil, mais dans la *communauté civile*, dans le « corps du peuple ». Rousseau donnera une netteté incisive à cette distinction du gouvernement et du souverain[1]. Locke se borne à l'entrevoir. Mais son intuition suffit à donner à la Constitution de l'Angleterre nouvelle la base doctrinale dont elle avait besoin, moins parce qu'elle allie un esprit nouveau à des traditions anciennes[2] que parce qu'elle refuse d'assimiler le peuple à une plèbe populacière et lui accorde assez de raison pour qu'il ait part à sa propre gouverne. S'il est vrai, comme le dira Rousseau, qu'une démocratie exigerait un peuple de dieux, à tout le moins, le peuple qui a consenti à la vie civile est-il assez raisonnable et clairvoyant pour n'être plus considéré comme « le gros populas » d'antan[3]. La *Déclaration des droits*[4], lue solennellement au Parlement le 13 février 1689, en apportait au tribunal de l'histoire et du monde la preuve éclatante.

---

1. Rousseau, *Le Contrat social*, livre III, chap. I. Tandis que le Souverain se confond avec la volonté générale, le gouvernement reçoit, par la loi qui l'institue, « une commission » du Souverain. Le gouvernement est en quelque sorte le ministre du Souverain et il se trouve placé sous sa dépendance. On voit le chemin parcouru depuis Pufendorf. Tandis que le jurisconsulte conférait aux gouvernants, en vertu du pacte conclu entre eux et les sujets — *pactum subjectionis* — un pouvoir souverain (*De jure naturæ et gentium*, livre VII, chap. II, § 8), Rousseau fait des gouvernants les serviteurs du Souverain qu'est le peuple. La théorie du *trusteeship* de Locke se situe entre ces deux doctrines, mais elle est plus proche de celle de Rousseau.

2. Cf. J.-J. Chevallier, *op. cit.*, tome II, p. 43.

3. La Boétie, *op. cit.*, p.151

4. Voir le texte de cette *Déclaration*, qui n'est pas un texte constitutionnel, mais la proclamation de principes politiques, en Appendice, p. 357.

CONCLUSION

L'influence des Traités politiques de Locke

I

La philosophie politique de Locke est dominée par son aversion pour l'absolutisme. Sa répugnance à l'égard de l'arbitraire et des dogmatismes, en l'amenant à réfuter les théories du droit divin des rois et la doctrine patriarcale, le place en situation de rupture vis-à-vis d'une tradition politico-religieuse dont il sait parfaitement qu'elle est encore vivace : comme par anticipation, il est, plus radical encore que l'anti-Filmer, un redoutable anti-Bossuet. Mais, au-delà des intentions polémiques qui eussent suffi pour écrire un pamphlet, il compose un « traité » afin de définir les bases d'une *politique nouvelle* qui n'est pas un manifeste politique, mais bien plutôt la défense raisonnée des droits du peuple. Cette politique nouvelle implique une *foi nouvelle* en l'homme, à travers laquelle il personnifie « l'aboutissement d'un siècle[1] ». Avec Locke, en effet, les idées de raison, de droit naturel, de tolérance préparent leur triomphe et, dans leur ombre, se forgent les concepts opératoires de contrat, d'individualisme et de volontarisme, de constitutionnalisme. Lecteur de

---

1. H.J. Laski, *Le Libéralisme européen du Moyen Age à nos jours*, trad. française, Paris, 1950, p. 117.

Descartes, ami de Newton, administrateur d'un empire colonial (la Caroline), compagnon de Shaftesbury et, par lui, lié au parti whig, Locke rassemble en sa réflexion des idées dont la force singulière sert l'émancipation de l'homme. Il trace l'épure d'un État non souverain qui, parce que les circonstances, en Angleterre, sont favorables, et parce qu'il correspond aux besoins de la conscience d'une époque, n'a nullement besoin des mirages de l'utopie pour imposer sa silhouette.

L'État selon Locke est un État séculier, indépendant de l'autorité théologique. Il a pour assise la volonté libre d'hommes raisonnables que Dieu lui-même a faits capables d'autonomie et obligés à leur propre bonheur. Toutes les conditions du libéralisme se trouvent là rassemblées. L'autorité du gouvernement civil repose tout entière sur le consentement général qui atteste la promotion politique et éthique du peuple. Tout est bien là à la gloire de l'homme — non pas de l'homme métaphysique tel que Descartes l'a découvert en tant que sujet universel, mais de l'homme concret qui, par la vigilance de la raison, est responsable, sur cette terre, de son propre gouvernement.

En cette politique nouvelle, Locke, sans jamais porter atteinte à la gloire de Dieu[1], affirme la prérogative de l'individu au point que l'on a vu en Locke « le champion de l'individualisme[2] ». En fait, le plus important n'est pas pour lui que « l'État soit (fait) pour l'individu et non l'individu pour l'État », mais que cette politique témoigne, dans l'expérience, des énergies de la raison et que l'homme se révèle en elle un homme de devoir. Le consentement qu'il accorde à la vie civile et à l'organisation juridique appelée à pallier, par la loi, les carences de l'ordre naturel, est précisément ce dont l'homme éprouve le plus grand besoin à la fin du

---

1. Locke n'aurait jamais accepté de dire, comme le récollet Hayer contre Diderot : « Quand on en veut à Dieu, on en veut aux princes qui en sont les images », *in La Religion vengée*. Locke dissocie, en effet, le principat et l'ordre divin.

2. R.I. Aaron, *Locke*, Oxford, 2ᵉ éd., 1955, p. 286.

xviiᵉ siècle. L'initiative contractualiste que nécessite l'avènement du gouvernement civil est un acte d'*autonomie*, c'est-à-dire une libération à travers quoi le Christianisme — que, pourtant, le refus d'inféoder la politique à la théologie ne met pas un instant en question — se fait « *raisonnable*[1] ». Elle signifie que, désormais, la politique n'a rien à demander à l'ordre de la transcendance, qu'elle est vraiment enfin descendue sur la terre, mais qu'elle s'y impose comme un *devoir* à assumer. Ce devoir, qui correspond à la promotion du peuple, dorénavant reconnu comme réalité juridique et sujet de droits, est, pour quiconque veut être homme véritablement, obligation à la liberté. Certes, les hommes ne font pas leur liberté *ex nihilo*, mais il dépend d'eux d'entendre les commandements de la loi de nature et d'en accomplir la téléologie immanente.

La foi nouvelle en l'homme qui sous-tend la politique de Locke et en relie le dispositif institutionnel à sa philosophie, voilà ce que ni les publicistes ni même les jurisconsultes de l'école jusnaturaliste n'avaient su exprimer. Un siècle avant Kant, Locke affirme en ses traités politiques la capacité politique de l'homme.

La liberté, qui est la grande conquête des hommes en train de devenir maîtres sur terre de leur destinée, loin d'être un privilège définitivement acquis, se présente alors comme un programme à réaliser.

Sur ce point, il convient de lever un malentendu, probablement né des circonstances. Au lendemain de la Révolution anglaise, on a beaucoup trop insisté sur l'aspect constitutionnaliste de l'œuvre de Locke. Le projet du philosophe n'était pas d'exposer, comme le fera Montesquieu dans le plus célèbre chapitre de *L'Esprit des lois*, les clauses d'une Constitution définissant les compétences des pouvoirs de l'État et organisant leurs rapports réciproques. Pour lui, le gouvernement civil, qu'il y ait ou qu'il n'y ait pas de texte

---

1. Rappelons que, en 1695, Locke publiera *Reasonableness of Christianity*.

constitutionnel, correspond, par son institution même, à la téléologie immanente à la loi de nature[1]. Cependant, un gouvernement sans lois positives serait « un mystère politique » : il faut qu'en toute communauté des règles établies et fixes permettent de distinguer le licite et l'illicite, le permis et l'interdit ; il faut que ces règles soient générales et bien fondées car une communauté civile que les décrets improvisés, arbitraires et imprévisibles d'un seul prétendraient régir est une contradiction dans les termes. L'idée même de gouvernement implique la nécessité de *lois fixes et écrites*, connues de tous par leur promulgation (§ 131, 136, 137) et dont l'application est scrupuleusement observée (§ 219). L'anomie — ou l'ineffectivité des lois établies — conduit une communauté à l'anarchie et la nie en tant que telle : là où finissent les lois, commence la tyrannie (§ 202).

C'est pourquoi le pouvoir législatif est le pouvoir suprême de toute société civile. Et il appartient aux lois civiles positives qui expriment la volonté du peuple, souverain et législateur, de donner aux individus le moyen de réaliser leur liberté. La *loi* est ainsi, selon Locke, l'élément actif du gouvernement. C'est uniquement dans le cadre et selon les modalités qu'elle définit que le peuple peut vivre en paix et en sécurité, qu'il peut être propriétaire de sa vie et de ses biens, qu'il connaît ses droits et, partant, les devoirs qui leur correspondent et les charges qu'il doit assumer. Autrement dit, c'est par la médiation des lois civiles que peuvent s'accomplir les prescriptions de la loi naturelle.

Il apparaît ainsi que la liberté elle-même a besoin des règles de la législation positive. Comme leur exécution est permanente, les lois sont un guide obligatoire pour tous, y compris pour les gouvernants. Elles tracent par leur dispositif les limites que le pouvoir politique ne peut franchir sans déchoir. Comme, de surcroît, elles s'inscrivent dans la perspective de la loi de nature, leurs prescriptions sont orientées vers le bien commun.

1. Le pouvoir du peuple est toujours l'expression de la loi de nature (§ 168) ; il appartient à l'ordre immanent des choses ; on peut dire qu'il se confond avec cet ordre même.

Enfin, comme le peuple législateur est aussi l'ultime juge du respect ou du mépris de la légalité, il appartient à la loi de l'État d'être, dans le cadre raisonnable que les citoyens donnent à leur existence, garante de leur liberté.

Le légalisme de Locke ne trouve pas à s'exprimer en des formules éclatantes. Le philosophe cherche surtout l'utile et le bienfaisant. Mais le *Second Traité* ouvre la voie à la nomophilie du XVIIIe siècle. Il laisse entendre très clairement que l'homme n'atteint à sa liberté, c'est-à-dire à son humanité vraie, qu'en obéissant à la loi qu'il a volontairement consenti à se donner. Mais, en cette préoccupation majeure, Locke est beaucoup plus soucieux d'éthique que de droit et même de politique. S'il combat la monarchie autoritaire, c'est moins en tant que régime politique qu'en tant qu'obstacle à la dignité de l'homme. Comme tel, il est, plutôt que le philosophe de la Révolution de 1688, un philosophe du XVIIIe siècle cherchant les voies de l'autonomie dont Kant fera l'impératif catégorique de la morale.

La politique libérale de Locke dépasse donc tout ensemble l'histoire et l'histoire des idées. Le message qu'elle transmet peut bien être reconnu comme la clef du libéralisme politique : mais à condition de préciser que Locke lui confère une destination intellectuelle et morale.

II

Il y avait en ce message tant de promesses et d'horizons heureux que Locke, dont la sagesse était peu éprise de gloire, connut cependant au XVIIIe siècle une célébrité qu'il n'avait pas soupçonnée. Non seulement l'idée de contrat social acquit sous son influence une popularité[1] qui n'est pas étrangère à l'inflation qu'elle

---

1. Cf. Arbuthnot, *History of John Bull*, 1712, chap. XIII.

devait connaître dans les décennies à venir, mais les
Deux traités devinrent « la bible politique du siècle
nouveau[1] », d'abord en Angleterre où le régime constitutionnel qui s'installe se réclame explicitement de ses
idées, puis, dans la France des Lumières et même en
Amérique, chez les « Anglais d'au-delà des mers ». On
a même pu écrire que « au siècle de Voltaire, Locke est
aux sciences de l'homme ce que Newton est aux
sciences de la nature[2] ». Dès 1694, La Fontaine déclarait, en pensant à Locke :

« Les Anglais pensent profondément ;
Leur esprit, en cela, suit leur tempérament[3]. »

En Angleterre, Locke exerça une influence incontestable sur la libre pensée de Toland et de Collins,
sensibles à sa défense de la liberté et de la sagacité d'une
raison raisonnable. Surtout, certains whigs l'adoptèrent
« avec un enthousiasme extravagant[4] : on lui prêta
« une âme vaste comme la mer » ; on se prosterna sur sa
tombe ; il est assez piquant de savoir que la première
édition de ses œuvres complètes est due à l'évêque
Edmund Law. On obscurcissait assurément l'intelligence de sa doctrine, mais les *tories* eux-mêmes parlaient de lui avec déférence. Au Parlement, *whigs* et
tories invoquaient son autorité. On louait son bon sens.
Swift le qualifia de « judicieux ». Le *Spectator* voyait en
lui « comme une gloire nationale ». L'évêque Warburton l'appelait « l'honneur de ce siècle et le précepteur
du siècle à venir ». Charles Bastide rapporte même que
lord Cobham, dans le parc de sa demeure, plaça le
buste de Locke entre ceux de Newton et de Milton[5].

Avec le temps, les critiques vinrent : celles de Shaftesbury dans ses *Characteristics*[6], de Hume sur le pacte

1. L. Stephen, *English Thought in the XVIIIth Century*, tome II,
p. 135.
2. G. Besse, *in* Helvétius, *De l'esprit*, Introduction, Paris, Éd.
sociales, 1968, p. 8.
3. La Fontaine, *Fables*, Le renard et les raisins.
4. Ch. Bastide, *op. cit.*, p. 345.
5. *Ibid.*, p. 358.
6. Il s'agit cette fois du troisième comte de Shaftesbury, petit-fils
de l'ami de Locke, dont Diderot devait traduire l'*Essai sur le mérite et
la vertu* et dont l'influence sur Rousseau sera notoire.

social[1], du juriste Blackstone sur « l'état de nature », de Berkeley sur le droit de résistance; bientôt celles de Tucker rendirent Locke responsable de la révolte des colonies d'Amérique... Avec plus ou moins de probité, on dénonça des contradictions et des fictions dans sa philosophie. On rendit grâces à Filmer. L'université de Dublin mit même les traités politiques à l'index... Et, pourtant, Locke ne fut guère atteint par ces critiques. Aux yeux des Anglais, persuadés que la Constitution d'Angleterre reflétait sa philosophie, Locke demeurait l'apôtre de la liberté.

Le rayonnement de sa philosophie politique dépassait de beaucoup la seule Angleterre. En 1704, Pierre Coste publia un *Éloge de M. Locke*[2] qui, au-delà d'un écrit de circonstance, le présente comme l'un des maîtres à penser des temps nouveaux. Nietzsche ne s'y trompera pas lorsqu'il verra dans les idées « éclairées » du XVIIIe siècle français les héritières des « idées anglaises » mises en avant par Locke. Il ne fallut que quelques décennies pour que les « philosophes » de France établissent un lien entre l'Angleterre et l'Europe entière. La lumière venait du Nord. On séjournait en Angleterre pour y parler des idées politiques de Locke. On allait assister aux séances du Parlement et l'on montrait la Tour de Londres comme l'odieux vestige de l'absolutisme que Locke avait combattu avec tant d'âpreté. La philosophie du pacte social passait nécessairement par les traités de Locke et l'on aimait généralement que, telle une mine, elle ait fait éclater la théorie du droit divin des rois. Diderot, par l'*Encyclopédie*, contribuera à la diffusion de la thèse du consentement populaire. « Locke épiloguait, commentait, intermédiaire entre les juristes purs et le public; intermédiaire, aussi, entre les temps anciens et les temps nouveaux[3]. »

---

1. Cf. Hume, *Essais politiques* de 1741, en particulier, *Essai sur le contrat primitif*, Paris, Vrin, 1972, p. 316.
2. Cf. Appendice, p. 341.
3. P. Hazard, *La Crise de la conscience européenne*, Paris, Gallimard, 1968, tome II, p. 67

Malgré les critiques de Berkeley et de Hume, « le sage Locke » devenait le phare du libéralisme des temps modernes. Certains, assurément, mus par la sensibilité sociale nouvelle du XVIIIe siècle, se sont parfois mépris sur le sens du mot « propriété » dans l'œuvre de Locke ; ils ont voulu l'embrigader sous la bannière d'un réformisme économique et social apparenté à celui des Niveleurs ou des communistes agraires du temps de Cromwell. En fait, l'égalitarisme n'était pas la préoccupation majeure de Locke. Il reste qu'il était le héraut de la liberté. Les lettres « anglaises » de Voltaire[1], qui allaient être, selon l'expression de G. Lanson, « la première bombe » lancée en France contre l'Ancien Régime, laissaient entendre que le peuple d'Angleterre avait ouvert la voie en suivant la leçon « royaliste républicaine[2] » des *Traités*[3].

Le libéralisme de Locke devint très vite synonyme de constitutionnalisme. Montesquieu contribua largement à établir cette équation. Son amitié pour Pierre Coste, traducteur des œuvres de Locke, n'y est pas étrangère ; surtout, son admiration pour la Constitution d'Angleterre dont Fortescue, Sidney, Locke et Bolingbroke lui semblaient être les inspirateurs, fit beaucoup pour accréditer la thèse du « constitutionnalisme » des *Traités* politiques. L'abbé Dedieu estime que l'influence de Locke sur Montesquieu a été décisive. L'auteur de *L'Esprit des lois*, écrit-il, « a perfectionné le modèle que lui présentait John Locke et ce modèle était lui-même beaucoup plus qu'une ébauche[4] ». Montesquieu

---

1. Rappelons que la treizième des *Lettres philosophiques* (1734) est tout entière consacrée à la louange de Locke, le philosophe de l'âme qui « en a fait modestement l'histoire ».

2. Voltaire, *Le Siècle de Louis XIV*, tome XIX, p. 461.

3. « La nation anglaise est la seule de la terre qui soit parvenue à régler le pouvoir des rois en leurs résistant et qui, d'efforts en efforts, ait enfin établi ce gouvernement sage où le Prince, tout puissant pour faire du bien, a les mains liées pour faire le mal. » *Lettres philosophiques*, huitième Lettre, « Sur le Parlement », Paris, GF Flammarion, 1964, p. 55.

4. J. Dedieu, *Montesquieu et la tradition politique anglaise en France*, Paris, 1909, reprint Slaktine, 1971, *Les Sources anglaises de l'Esprit des lois*, p. 170-191.

devrait donc à Locke « sa conception de la liberté politique et des conditions de son existence ; son principe de la séparation des pouvoirs[1], la façon de l'énoncer, de le comprendre et de le développer ; sa conception des détails de la théorie constitutionnelle[2] ». L'Angleterre, à travers Montesquieu, se reconnut et reconnut Locke. Sa Constitution, qui fut le point de départ de la théorie constitutionnelle de Montesquieu, fut confondue avec l'organisation des pouvoirs proposés par Locke dans le *Second Traité*. Plus ou moins mêlés l'un à l'autre, Montesquieu et Locke devinrent les classiques de la pensée politique dans l'Université anglaise : des cours que Blackstone enseigna à Oxford en 1753[3] à l'appel éloquent lancé par Burke en 1791 *from the new to the old whigs*, en passant par Priestley[4] ou Ferguson[5], l'enthousiasme demeura aussi chaleureux pour saluer en Locke le pionnier de la pensée constitutionnaliste moderne. L'évolution qui conduisit la Constitution d'Angleterre vers le parlementarisme avait pris le départ sous le double signe de Locke et de Montesquieu.

De façon générale d'ailleurs, le nom de Locke était, en France, vénéré. De nombreux indices en font foi. Bien que Rousseau, le grand homme du moment, ne cite guère les ouvrages politiques de Locke — il se borne dans le *Discours sur l'origine de l'inégalité* à citer le *Second Traité* pour discuter d'un point tout à fait secondaire : l'union des sexes dans l'état de nature ! — il ne fait guère de doute qu'il les connaît et, même, que sa pensée en porte la marque[6]. Les Constituants, de

1. Il faut évidemment faire sur cette thèse prêtée à Montesquieu, aussi bien qu'à Locke, les réserves qu'impose la fidélité aux textes.
2. J. Dedieu, *op. cit.*, p. 160.
3. Cf. également, de William Blackstone, les *Commentaries on the Laws of England*, 1765.
4. Joseph Priestley, *Essay on a course of liberal Education*, 1765.
5. Adam Ferguson, *Essay on civil Society*, 1767.
6. Cf. la suggestive étude de I. M. Wilson, « The influence of Hobbes and Locke in the shaping of the concept of Sovereignty in 18th Century in France », *Studies on Voltaire and the 18th Century*, in The Voltaire foundation, Oxfordshire, vol. CI, 1973, *Locke and his influence on Rousseau*, p. 249-263.

façon plus ou moins consciente, s'inspirent des idées de Locke et célèbrent, jusque dans la devise *Liberté, Égalité, Fraternité,* le sens de la dignité humaine que le philosophe anglais avait inscrit dans ses œuvres. Il est symptomatique que la traduction de David Mazel, publiée en 1724 à Genève, fût plusieurs fois réimprimée. La septième édition parut en 1795. Le *Moniteur* en fit un compte rendu élogieux dans son numéro du 6 germinal an IV. La Bibliothèque de l'Académie de Bordeaux acheta plusieurs éditions de cette traduction. La plupart des auteurs comme Barbeyrac, Felice, La Caze, Vattel, Jaucourt, d'Holbach... semblent avoir eu connaissance de ce texte[1]. La notoriété de Locke était à peu près sans ombre et l'on ne discutait guère la pertinence de ses théories à l'heure où la France s'apprêtait à inventer la liberté dans les textes officiels et les déclarations solennelles.

Malgré le succès du *Contrat social,* Locke eut sa consécration — qui fut, simultanément, celle de Montesquieu — lors de la *Déclaration d'Indépendance* de l'Amérique.

Ce ne sont point les *Constitutions fondamentales de la Caroline*, à la rédaction desquelles il avait contribué par amitié pour Shaftesbury[2], qui lui apportèrent la gloire outre-Atlantique. Ce fut l'esprit même de son *Traité* : le caractère raisonnable de l'individu, la souveraineté du peuple, le pacte social furent les idées-force qui séduisirent la jeune Amérique. Elle vit en elles la promesse du bien public et du bonheur. Dans la puissance des lois qui expriment concrètement ces concepts, elle décela la garantie des biens les plus précieux de l'homme : de sa liberté, des droits de sa conscience, de sa propriété, de son travail[3]. Il lui plut que Locke ne

1. I.M. Wilson, *ibid.*, p. 281.
2. Cette Constitution, promulguée en 1669-70 implantait curieusement dans la colonie anglaise de Caroline les institutions féodales de la vieille Angleterre. Cette charte rétrograde était plutôt opposée aux idées personnelles de Locke. Elle fut abrogée en 1693.
3. Il ne faut ni négliger ni exagérer l'importance des idées de Locke en matière économique. La question du droit de « propriété » au sens technique du terme lui tenait à cœur : il lui a consacré dans le *Second Traité* un long chapitre. D'autre part, ses relations avec

soit jamais le contempteur de l'État, parce qu'il représente l'ordre et la sécurité ; que jamais non plus il
n'invoque « la raison d'État », parce qu'elle fait peur et
ouvre la porte à tous les abus. Le thème selon lequel
l'autorité politique se met nécessairement au service des
individus puisqu'elle procède d'eux, fut décisif. Le
célèbre pamphlet de Thomas Paine, *The Common
Sense*, où, a-t-on dit, la plume de l'auteur égale l'épée
de George Washington, et qui passe pour « le manifeste
des révolutionnaires américains de 1776[1] », opérait
avec fougue la synthèse de tous les arguments venus de
Locke. La *Déclaration des Droits*, votée le 1er juin 1776,
les reprenait fidèlement[2]. Ses rédacteurs, Jefferson et
Franklin et, dans leur ombre, Paine et Price, ne manquaient pas d'invoquer Aristote et Cicéron ; mais c'était
aux *Discours* de Sidney, au *Second Traité* de Locke, à
l'*Esprit des lois* de Montesquieu qu'ils empruntaient
leur inspiration libérale et leur souffle constitutionnel.
Dans leur enthousiasme, ils étaient si sûrs d'eux-mêmes
qu'ils offrirent aux Constituants français le modèle
même de la *Déclaration des droits de l'homme et du
citoyen*.

Le philosophe Locke était entré dans l'histoire mon-
diale.

III

Dans le cours du XIXe siècle, les idées libérales mises
en avant par Locke eurent encore des échos retentis-
sants, bien que le nom du philosophe ait été assez

W. Petty, qu'il a longuement connu, l'avaient amené à discuter la
question du travail. On sait aussi qu'il se préoccupa des problèmes de
monnaie et d'intérêt.

Cependant, Locke n'a pas fait des questions économiques et
sociales le centre de sa réflexion. Le problème politique a pour lui une
nette précellence sur elles, tout simplement parce que, à ses yeux,
l'économie n'est que l'un des aspects de la politique.

1. Cf. A. Aulard, *Études et leçons sur la Révolution française*,
Alcan, 1921, 8e série, p. 107.

2. Cette *Déclaration* prélude à la célèbre *Déclaration d'Indépendance* adoptée par le Congrès le 4 juillet 1776. Cf. Carl Becker, *La
Déclaration d'Indépendance*, Paris, Seghers, 1967. Sur les étapes de la

rarement prononcé. En France, l'œuvre de A. Prévost-Paradol est à cet égard caractéristique et une étude minutieuse de *La France nouvelle*, publiée en 1868[1], révélerait bien des points de rencontre avec le *Second Traité* : l'aversion pour les régimes autoritaires, une esquisse de Constitution valable aussi bien pour une monarchie libérale que pour une république conservatrice, la puissance de l'obligation morale, la confiance accordée à l'homme et à ses capacités d'autonomie... rappellent les pages les plus riches du *Second Traité*. En Angleterre, le « révisionnisme » libéral de l'École d'Oxford tel, notamment, qu'il apparaît dans les *Principes de l'obligation politique* de Thomas Hill Green[2], a également reçu le legs de la philosophie de Locke : l'auteur, par exemple, considère que la nature humaine est fondamentalement sociale ; il estime que la participation de l'individu à la vie politique dans la visée d'une fin commune qui le dépasse est la condition de l'accomplissement personnel. De façon générale, le libéralisme issu de Locke est, sous la reine Victoria, en train de devenir non pas la doctrine d'un parti, mais la philosophie d'une nation, et, par-delà elle, le signe d'une époque de l'histoire d'Occident.

Au début du XXe siècle, Ch. Bastide pouvait écrire : « tout l'essentiel de la doctrine de Locke fait partie du bagage mental contemporain[3] ». Le philosophe anglais du XVIIe siècle demeure ainsi dans l'histoire de la pensée politique le fondateur du libéralisme moderne[4].

Certes, le conservatisme, qui cherche à limiter l'individualisme au nom d'une autorité — celle de l'Église selon Joseph de Maistre[5], celle de l'État selon Hegel,

rédaction de ce texte, cf. *The Writings of Thomas Jefferson*, P. L. Ford, 10 vol., 1893-1899.

1. Cf. collection *Classiques de la Politique*, Paris, Garnier, *Pages choisies* par P. Guiral, 1981.

2. T. H. Green vécut de 1826 à 1882. L'ouvrage cité a été publié après sa mort.

3. Ch. Bastide, *op cit.*, p. 374.

4. L'expression est traduite de N. Mateucci, *Antologia di scritti politici*, Bologne, 1980.

5. Joseph de Maistre aimait si peu Locke qu'il écrivait : « mépriser Locke est le commencement de la sagesse », *Soirées de Saint-Pétersbourg*, I, p. 442.

celle de la science positive selon Auguste Comte — avait fait obstacle au libéralisme de Locke ; et les résurgences en sont toujours possibles. D'autre part, les divers socialismes, qui dénoncent les privilèges accordés en fait selon eux aux classes bourgeoises ou moyennes par les régimes libéraux et défendus par la doctrine inspirée de Locke, avaient, au cours du XIXᵉ siècle, livré des assauts si redoutables aux thèses avancées par le *Second Traité*, qu'à bien des égards, la Révolution de 1848 avait sonné le glas de l'euphorie libérale. On parle encore beaucoup de notre temps de « la crise du libéralisme » et l'on se plaît à insister sur le fait que les chemins de la liberté ne sont pas ceux de la pensée libérale.

Il reste que Locke est le philosophe qui a su présenter « la réalisation concrète d'un mécanisme de liberté fonctionnant dans l'histoire des hommes[1] ». Ce mécanisme paraît, c'est vrai, désuet et dérisoire à ceux qui, aujourd'hui, parlent inconsidérément de liberté absolue et réclament, à grand bruit, que « tout soit permis ». Mais ces hommes ont le vertige de la liberté plutôt que l'amour de la liberté ; alors, ils cherchent à détruire, et tout d'abord, l'État. Locke a sur eux l'immense supériorité d'avoir compris que le gouvernement civil n'est pas nécessairement un Minotaure, une puissance coercitive et oppressive : du moins si les hommes ont une raison assez sage et une volonté assez forte pour qu'il en soit ainsi. Ce n'est pas seulement en *Utopie* qu'un État peut être « modéré » et que le peuple, par sa participation politique[2], peut élaborer lui-même les conditions de sa liberté. Mais il faut aux hommes la sagacité et le sens de la responsabilité qui, par le refus de l'inféodation et de l'assujettissement, atteste la maturité de la conscience politique. A la fin du XVIIᵉ siècle, Locke a su déceler dans les événements d'Angleterre les conditions qui déterminent ce que Kant appellera la « majorité » de l'homme, désormais

1. C'est en cela qu'il fut, selon l'expression de J.-J. Chevallier, *op. cit.*, p. 42, un « nouveau maître à penser ».
2. G. Sorgi, *Per una studio della participazione politica*, Lecce, 1981, chap. V.

capable de s'obliger lui-même à la liberté. En 1789, la *Déclaration des droits de l'homme et du citoyen*, première charte solennelle des libertés, savait tirer la leçon de la politique de Locke et présenter les « droits de l'homme » comme leur obligation à l'humanité. Nul, aujourd'hui plus encore qu'hier, ne peut demeurer indifférent car il ne s'agit de rien de moins que de la destination de la condition humaine. La politique de Locke a beau porter la marque de son siècle, elle recèle une actualité qui dépasse le temps.

Simone GOYARD-FABRE.
Caen, juillet 1983.

NOTE SUR LA PRÉSENTE ÉDITION

NOTE SUR LA PRÉSENTE ÉDITION

Nous avons choisi de rééditer la traduction de David Mazel telle que, revue et corrigée d'après le texte de la cinquième édition de Londres (1728), elle fut publiée à Paris, en l'an III de la République (1795).

Le lecteur, dit Jean-Jacques Chevallier[1], y est « pris peu à peu dans le déroulement d'une dialectique persuasive, insinuante, sans relief, servie par une langue fluide et limpide. On songe au cours d'une tranquille rivière de plaine qu'éclaire un soleil doux, assez pâle. Mais il arrive que le temps se couvre, l'orage gronde quelque part ; ainsi parfois le ton de Locke s'élève-t-il, une sourde colère fait frémir ses phrases unies, c'est sa passion anti-absolutiste qui affleure ».

La traduction de David Mazel est loin de posséder une rigueur scientifique exemplaire. Afin de la rendre plus fidèle au texte de Locke, dont nous avons suivi la lettre dans l'édition de Peter Laslett, nous l'avons, en divers passages, modifiée ou réajustée. Malgré ses défauts, nous l'avons toutefois conservée, parce qu'elle reflète, dans la manière de transposer la littéralité de l'œuvre de Locke, le type de préoccupations avec lesquelles s'en effectuait la réception, en France, au XVIIIe siècle.

---

1. J.-J. Chevallier, *Les Grandes Œuvres politiques*, Paris, Colin, 1966, p. 89.

Nous avons modernisé la ponctuation et l'orthographe. Nous avons conservé les notes du traducteur ; elles sont appelées par un astérisque, ou par un chiffre.

Nous avons adjoint quelques notes, appelées, quant à elles, par une lettre minuscule.

TRAITÉ

DU

GOUVERNEMENT

CIVIL,

PAR M. LOCKE,

TRADUIT DE L'ANGLAIS;

*Revue et corrigée exactement, sur la
dernière Édition de Londres.*

A PARIS,

*De l'Imprimerie de DESVEUX, rue des
Ménestriers, nº. 607,*

*Et chez ROYEZ, Libraire, rue J.-J.
Rousseau. maison Bullion.*

———

L'AN III de la République française.

AVIS DES ÉDITEURS

La nouvelle Édition des Œuvres de Locke est désirée depuis longtemps ; il n'en existe aucune uniforme, belle et complète de toutes ses Œuvres ; le Gouvernement despotique avait empêché qu'on ne connût beaucoup son *Traité du Gouvernement Civil*, et on ne peut choisir un moment plus favorable pour en publier une Édition correcte et plus belle que toutes celles qui ont paru, que celui où l'on sent en France la nécessité urgente d'un bon Gouvernement.

On peut s'inscrire chez les Libraires désignés, parce qu'on n'en tire qu'un nombre d'Exemplaires borné, à cause de la cherté du papier.

Les mêmes Libraires ont également sous presse la même Édition in-12, même papier et même caractère que le format in-8°.

AVERTISSEMENT

Il n'y a guère de questions, qui aient été agitées avec plus de chaleur, que celles qui regardent les fondements de la société civile et les lois par lesquelles elle se conserve. Ceux qui ont écrit dans des États purement monarchiques, où le Souverain souhaitait que ses sujets fussent persuadés qu'il était maître absolu de leurs vies et de leurs biens, ont entrepris de prouver, avec beaucoup de passion, ce que le Prince voulait que l'on crût. Les Souverains, selon eux, tirent de Dieu immédiatement leur autorité, et ce n'est que lui seul qui ait droit de leur demander raison de leur conduite, de sorte que quelques excès qu'ils pussent commettre, quand ils vivraient plus en bêtes qu'en hommes, il faudrait que leurs sujets les souffrissent patiemment, si après de très humbles remontrances, les Souverains refusaient de reconnaître les lois de la nature. Quand plusieurs millions d'âmes consentiraient unanimement à condamner la tyrannie d'un Prince qui ne serait soutenue que de quelques flatteurs, il faudrait que des millions de familles ouvrissent leurs maisons à ses satellites, lorsqu'il trouverait à propos d'enlever leurs femmes et leurs enfants pour en abuser ; et répandissent à ses pieds les fruits de leur industrie, sans en réserver rien pour elles, s'il voulait qu'elles lui livrassent tout leur bien. Si un Prince se mettait en tête qu'il n'y a que lui, et quelque peu de personnes avec lui, qui entendissent la

véritable manière de servir Dieu, et qu'il voulût
envoyer des soldats chez ceux qui ne seraient pas dans
ses sentiments, pour les maltraiter, jusqu'à ce qu'ils
feignissent d'en être, il faudrait bien se garder de faire la
moindre résistance à ces bourreaux. Tout un royaume
se devrait entièrement livrer à la fureur de quelques
scélérats, quoi qu'ils pussent faire, parce qu'ils seraient
munis de l'autorité royale. Que si des sujets opposaient
la violence à ces inhumanités, en quelque cas que ce fût,
et parlaient de réprimer ou de chasser un Tyran, non
seulement ils seraient dignes de souffrir toutes les
horreurs que la guerre la plus cruelle entraîne après soi,
à l'égard de ceux qui sont vaincus ; mais encore le Juge
de tous les hommes, dont ces Tyrans sont l'image la
plus sacrée, les condamnerait, à cause de cela, aux
flammes éternelles. Les peuples, de leur côté, n'ont
aucun droit, que le Prince ne puisse violer impuné-
ment, de quelque manière qu'il le veuille faire ; parce
que Dieu les a, pour ainsi dire, livrés à lui, pieds et
poings liés. Le Prince seul est une personne sacrée, à
laquelle on ne peut jamais toucher, sans s'attirer l'indi-
gnation du Ciel et de la terre ; de sorte que se défaire du
Tyran le plus dangereux est un crime infiniment plus
grand que les actions les plus détestables qu'il puisse
commettre : et un inconvénient infiniment plus terrible
que de voir de vastes royaumes rougis du sang de leurs
habitants, et un nombre infini de personnes innocentes
réduites aux extrémités les plus étranges.

Voilà quels sont les sentiments de ceux qui ont écrit
dans des lieux, où les puissances souhaitaient que le
peuple se crût entièrement esclave. D'un autre côté,
lorsque les peuples ont fait voir que ce nouvel Évangile
n'avait fait aucune impression sur eux, et ont secoué un
joug qui leur devenait insupportable, on s'est mis à
soutenir, dans les lieux où cela est arrivé, que l'on peut
déposer les Souverains, pour des raisons assez légères,
et l'on a parlé contre la monarchie, comme contre une
forme de gouvernement tout à fait insupportable. On a
établi des principes propres à entretenir des séditions
éternelles, en voulant prévenir la tyrannie : comme de

l'autre, on a consacré la plus affreuse tyrannie, pour étouffer pour jamais les soulèvements populaires. La passion a empêché une infinité d'Écrivains de trouver un milieu entre ces extrémités ; lequel il n'était pas néanmoins difficile de trouver, si l'on eût envisagé les choses de sang-froid.

C'est ce que l'on pourra reconnaître par cet Ouvrage, où l'Auteur a découvert, avec beaucoup de pénétration, les premiers fondements de la société civile, avant que d'en tirer les conséquences, qui peuvent décider les controverses que l'on a sur ces matières. On peut dire que le public n'a pas encore vu d'Ouvrages, où l'on ait proposé ce qu'il y a de plus délié sur ce sujet, avec plus d'ordre, de netteté et de brièveté que dans celui-ci. On y verra même quelques sentiments assez nouveaux pour beaucoup de gens, mais appuyés sur des preuves si fortes, que leur nouveauté ne les peut rendre suspects qu'à ceux qui préfèrent la prévention à la raison.

SUPPLÉMENT
A l'Avertissement précédent

M. Locke, qui ne mit point son nom à la tête de ce Livre, le publia en Anglais en 1690, à la suite d'un autre sur la même matière. En voici le Titre original : *Two Treatises of Government, in the former the false Principles, and Fondation of* Sr. Robert FILMER *and his Followers are detected and overthrown : The later is an Essay concerning the true Origine, Extent and End of Civil Government* : Vol. in-8°, p. 213.

L'auteur de ces deux Traités, dit M. *Le Clerc* dans l'Extrait qu'il en donna[1], a entrepris de réfuter le Chevalier *Filmer*[2] qui a fait quelques Ouvrages en Anglais, où il a prétendu montrer que les Sujets naissent esclaves de leur Prince. Il fait voir la fausseté de ses raisonnements, que l'on trouve dans deux livres

1. *Biblioth. Univers.* Tom. XIX.
2. C'est celui que M. Locke désigne dans plusieurs endroits par les lettres initiales le Ch... F.

Anglais, dont l'un est intitulé *Patriarcha*, et l'autre contient des *remarques* sur *Hobbes, Milton*, etc. Mais comme (suivant la remarque de M. *Le Clerc* à la fin de l'extrait du premier traité de M. *Locke*), dans les matières d'importance, ce n'est pas assez de faire voir qu'un autre se trompe, parce que les lecteurs veulent, après cela, qu'on fasse mieux, et que l'on donne des Principes meilleurs que ceux que l'on reprend; c'est ce qui a obligé l'Auteur de composer un second livre, qu'il intitule *An Essay*, etc. Vol. *in*-8°, p. 254. C'est donc ce dernier qui parut peu de temps après en Français à *Amsterdam*, et qui fut réimprimé en Anglais en 1694 et en 1698. M. *Le Clerc*, qui nous apprend cela dans l'Éloge Historique de notre Auteur, publié en 1705[1], ajoute ce qui suit : « Nous en aurons bientôt une édition Anglaise beaucoup plus correcte que les précédentes, aussi bien qu'une meilleure version française. M. Locke n'y avait pas mis son nom, parce que les principes qu'il y établit sont contraires à ceux que l'on soutenait communément en *Angleterre* avant la révolution, et qui tendaient à établir le pouvoir arbitraire, sans avoir égard à aucunes lois. Il renverse entièrement cette politique Turque, que bien des gens soutenaient sous des prétextes de religion, pour flatter ceux qui aspiraient à un pouvoir qui est au-dessus de la nature humaine. »

---

1. *Biblioth. choisie*, Tom. VI. Cet éloge se trouve aussi à la tête des *Œuvres diverses* de M. Locke, imprimés à *Amsterdam* en 1732, *in*-12, 2 vol.

DU

GOUVERNEMENT

CIVIL

*De sa véritable origine, de son
étendue et de sa fin.*

CHAPITRE PREMIER[a]

Dans l'*Essai* précédent (il s'agit du premier traité politique), il a été montré :

1º) qu'Adam n'avait, ainsi qu'on l'a prétendu, ni par droit naturel ni par privilège spécial reçu de Dieu, autorité sur ses enfants ou empire sur le monde ;

2º) que s'il possédait ce droit, ses descendants ne le possédaient point ;

3º) que si ses descendants avaient ce droit, il n'y avait ni loi naturelle ni loi divine positive susceptible de déterminer qui, en chaque cas particulier, en était le détenteur légitime ; en conséquence de quoi, ni le droit de succession ni le droit de gouverner ne pouvaient être non plus déterminés avec certitude ;

4º) ces droits eussent-ils été déterminés, la connaissance de la branche aînée de la postérité d'Adam est depuis si longtemps perdue que, parmi les races humaines et les familles du monde, il n'en reste aucune qui, plus que tout autre, puisse avoir la moindre prétention à être la plus ancienne dynastie et à détenir le droit de succéder.

1. Toutes ces prémisses ayant été, je pense, clairement établies, il est impossible que ceux qui, aujourd'hui, gouvernent notre terre, puissent tirer pro-

---

a. Ce chapitre n'a pas été traduit par D. Mazel. En suivant l'édition de P. Laslett, nous en proposons la traduction suivante.

fit ou obtenir quelque soupçon d'autorité de ce qui se passe pour être la source de tout pouvoir, à savoir, le *pouvoir personnel d'Adam et son droit paternel de juridiction*. De sorte que, si l'on ne veut pas donner l'occasion de penser que tout gouvernement terrestre est le seul produit de la force et de la violence, et que les hommes ne sont pas régis par d'autres règles que celles des bêtes chez qui le plus fort l'emporte, — ce qui justifierait à jamais le désordre, le trouble, le tumulte, la sédition et la rébellion (choses contre lesquelles s'élèvent à grands cris les tenants de cette hypothèse) — il faut nécessairement découvrir une *autre* genèse du gouvernement, une *autre* origine du pouvoir politique, et une *autre* manière de désigner et de connaître les personnes qui en sont dépositaires, que celles que nous a enseignées sir Robert Filmer.

2. A cette fin, je pense qu'il n'est pas hors de propos de définir ce que j'entends par *pouvoir politique :* et que le pouvoir d'un magistrat sur un sujet doit être distingué de celui d'un père sur ses enfants, d'un maître sur son serviteur, d'un mari sur sa femme et d'un seigneur sur son esclave. Comme il arrive parfois qu'une même personne, envisagée sous ces différents rapports, réunisse en elle ces divers pouvoirs, il peut être utile de les différencier les uns des autres et de montrer ce qui sépare un chef d'État, un père de famille et un commandant de navire.

3. J'entends donc par pouvoir politique le droit de faire des lois, sanctionnées ou par la peine de mort ou, *a fortiori*, par des peines moins graves, afin de réglementer et de protéger la propriété; d'employer la force publique afin de les faire exécuter et de défendre l'État contre les attaques venues de l'étranger : tout cela en vue, seulement, du bien public.

CHAPITRE II

De l'état de Nature

4. Pour bien entendre en quoi consiste le *pouvoir politique*, et connaître sa véritable origine, il faut considérer dans quel état tous les hommes sont *naturellement*. C'est un état de parfaite *liberté*, un état dans lequel, sans demander de permission à personne, et sans dépendre de la volonté d'aucun autre homme, ils peuvent faire ce qu'il leur plaît, et disposer de ce qu'ils possèdent et de leurs personnes, comme ils jugent à propos, *pourvu qu'ils se tiennent dans les bornes de la loi de la Nature*[1].

Cet état est aussi un état d'égalité ; en sorte que tout pouvoir et toute juridiction est réciproque, un homme n'en ayant pas plus qu'un autre. Car il est très évident que des créatures d'une même espèce et d'un même ordre, qui sont nées sans distinction, qui ont part aux mêmes avantages de la *nature*, qui ont les mêmes facultés, doivent pareillement être égales entre elles, sans nulle subordination ou sujétion, à moins que le seigneur et le maître des créatures n'ait *établi*, par quelque manifeste *déclaration* de sa volonté, quelques-unes sur les autres, et leur ait conféré, *par une évidente et claire ordonnance*, un droit irréfragable à la domination et à la souveraineté.

5. C'est cette *égalité*, où sont les hommes *naturellement*, que le judicieux *Hooker*[2] regarde comme si évidente en elle-même et si hors de contestation, qu'il en fait le fondement de l'obligation où sont les hommes de s'aimer mutuellement : il fonde sur ce principe d'égalité tous les devoirs de charité et de justice auxquels les hommes sont obligés les uns envers les autres. Voici ses paroles :

---

1. Restriction nécessaire, à laquelle il faut bien faire attention.
2. *Rich. Hooker* a été des plus savants Théologiens d'Angleterre, dans le XVIe siècle : son *Traité des lois de la Politique Ecclésiastique* donne une grande idée de sa vaste érudition, et lui a mérité des éloges de la part des plus grands hommes.

« *Le même instinct a porté les hommes à reconnaître qu'ils ne sont pas moins tenus d'aimer les autres, qu'ils sont tenus de s'aimer eux-mêmes. Car voyant toutes choses égales entre eux, ils ne peuvent que comprendre qu'il doit y avoir aussi entre eux tous une même mesure. Si je ne puis que désirer de recevoir du bien, même par les mains de chaque personne, autant qu'aucun autre homme en peut désirer pour soi, comment puis-je prétendre de voir, en aucune sorte, mon désir satisfait, si je n'ai soin de satisfaire le même désir, qui est infailliblement dans le cœur d'un autre homme, qui est d'une seule et même *nature* avec moi ? S'il se fait quelque chose qui soit contraire à ce désir que chacun a, il faut nécessairement qu'un autre en soit aussi choqué que je puis l'être. Tellement, que si je nuis et cause du préjudice, je dois me disposer à souffrir le même mal ; n'y ayant nulle raison qui oblige les autres à avoir pour moi une plus grande mesure de charité que j'en ai pour eux. C'est pourquoi le désir que j'ai d'être aimé, autant qu'il est possible, de ceux qui me sont égaux dans l'état de *nature*, m'impose une obligation naturelle de leur porter et témoigner une semblable affection. Car, enfin, il n'y a personne qui puisse ignorer la relation d'égalité entre nous-mêmes et les autres hommes, qui sont d'autres nous-mêmes, ni les règles et les lois que la *raison naturelle* a prescrites pour la conduite de la vie. »

6.   Cependant, quoique l'état de *nature* soit un état de *liberté*, ce n'est nullement un état de *licence*. Certainement, un homme, en cet état, a une *liberté* incontestable, par laquelle il peut disposer comme il veut, de sa personne ou de ce qu'il possède : mais il n'a pas la liberté et le droit de se détruire lui-même[1], non plus

---

* Eccl. Pol. lib., I.
1. C'est ce que lui défendent les bornes de la *Loi de la nature* dans lesquelles il doit se tenir par la raison qui suit, *qu'il doit faire de sa liberté le meilleur et le plus noble usage que sa propre conservation exige de lui* ; parce qu'il est l'ouvrage du Tout-Puissant qui doit durer autant qu'il lui plaît, et non autant qu'il plaît à l'ouvrage. Ce sentiment est si général dans les hommes, que les lois civiles, qui ont succédé à celles de la *nature*, sur lesquelles elles sont fondées, défendaient, chez les *Hébreux*, d'accorder les honneurs de la sépulture à ceux qui se tuaient eux-mêmes.

que de faire tort à aucune autre personne, ou de la troubler dans ce dont elle jouit, *il doit faire de sa liberté le meilleur et le plus noble usage, que sa propre conservation demande de lui.* L'état de *nature* a la loi de la *nature*, qui doit le régler, et à laquelle chacun est obligé de se soumettre et d'obéir : la raison, qui est cette loi, enseigne à tous les hommes, s'ils veulent bien la consulter, qu'étant tous égaux et indépendants, nul ne doit nuire à un autre, par rapport à sa vie, à sa santé, à sa liberté, à son bien : car, les hommes étant tous l'ouvrage d'un ouvrier tout-puissant et infiniment sage, les serviteurs d'un souverain maître, placés dans le monde par lui et pour ses intérêts, ils lui appartiennent en propre, et son ouvrage doit durer autant qu'il lui plaît, non autant qu'il plaît à un autre. Et étant doués des mêmes facultés dans la communauté de *nature*, on ne peut supposer aucune subordination entre nous, qui puisse nous autoriser à nous détruire les uns les autres, comme si nous étions faits pour les usages les uns des autres, de la même manière que les créatures d'un rang inférieur au nôtre, sont faites pour notre usage. Chacun donc est obligé de se conserver lui-même, et *de ne quitter point volontairement son poste*[1] pour parler ainsi.

1. Sentiment et pensée des *Pythagoriciens*, apportés par Platon in *Apol. Socr.*, par Cicéron, *De senect.* Cap. XX. et par Lactance *inst. div.* I. III, c. 18. L'aimable, le spirituel Montaigne est charmant sur cet article. « *Plusieurs tiennent que nous ne devons abandonner cette garnison du monde, sans le commandement exprès de celui qui nous y a mis, et c'est à Dieu qui nous a ici envoyés, non pour nous seulement, mais bien pour la gloire et service d'autrui, de nous donner congé quand il lui plaira, non à nous de le prendre. Que nous ne sommes pas nés pour nous, ains aussi pour notre pays : par quoi les lois nous redemandent compte de nous pour leur intérêt, et ont action d'homicide contre nous. Autrement comme déserteurs de notre charge, nous sommes punis en l'autre monde.* » C'était le sentiment de *Virgile*, et, par conséquent, de tous les Romains de son temps, quand il dit :

Proxima tenent maesti loca qui sibi Lethum
Insontes peperdre manu; lucemque perosi
Projicere animas.

                                          Æn. Lib. 6, v. 434.

Il y a bien plus de constance à user la chaîne qui nous tient, qu'à la rompre, et plus d'épreuve de fermeté en Regulus *qu'en* Caton. *Ce que je finirai*

Et lorsque sa propre conservation n'est point en danger, il doit, selon ses forces, conserver le reste des hommes, et à moins que ce ne soit pour faire justice de quelque coupable[1], il ne doit jamais ôter la vie à un autre, ou préjudicier à ce qui tend à la conservation de sa vie, par exemple, à sa liberté, à sa santé, à ses membres, à ses biens.

7. Mais, afin que personne n'entreprenne d'envahir les droits d'autrui, et de faire tort à son prochain ; et que les lois de la *nature*, qui a pour but la tranquillité et la *conservation du genre humain*, soient observées, la *nature* a mis chacun en droit, dans cet état, de punir la violation de ses lois, mais dans un degré qui puisse empêcher qu'on ne les viole plus. Les lois de la *nature*, aussi bien que toutes les autres lois, qui regardent les hommes en ce monde, seraient entièrement inutiles, si personne, dans l'état de *nature*, n'avait le pouvoir de les faire exécuter, de protéger et conserver l'innocent, et de réprimer ceux qui lui font tort. Que si dans cet état, un homme en peut punir un autre à cause de quelque mal qu'il aura fait ; chacun peut pratiquer la même chose. Car en cet état de parfaite égalité, dans lequel naturellement nul n'a de supériorité, ni de juridiction sur un autre, ce qu'un peut faire, en vertu des lois de la *nature*, tout autre doit avoir nécessairement le droit de le pratiquer.

8. Ainsi, dans l'état de *nature*, chacun a, à cet égard, un pouvoir incontestable sur un autre. Ce pouvoir néanmoins n'est pas absolu et arbitraire, en sorte que lorsqu'on a entre ses mains un coupable, l'on ait droit de le punir par passion et de s'abandonner à tous les mouvements, à toutes les fureurs d'un cœur irrité et vindicatif. Tout ce qu'il est permis de faire en cette rencontre, c'est de lui infliger les peines que la raison tranquille et la pure conscience dictent et ordonnent

par ce beau vers de Martial, qui nomme cette action une rage, une fureur :

Hic rogo, non furor est, ne moriare, mori ?

1. Ceci doit s'entendre de l'*état de nature* seulement, comme l'explique l'Auteur dans le § suivant.

naturellement, peines proportionnées à sa faute, et qui
ne tendent qu'à réparer le dommage qui a été causé, et
qu'à empêcher qu'il n'en arrive un semblable à l'avenir.
En effet, ce sont les deux seules raisons qui peuvent
rendre légitime le mal qu'on fait à un autre, et que nous
appelons *punition*. Quand quelqu'un viole les lois de la
nature, il déclare, par cela même, qu'il se conduit par
d'autres règles que celles de la raison et de la commune
équité, qui est la mesure que Dieu a établie pour les
actions des hommes, afin de procurer leur mutuelle
sûreté, et dès lors il devient dangereux au genre
humain ; puisque le lien formé des mains du Tout-
Puissant pour empêcher que personne ne reçoive de
dommage, et qu'on n'use envers autrui d'aucune violence, est rompu et foulé aux pieds par un tel homme.
De sorte que sa conduite offensant toute la *nature*
humaine, et étant contraire à cette tranquillité et à cette
sûreté à laquelle il a été pourvu par les lois de la *nature*,
chacun, par le droit qu'il a de conserver le genre
humain, peut réprimer, ou, s'il est nécessaire, détruire
ce qui lui est nuisible ; en un mot, chacun peut infliger à
une personne qui a enfreint ces lois, des peines qui
soient capables de produire en lui du repentir et lui
inspirer une crainte, qui l'empêchent d'agir une autre
fois de la même manière, et qui même fassent voir aux
autres un exemple qui les détourne d'une conduite
pareille à celle qui les lui a attirées. En cette occasion
donc, et sur *ce fondement*[1], *chacun a droit de punir les
coupables, et d'exécuter les lois de la nature*.

9. Je ne doute point que cette doctrine ne paraisse à
quelques-uns fort étrange : mais avant que de la
condamner, je souhaite qu'on me dise par quel droit un
Prince ou un État peur faire mourir ou *punir un étranger*, qui aura commis quelque crime dans les terres de sa
domination. Il est certain que les lois de ce Prince ou de
cet État, par la vertu et la force qu'elles reçoivent de
leur publication et de l'autorité législative, ne regardent

---

1. Cette restriction est encore nécessaire : et on doit y faire bien
attention, en se souvenant que c'est ce que dictent les lois de la nature,
dans l'*état de nature*.

point cet étranger. Ce n'est point à lui que ce souverain
parle ; ou s'il le faisait, l'étranger ne serait point obligé
de l'écouter et de se soumettre à ses ordonnances.
L'autorité législative, par laquelle des lois ont force de
lois par rapport aux sujets d'une certaine république et
d'un certain État, n'a assurément nul pouvoir et nul
droit à l'égard d'un étranger. Ceux qui ont le pouvoir
souverain de faire des lois en *Angleterre*, en *France*, en
Hollande, sont à l'égard d'un *Indien*, aussi bien qu'à
l'égard de tout le reste du monde, des gens sans
autorité. Tellement que si en vertu des lois de la *nature*
chacun n'a pas le pouvoir de punir, par un jugement
modéré, et conformément au cas qui se présente, ceux
qui les enfreignent, je ne vois point comment les
magistrats d'une société et d'un État peuvent *punir un
étranger* ; si ce n'est parce qu'à l'égard d'un tel homme,
ils peuvent avoir le même droit et la même juridiction,
que chaque personne peut avoir naturellement à l'égard
d'un autre.

10. Lorsque quelqu'un viole la loi de la *nature*, qu'il
s'éloigne des droites règles de la *raison*, et fait voir qu'il
renonce aux principes de la *nature* humaine, et qu'il est
une créature nuisible et dangereuse ; chacun est en droit
de le punir : mais celui qui en reçoit immédiatement et
particulièrement quelque dommage ou préjudice, outre
le droit de punition qui lui est commun avec tous les
autres hommes, a un droit particulier en cette rencontre, en vertu duquel il peut demander que le dommage qui lui a été fait soit réparé. Et si quelque autre
personne croit cette demande juste, elle peut se joindre
à celui qui a été offensé personnellement, et l'assister
dans le dessein qu'il a de tirer satisfaction du coupable,
en sorte que le mal qu'il a souffert puisse être réparé.

11. De ces *deux sortes de droits*, dont l'un est de *punir*
le crime pour le *réprimer* et pour empêcher qu'on ne
continue à le commettre, ce qui est le droit de chaque
personne ; l'autre, d'exiger la réparation du mal souffert : le premier a passé et a été conféré au magistrat,
qui, en qualité de magistrat, a entre les mains le droit
commun de punir ; et toutes les fois que le bien public

ne demande pas absolument qu'il punisse et châtie la violation des lois ; il peut, de sa propre autorité, pardonner les offenses et les crimes : mais il ne peut point disposer de même de la satisfaction due à une personne privée, à cause du dommage qu'elle a reçu. La personne qui a souffert en cette rencontre, a droit de demander la satisfaction ou de la remettre ; celui qui a été endommagé, a le pouvoir de s'approprier les biens ou le service de celui qui lui a fait tort : il a ce pouvoir par le droit qu'il a de *pourvoir à sa propre conservation* ; tout de même que chacun, *par le droit qu'il a de conserver le genre humain*, et de faire raisonnablement tout ce qui lui est possible sur ce sujet, a le pouvoir de punir le crime, pour empêcher qu'on ne le commette encore. Et c'est pour cela que chacun, *dans l'état de nature*, est en droit de tuer un meurtrier, afin de détourner les autres de faire une semblable offense, que rien ne peut réparer, ni compenser, en les épouvantant par l'exemple d'une punition à laquelle sont sujets tous ceux qui commettent le même crime ; et ainsi mettre les hommes à l'abri des attentats d'un criminel qui, ayant renoncé à la raison, à la règle, à la mesure commune que Dieu a donnée au genre humain, a, par une injuste violence, et par un esprit de carnage, dont il a usé envers une personne, déclaré la guerre à tous les hommes, et par conséquent doit être détruit *comme un lion, comme un tigre*, comme une de ces bêtes féroces avec lesquelles il ne peut y avoir de société ni de sûreté. Aussi est-ce sur cela qu'est fondée cette grande loi de la nature : *Si quelqu'un répand le sang d'un homme, son sang sera aussi répandu par un homme*[1]. Et *Caïn* était si pleinement convaincu que chacun est en droit de détruire et d'exterminer un coupable de cette nature, qu'après avoir tué son frère, il criait : *Quiconque me trouvera, me tuera*. Tant il est vrai que ce droit est écrit dans le cœur de tous les hommes.

---

1. Ce sont les propres termes des ordres que Dieu donne à *Noé* et à sa famille, en sortant de l'Arche ; ainsi c'est l'ordre du Maître de la nature. *Emmam* TREMELLIUS trouve, dans cet ordre de Dieu, l'établissement de la *Loi du Talion, atque hæc* νομοφυλαχων *institutio*. Gen. Cap. IX, v. 6.

12. Par la même raison, un homme NB. *dans l'état de nature, peut punir la moindre infraction des lois de la nature*[1]. Mais peut-il punir de mort une semblable infraction ? demandera quelqu'un. Je réponds, que chaque faute peut être punie dans un degré, et avec une sévérité qui soit capable de causer du repentir au coupable, et d'épouvanter si bien les autres, qu'ils n'aient pas envie de tomber dans la même faute. Chaque offense commise *dans l'état de nature*, peut pareillement, *dans l'état de nature*, être punie autant, s'il est possible, qu'elle peut être punie dans un État et dans une république. Il n'est pas de mon sujet d'entrer dans le détail pour examiner les degrés de châtiment que les lois de la *nature* prescrivent : je dirai seulement qu'il est très certain qu'il y a de telles lois, et que ces lois sont aussi intelligibles et aussi claires à une créature raisonnable, et à une personne qui les étudie, que peuvent être les lois positives des sociétés et des États ; et même sont-elles, peut-être, plus claires et plus évidentes. Car, enfin, il est plus aisé de comprendre ce que la raison suggère et dicte, que les fantaisies et les inventions embarrassées des hommes, lesquels suivent souvent d'autres règles que celles de la raison, et qui, dans les termes dont ils se servent dans leurs ordonnances, peuvent avoir dessein de cacher et d'envelopper leurs vues et leurs intérêts. C'est le véritable caractère de la plupart des lois municipales des pays, qui, après tout, ne sont justes, qu'autant qu'elles sont fondées sur la loi de la *nature*, selon lesquelles elles doivent être réglées et interprétées.

---

1. Puisque chaque particulier, dans l'*état de nature*, doit veiller à la conservation mutuelle et générale de tous les hommes. Voici comme Cumberland soutient l'affirmative. « Il n'y a parmi les hommes, dit-il, considérés comme hors de tout gouvernement civil, un juge tout prêt à punir les forfaits, lorsqu'ils sont une fois découverts ; car, comme il est de l'intérêt de tous que les crimes soient punis, quiconque a en main assez de force, a droit d'exercer cette punition, autant que le demande le bien public ; n'y ayant alors aucune inégalité entre les hommes. C'est sur quoi est fondée la pensée de Térence, *Homo sum, humani nihil a me alienum puto*. » Tr. Phil. des lois natur. Chap. I, § 26.

13. Je ne doute point qu'on n'objecte à cette opinion, qui pose que dans l'*état de nature*, chaque homme a le pouvoir de *faire exécuter les lois de la nature*, et d'en *punir les infractions*; je ne doute point, dis-je, qu'on n'objecte que c'est une chose fort déraisonnable, que les hommes soient juges dans leurs propres causes; que l'amour-propre rend les hommes partiaux, et les fait pencher vers leurs intérêts, et vers les intérêts de leurs amis; que d'ailleurs un mauvais naturel, la passion, la vengeance, ne peuvent que les porter au-delà des bornes d'un châtiment équitable; qu'il ne s'ensuivrait de là que confusion, que désordre, et que c'est pour cela que Dieu a établi les Puissances souveraines. Je ne fais point de difficulté d'avouer que le Gouvernement civil est le remède propre aux inconvénients de l'*état de nature*, qui, sans doute, ne peuvent être que grands partout où les hommes sont juges dans leur propre cause : mais je souhaite que ceux qui font cette objection, se souviennent que les Monarques absolus sont hommes, et que si le Gouvernement civil est le remède des maux qui arriveraient nécessairement, si les hommes étaient juges dans leurs propres causes, et si par cette raison, l'*état de nature* doit être abrogé, on pourrait dire la même chose de l'autorité des Puissances souveraines. Car enfin je demande : le Gouvernement civil est-il meilleur, à cet égard, que l'*état de nature*? N'est-ce pas un Gouvernement où un seul homme, commandant une multitude, est juge dans sa propre cause, et peut faire à tous ses sujets tout ce qu'il lui plaît, sans que personne ait droit de se plaindre de ceux qui exécutent ses volontés, ou de former aucune opposition? Ne faut-il point se soumettre toujours à tout ce que fait et veut un Souverain, soit qu'il agisse par raison, ou par passion, ou par erreur[1]? Or, c'est ce qui

1. Cette thèse a besoin de quelque modification. Cette *obéissance passive* n'est ni selon les lois de *la nature*, ni reçue dans aucune société, dont le suprême Magistrat ne sera pas le despotique tyran. Notre auteur n'a pas voulu abolir le droit de *résistance*, qu'ont les sujets, qui se sont réservés certains privilèges dans l'établissement de la souveraineté; ou qui voient que le suprême Magistrat agit ouvertement contre toutes les fins du gouvernement civil. Cette *résistance* ne suppose point que les sujets soient au-dessus du Magistrat suprême, ni qu'ils

ne se rencontre pourtant point, et qu'on n'est point obligé de faire dans l'*état de nature*, l'un à l'égard de l'autre : car, si celui qui juge, juge mal et injustement dans sa propre cause, ou dans la cause d'un autre, il en doit répondre, et on peut en appeler au reste des hommes.

14. On a souvent demandé, comme si on proposait une puissante objection, en quels lieux, et quand les hommes sont ou ont été dans cet *état de nature*[1] ? A quoi

aient un droit propre de le punir. Les liens de sujétion sont rompus en ce cas-là, par la faute du souverain, qui agit en ennemi contre ses sujets, et les dégageant ainsi du serment de fidélité, les remet dans l'état de la liberté et de l'égalité naturelles. C'est le sentiment d'une infinité d'auteurs, qui ont mis cette question dans une pleine évidence.

1. On pourrait dire que ceux qui font cette question prennent plaisir à s'aveugler eux-mêmes ; puisqu'il ne se peut, étant hommes, qu'ils ne soient persuadés qu'eux-mêmes sont encore dans *cet état de nature*, où les hommes ont été depuis qu'il y en a eu sur la terre, et où ils seront tant qu'il y aura des hommes. J'emprunterai du profond *Pufendorff* l'explication de ma pensée. Il envisage l'état de la nature sous trois faces différentes : « *L'état de la nature, dans le dernier sens, est*, dit-il, *celui où l'on conçoit les hommes en tant qu'ils n'ont ensemble d'autre relation morale, que celle qui est fondée sur cette liaison simple et universelle qui résulte de la ressemblance de leur nature, indépendamment de toute convention et de tout acte humain, qui en ait assujetti quelques-uns à d'autres*. Sur ce pied-là, ceux que l'on dit vivre respectivement dans l'état de *nature*, ce sont ceux qui ne sont ni soumis à l'empire l'un de l'autre, ni dépendant d'un maître commun, et qui n'ont reçu les uns des autres ni bien ni mal ; ainsi l'*état de nature* est opposé, en ce sens, à l'*état civil* » (*quoique* ce dernier soit sorti de l'autre sur lequel il est fondé. Ainsi, il faut que l'*état de nature* ait existé quelque part avant de donner la naissance à l'*état civil*). « Pour se former une idée juste de l'*état de nature*, considéré au dernier regard, il faut le concevoir, ou par *fiction* ou *tel qu'il existe véritablement*. Le premier aurait lieu si l'on supposait qu'au commencement du monde une multitude d'hommes eût paru tout à coup sur la terre, sans que l'un naquît ou dépendît en aucune manière de l'autre ; comme la Fable nous représente ceux qui sortirent des dents d'un serpent, que *Cadmus* avait semées... Mais l'*état de nature*, qui *existe réellement*, a lieu entre ceux qui, quoique unis avec quelques autres par une société particulière, n'ont rien de commun ensemble que la qualité de créatures humaines, et ne se doivent rien les uns aux autres, que ce qu'on peut exiger précisément en tant qu'homme. C'est ainsi que vivaient autrefois respectivement les membres de différentes familles séparées et indépendantes, et c'est sur ce pied-là

il suffira pour le présent de répondre, que les Princes et les Magistrats des gouvernements indépendants, qui se trouvent dans l'univers, étant dans l'*état de nature*, il est clair que le monde n'a jamais été, ne sera jamais sans un certain nombre d'hommes qui ont été, et qui seront dans l'*état de nature*. Quand je parle des Princes, des Magistrats, et des sociétés indépendantes, je les considère précisément en eux-mêmes, soit qu'ils soient alliés, ou qu'ils ne le soient pas. Car, ce n'est pas toute sorte d'accord, qui met fin à l'*état de nature*; mais seulement celui par lequel on entre volontairement dans une société, et on forme un corps politique. Toute autre sorte d'engagements et de traités, que les hommes peuvent faire entre eux, les laisse dans l'*état de nature*. Les promesses et les conventions faites, par exemple, pour un troc, entre deux hommes dans l'Isle déserte dont parle *Garcilasso de la Vega*, dans son histoire du *Pérou*; ou entre un *Suisse* et un *Indien*, dans les déserts de l'*Amérique*, sont des liens qu'il n'est pas permis de rompre, et sont des choses qui doivent être ponctuellement exécutées, quoique ces sortes de gens soient, en cette occasion, dans l'*état de nature* par rapport l'un à l'autre. En effet, la sincérité et la fidélité sont des choses que les hommes sont obligés d'observer religieusement, en tant qu'ils sont hommes, non en tant qu'ils sont membres d'une même société.

15. Quant à ceux qui disent, qu'il n'y a jamais eu aucun homme dans l'*état de nature*, je ne veux leur opposer que l'autorité du judicieux *Hooker*. *Les lois dont nous avons parlé*, dit-il, entendant les lois de la nature[1], *obligent absolument les hommes à les observer, même en tant qu'ils sont hommes, quoiqu'il n'y ait nulle convention et nul accord solennel passé entre eux pour faire ceci ou cela, ou pour ne le pas faire. Mais parce que nous ne sommes point capables seuls de nous pourvoir des choses que nous désirons naturellement, et qui sont nécessaires à notre vie, laquelle doit être convenable à la dignité de l'homme; c'est*

que se regardent encore aujourd'hui les sociétés civiles et les particulières qui ne sont pas membres d'un même corps politique. »
1. Eccl. Pol. Lib. I, Sect. 10.

pour suppléer à ce qui nous manque, quand nous sommes seuls et solitaires, que nous avons été naturellement portés à rechercher la société et la compagnie les uns des autres, et c'est ce qui a fait que les hommes se sont unis avec les autres, et ont composé, au commencement et d'abord, des sociétés politiques. J'assure donc encore, que tous les hommes sont naturellement dans cet état, que j'appelle *état de nature*, et qu'ils y demeurent jusqu'à ce que, de leur propre consentement, ils se soient faits membres de quelque société politique : et je ne doute point que dans la suite de ce Traité cela ne paraisse très évident.

CHAPITRE III

De l'état de Guerre

16. L'état *de guerre*, est un état d'*inimitié* et de *destruction*. Celui qui déclare à un autre, soit par paroles, soit par actions, qu'il en veut à sa vie, doit faire cette déclaration, non avec passion et précipitamment, mais avec un esprit tranquille : et alors cette déclaration met celui qui l'a fait, dans l'*état de guerre* avec celui à qui il l'a faite. En cet état, la vie du premier est exposée, et peut être ravie par le pouvoir de l'autre, ou de quiconque voudra se joindre à lui pour le défendre et épouser sa querelle : étant juste et raisonnable que j'aie droit de détruire ce qui me menace de destruction ; car, par *les lois fondamentales de la nature*, l'homme *étant obligé de se conserver lui-même*, autant qu'il est possible ; lorsque tous ne peuvent pas être conservés, la sûreté de l'innocent doit être préférée, et un homme peut en détruire un autre qui lui fait la guerre, ou qui lui donne à connaître son inimitié et la résolution qu'il a prise de le perdre[1] : tout de même que je puis tuer un lion ou un

1. Les Jurisconsultes Romains approuvent cette conduite, *Jure hoc evenit*, disent-ils, Digest. Lib. I, t. I de Just. et Jure. Leg. III, *ut quod quisque ob tutellam corporis sui fecerit : jure fecisse existimetur*. Et Hérodien dit expressément : « Il est également juste et nécessaire de repousser par la force les insultes d'un agresseur plutôt que de les souffrir patiemment, puisque autrement avec le malheur d'être tué, on a encore la honte de passer pour un homme sans cœur. » Liv. VI,

loup, parce qu'ils ne sont pas soumis aux lois de la
raison, et n'ont d'autres règles que celles de la force et
de la violence. On peut donc traiter comme des bêtes
féroces ces gens dangereux, qui ne manqueraient point
de nous détruire et de nous perdre, si nous tombions en
leur pouvoir.

17. Or, de là vient que celui qui tâche d'avoir un
autre en son pouvoir absolu, *se met par là dans l'état de
guerre* avec lui, lequel ne peut regarder son procédé que
comme une déclaration et un dessein formé contre sa
vie. Car j'ai sujet de conclure qu'un homme qui veut
me soumettre à son pouvoir, sans mon consentement,
en usera envers moi, si je tombe entre ses mains, de la
manière qu'il lui plaira, et me perdra, sans doute, si la
fantaisie lui en vient. En effet, personne ne peut désirer
de *m'avoir en son pouvoir absolu*, que dans la vue de me
contraindre par la force à ce qui est contraire au droit de
ma *liberté*, c'est-à-dire, de *me rendre esclave*... Afin donc
que ma personne soit en sûreté, il faut nécessairement
que je sois délivré d'une telle force et d'une telle
violence; et la raison m'ordonne de regarder comme
l'ennemi de ma *conservation*, celui qui est dans la
résolution de me ravir la *liberté*, laquelle en est, pour
ainsi dire, le rempart. De sorte que celui qui entreprend
de me rendre *esclave* se met par là avec moi dans l'*état de
guerre*. Lorsque quelqu'un, dans l'*état de nature*, veut
ravir la *liberté* qui appartient à tous ceux qui sont dans
cet état, il faut nécessairement supposer qu'il a dessein
de ravir toutes les autres choses, puisque la *liberté* est le
fondement de tout le reste; tout de même qu'un

c. 10. Pufendorf est du même sentiment, dans le *Chap. 5 du Liv. II*,
où il traite de la juste défense de soi-même; cependant, il veut que,
avant d'en venir à l'extrémité avec un agresseur injuste, on mette en
œuvre toutes les voies qui peuvent conduire à un accommodement :
« Mais, dit-il, lorsque ces voies de douceur ne suffisent pas pour nous
sauver, ou pour nous mettre en sûreté, il faut en venir aux mains. En
ce cas, si l'agresseur continue malicieusement à nous insulter sans
être touché d'aucun repentir de ses mauvais desseins, on peut le
repousser de toutes ses forces en le tuant même... si dans l'*état de
nature*, dit-il plus bas, on donnait quelques bornes à cette liberté, c'est
alors que la vie deviendrait véritablement insociable. ». *L. c.*

homme, dans un *état de société*, qui ravirait la *liberté*, qui appartient à tous les membres de la société, doit être considéré comme ayant dessein de leur ravir toutes les autres choses, et par conséquent comme étant avec eux dans l'*état de guerre*.

18. Ce que je viens de poser montre qu'un homme peut légitimement tuer un voleur qui ne lui aura pourtant pas causé le moindre dommage, et qui n'aura pas autrement fait connaître qu'il en voulût à sa vie, que par la violence dont il aura usé pour l'avoir en son pouvoir, pour prendre son argent, pour faire de lui tout ce qu'il voudrait. Car ce voleur employant la violence et la force, lorsqu'il n'a aucun droit de me mettre en son pouvoir et en sa disposition, je n'ai nul sujet de supposer, quelque prétexte qu'il allègue, qu'un tel homme entreprenant de *ravir ma liberté*, ne me veuille ravir toutes les autres choses, dès que je serai en son pouvoir. C'est pourquoi, il m'est permis de le traiter comme un homme qui s'est mis avec moi *dans un état de guerre*, c'est-à-dire, de le tuer, si je puis : car enfin, quiconque introduit l'*état de guerre*, est l'agresseur en cette rencontre, et il s'expose certainement à un traitement semblable à celui qu'il a résolu de faire à un autre, et risque sa vie.

19. Ici paraît *la différence qu'il y a entre l'état de nature, et l'état de guerre*, lesquels quelques-uns ont confondus, quoique ces deux sortes d'états soient aussi différents et aussi éloignés l'un de l'autre, que sont un état de paix, de bienveillance, d'assistance et de conservation mutuelle, et un état d'inimitié, de malice, de violence et de mutuelle destruction. Lorsque les hommes vivent ensemble conformément à la raison, sans aucun supérieur sur la terre, qui ait l'autorité de juger leurs différends, ils sont précisément dans l'*état de nature* : ainsi la violence, ou un dessein ouvert de violence d'une personne à l'égard d'une autre, dans une circonstance où il n'y a sur la terre nul supérieur commun, à qui l'on puisse appeler, produit l'*état de guerre* ; et faute d'un juge, devant lequel on puisse faire comparaître un agresseur, un homme a, sans doute, le

droit de faire la guerre à cet agresseur, quand même
l'un et l'autre seraient membres d'une même société, et
sujets d'un même État. Ainsi, je puis tuer sur-le-champ
un voleur qui se jette sur moi, se saisit des rênes de mon
cheval, arrête mon carrosse ; parce que la loi qui a été
faite pour ma conservation — si elle ne peut être
interposée pour assurer, contre la violence et un attentat
présent et subit, ma vie, dont la perte ne saurait jamais
être réparée, me permet de me défendre — me met
dans le droit que nous donne l'*état de guerre*, de tuer
mon agresseur, lequel ne me donne point le temps de
l'appeler devant notre commun Juge, et de faire décider, par les lois, un cas, dont le malheur peut être
irréparable[1]. *La privation d'un commun Juge, revêtu
d'autorité, met tous les hommes dans l'état de nature : et la
violence injuste et soudaine, dans le cas qui vient d'être
marqué, produit l'état de guerre,* soit qu'il y ait, ou qu'il
n'y ait point de commun Juge.

20. Mais quand la violence cesse, l'*état de guerre*
cesse aussi entre ceux qui sont membres d'une même
société ; et ils sont tous également obligés de se soumettre à la pure détermination des lois : car alors ils ont
le remède de l'appel pour les injures[2] passées, et pour

---

1. C'est par cette raison-là que la loi permet de tuer un voleur que
vous découvrez sur votre sol, à heure indue, dans la supposition qu'il
n'y vient que pour vous voler, et que s'il ne peut le faire sans vous
assassiner, il pourra se porter à cette extrémité, qui ne vous laisserait
pas le temps, ou d'appeler du secours, ou de le citer devant le
Magistrat. Outre cela, cette conduite, toute sévère qu'elle paraisse,
est autorisée par le souverain législateur, *Exod. ch. XXII, v. 2 Solon*
et *Platon* sont du même sentiment, et chez les Romains les
XII Tables disent expressément : *Si nox fuctum faxit, si eum aliquis
occidit jure occisus esto.* Voici comme s'explique sur ce sujet un auteur
très estimé. *Dans un pareil cas l'on rentre en quelque manière en l'état de
nature, où les moindres crimes peuvent être punis de mort ; et ici il n'y a
point d'injustice dans une défense poussée si loin pour conserver son bien.
Car comme ces sortes d'attentats ne parviennent guère à la connaissance du
Magistrat, le temps ne permettant pas souvent d'en implorer la protection,
ils demeurent très souvent impunis. Lors donc qu'on trouve moyen de les
punir, on le fait à toute rigueur, afin que, si d'un côté, l'espérance de
l'impunité rend les scélérats plus entreprenants, de l'autre, la crainte d'un
châtiment si sévère, soit capable de rendre la malice plus timide.* Cumberland.

2. Il faut entendre *in-juria*, offense au droit.

prévenir le dommage qu'ils pourraient recevoir à l'avenir. Que s'il n'y a point de tribunal devant lequel on puisse porter les causes, comme dans l'*état de nature* ; s'il n'y a point de lois positives et de Juges revêtus d'autorités ; l'*État de guerre ayant une fois commencé, la partie innocente y peut continuer avec justice*, pour détruire son ennemi, toutes les fois qu'il en aura le moyen, jusques à ce que l'agresseur offre la paix et désire se réconcilier, sous des conditions qui soient capables de réparer le mal qu'il a fait, et de mettre l'innocent en sûreté pour l'avenir. Je dis bien plus, si on peut appeler aux lois, et s'il y a des Juges établis pour régler les différends, mais que ce remède soit inutile, soit refusé par une manifeste corruption de la justice, et du sens des lois, afin de protéger et indemniser la violence et les injures de quelques-uns et de quelque parti ; il est mal aisé d'envisager ce désordre autrement que comme un *état de guerre* : car lors même que ceux qui ont été établis pour administrer la justice, ont usé de violence, et fait des injustices ; c'est toujours injustice, c'est toujours violence, quelque nom qu'on donne à leur conduite, et quelque prétexte, quelques formalités de justice qu'on allègue, puisque, après tout, le but des lois est de protéger et soutenir l'innocent, et de prononcer des jugements équitables à l'égard de ceux qui sont soumis à ces lois. Si donc on n'agit pas de bonne foi en cette occasion, on fait la guerre à ceux qui en souffrent, lesquels ne pouvant plus attendre de justice sur la terre, n'ont plus, pour remède, que le droit d'appel au Ciel.

21. Pour éviter cet *état de guerre*, où l'on ne peut avoir recours qu'au Ciel, et dans lequel les moindres différends peuvent être si soudainement terminés, lorsqu'il n'y a point d'autorité établie, qui décide entre les contendans[1] ; *les hommes ont formé des sociétés, et ont quitté l'état de nature* : car s'il y a une autorité, un pouvoir sur la terre, auquel on peut appeler, l'*état de guerre* ne continue plus, il est exclu, et les différends doivent être décidés[2] par ceux qui ont été revêtus de ce

---

1. Les contendans = les parties adverses.
2. décidés = tranchés.

pouvoir. S'il y avait eu une Cour de justice de cette nature, quelque Juridiction souveraine sur la terre pour terminer les différends qui étaient entre *Jephté* et les *Ammonites*, ils ne se seraient jamais mis dans l'*état de guerre* : mais nous voyons que *Jephté* fut contraint d'appeler au Ciel[1]. *Que l'Éternel*, dit-il, *qui est le Juge, juge aujourd'hui entre les enfants d'Israël, et les enfants d'Ammon*. Ensuite, se reposant entièrement sur son appel, il conduit son armée pour combattre. Ainsi, dans ces sortes de disputes et de contestations, si l'on demande : *Qui sera le Juge ?* l'on ne peut entendre, qui décidera sur la terre et terminera les différends ? Chacun sait assez, et sent assez en son cœur ce que *Jephté* nous marque par ces paroles : l'*Éternel, qui est le Juge, jugera*. Lorsqu'il n'y a point de Juge sur la terre, l'on doit appeler à Dieu dans le Ciel. Si donc l'on demande, *qui jugera ?* on n'entend point, qui jugera si un autre est en *état de guerre* avec moi, et si je dois faire comme *Jephté*, appeler au Ciel ? Moi seul alors puis juger de la chose en ma conscience, et conformément au compte que je suis obligé de rendre, en la grande journée, au Juge souverain de tous les hommes.

CHAPITRE IV

De l'Esclavage

22. La *liberté naturelle* de l'homme, consiste à ne reconnaître aucun pouvoir souverain sur la terre, et de n'être point assujetti à la volonté ou à l'autorité législative de qui que ce soit ; mais de suivre seulement les *lois de la nature*. La *liberté*, dans la société civile, consiste à n'être soumis à aucun *pouvoir législatif*, qu'à celui qui a été établi par le consentement de la communauté, ni à

1. Jug. 11, 27.

aucun autre empire qu'à celui qu'on y reconnaît, ou à d'autres lois qu'à celles que ce même *pouvoir législatif* peut faire, conformément au droit qui lui en a été communiqué[a]. La *liberté* donc n'est point ce que le Chevalier *Filmer* nous marque. *Une liberté, par laquelle chacun fait ce qu'il veut, vit comme il lui plaît, et n'est lié par aucune loi*[1]. Mais la *liberté* des hommes, qui sont soumis à un Gouvernement, est d'avoir, pour la conduite de la vie, une certaine *règle commune*, qui ait été prescrite par le *pouvoir législatif* qui a été établi, en sorte qu'ils puissent suivre et satisfaire leur volonté en toutes les choses auxquelles cette *règle* ne s'oppose pas; et qu'ils ne soient point sujets à la fantaisie, à la volonté inconstante, incertaine, inconnue, arbitraire d'aucun autre homme : tout démontre de même que la *liberté de la nature* consiste à n'être soumis à aucunes autres lois, qu'à celles de la *nature*.

23. Cette *liberté* par laquelle l'on n'est point assujetti à un pouvoir arbitraire et absolu est si nécessaire, et est unie si étroitement avec la *conservation de l'homme*, qu'elle n'en peut être séparée que par ce qui détruit en même temps sa *conservation et sa vie*. Or, un homme n'ayant point de pouvoir sur sa propre vie, ne peut, par aucun traité, ni par son propre consentement, se rendre *esclave* de qui que ce soit, ni se soumettre au pouvoir absolu et arbitraire d'un autre, qui lui ôte la vie quand il lui plaira. *Personne ne peut donner plus de pouvoir qu'il n'en a lui-même*; et celui qui ne peut s'ôter la vie, ne peut, sans doute, communiquer à un autre aucun droit sur elle. Certainement, si un homme, par sa mauvaise conduite et par quelque crime, a mérité de perdre la vie, celui qui a été offensé et qui est devenu, en ce cas, maître de sa vie, peut, lorsqu'il a le coupable entre ses mains, différer de la lui ôter, et a droit de l'employer à

a. Ce droit lui a été confié par le *trust* (c'est le mot anglais employé ici).

1. C'est là plutôt la définition du *libertinage* et de la *licence*. La *liberté* a des bornes, et c'est la *saine raison*, que le Créateur a donnée à tous les hommes, qui les lui prescrit. Chacun en porte les lois tracées dans son cœur, du doigt même de la Divinité.

son service. En cela, il ne lui fait aucun tort ; car au fond, quand le criminel trouve que son esclavage est plus pesant et plus fâcheux que n'est la perte de sa vie, il est en sa disposition de s'attirer la mort qu'il désire, en résistant et désobéissant à son maître.

24. Voilà quelle est la véritable condition de l'*esclavage*, qui n'est rien autre chose que l'*état de guerre continué entre un légitime conquérant et un prisonnier*. Que si ce conquérant et ce prisonnier venaient à faire entre eux un accord, par lequel le pouvoir fût limité à l'égard de l'un, et l'obéissance fût limitée à l'égard de l'autre, l'*état de guerre* et d'*esclavage* cesse, autant que le permet l'accord et le traité qui a été fait[1]. Du reste, comme il a été dit, personne ne pouvant, par convention, et de son consentement, céder et communiquer à un autre *ce qu'il n'a point lui-même*, ne peut aussi donner à un autre aucun pouvoir sur sa propre vie.

J'avoue que nous lisons que, parmi les Juifs[2], aussi bien que parmi les autres nations, les hommes se vendaient eux-mêmes : mais il est visible que *c'était seulement pour être serviteurs, et non esclaves*. Et comme ils ne s'étaient point vendus pour être sous un pouvoir absolu, arbitraire, despotique ; aussi leurs maîtres ne pouvaient les tuer en aucun temps, puisqu'ils étaient obligés de les laisser aller en un certain temps[3], et de ne trouver pas mauvais qu'ils quittassent leur service. Les

---

1. Il n'y a de véritablement *esclaves* que ceux qui ont été pris en guerre. Or, dans l'*état de guerre*, le conquérant est absolument maître de son prisonnier, qu'il peut, conformément à la *loi naturelle*, traiter comme celui-ci aurait pu le traiter, s'il l'eût pris, c'est-à-dire, le dépouiller de ses biens, et même de sa vie. Mais quand le conquérant a accordé la vie à son *esclave*, à condition de le servir, je soutiens que c'est un contrat, qui ôte au premier le droit de vie sur le dernier, qu'il ne peut même vendre ou donner à un autre maître.

2. *Lorsque ton frère étant réduit à la pauvreté se sera vendu à toi, tu ne le contraindras pas à te servir comme un esclave.* Levit., XXV, 39. Ce passage prouve qu'il y avait avant *Moïse* des *esclaves* dont la condition était pire que celle des *serviteurs*, gens qui s'étaient vendus ou engagés pour servir celui qui leur donnait la nourriture et les choses nécessaires à la vie, ce qui fait dire à *Chrysippe*, au rapport de *Sénèque*, que ce sont des *mercenaires perpétuels*.

3. Cela s'entend des Juifs, en l'année du *Jubilé*.

maîtres mêmes de ces serviteurs, bien loin d'avoir un pouvoir arbitraire sur leur vie, ne pouvaient point les mutiler ; et s'ils leur faisaient perdre un œil, ou leur faisaient tomber une dent, ils étaient tenus de leur donner la liberté[1].

CHAPITRE V

De la Propriété des choses[a]

25. Soit que nous considérions la *raison naturelle*, qui nous dit que les hommes ont droit de se conserver, et conséquemment de manger et de boire, et de faire d'autres choses de cette sorte, selon que la nature les fournit de biens pour leur subsistance ; soit que nous consultions la révélation, qui nous apprend ce que Dieu a accordé en ce monde à *Adam*, à *Noé*, et à ses fils ; il est toujours évident, que Dieu, dont David dit*, *qu'il a donné la terre aux fils des hommes*, a donné *en commun* la terre au genre humain. Mais cela étant, il semble qu'il est difficile de concevoir qu'une personne particulière puisse posséder rien en propre. Je ne veux pas me contenter de répondre, que s'il est difficile de sauver et d'établir la propriété des biens, supposé que Dieu ait donné *en commun* la terre à *Adam* et à sa postérité, il s'ensuivrait qu'aucun homme, excepté un *Monarque universel*, ne pourrait posséder aucun bien en propre : mais je tâcherai de montrer comment les hommes peuvent posséder en propre diverses partions de ce que Dieu leur a donné en commun, et peuvent en jouir sans

1. Exode, XXI, 27.
a. Le titre anglais du chapitre est : *Of Property*. Mais le traducteur a fort bien compris que, selon Locke, il faut distinguer la *propriété* au sens large, qui est celle de la vie, du corps, de la santé, de la liberté et des biens, et la *propriété des choses*.
* Psalm., CXV, 16.

aucun accord formel fait entre tous ceux qui y ont naturellement le même droit.

26. Dieu, qui a donné la terre aux hommes en commun, leur a donné pareillement la *raison*, pour faire de l'un et de l'autre l'usage le plus avantageux à la vie et le plus commode. La terre, avec tout ce qui y est contenu, est donnée aux hommes pour leur subsistance et pour leur satisfaction. Mais, quoique tous les fruits qu'elle produit naturellement, et toutes les bêtes qu'elle nourrit, appartiennent en commun au genre humain, en tant que ces fruits sont produits, et ces bêtes sont nourries par les soins de la nature *seule*, et que personne n'a originellement aucun droit particulier sur ces choses-là, considérées précisément dans l'*état de nature* ; néanmoins, ces choses étant accordées par le Maître de la nature pour l'usage des hommes, il faut nécessairement qu'avant qu'une personne particulière puisse en tirer quelque utilité et quelque avantage, elle puisse s'en approprier quelques-unes. Le fruit ou gibier qui nourrit un Sauvage des Indes, qui ne reconnaît point de bornes, qui possède les biens de la terre en commun, lui appartient en propre, et il en est si bien le propriétaire, qu'aucun autre n'y peut avoir de droit, à moins que ce fruit ou ce gibier ne soit absolument nécessaire pour la conservation de sa vie.

27. Encore que la terre et toutes les créatures inférieures soient communes et appartiennent en général à tous les hommes, chacun pourtant a un droit particulier sur sa propre personne, sur laquelle nul autre ne peut avoir aucune prétention. Le travail de son corps et l'ouvrage de ses mains, nous le pouvons dire, sont son bien propre. Tout ce qu'il a tiré de l'*état de nature*, par sa peine et son industrie, appartient à lui seul : car cette peine et cette industrie étant sa peine et son industrie *propre* et *seule*, personne ne saurait avoir droit sur ce qui a été acquis par cette peine et cette industrie, surtout, s'il reste aux autres assez de semblables et d'aussi bonnes choses communes.

28. Un homme qui se nourrit de glands qu'il ramasse sous un chêne, ou de pommes qu'il cueille sur

des arbres, dans un bois, se les approprie certainement par-là. On ne saurait contester que ce dont il se nourrit, en cette occasion, ne lui appartienne légitimement. Je demande donc : *Quand est-ce que ces choses qu'il mange commencent à lui appartenir en propre ?* Lorsqu'il les digère, ou lorsqu'il les mange, ou lorsqu'il les cuit, ou lorsqu'il les porte chez lui, ou lorsqu'il les cueille ? Il est visible qu'il n'y a rien qui puisse les rendre siennes, que le soin et la peine qu'il prend de les cueillir et de les amasser. Son travail distingue et sépare alors ces fruits des autres biens qui sont communs ; il y ajoute quelque chose de plus que la *nature*, la mère commune de tous, n'y a mis ; et, par ce moyen, ils deviennent son bien particulier. Dira-t-on qu'il n'a point un droit de cette sorte sur ces glands et sur ces pommes qu'il s'est appropriés, à cause qu'il n'a pas là-dessus le consentement de tous les hommes ? Dira-t-on que c'est un vol, de prendre pour soi, et de s'attribuer uniquement, ce qui appartient à tous en commun ? Si un tel consentement était nécessaire, la personne dont il s'agit, aurait pu mourir de faim, nonobstant l'abondance au milieu de laquelle Dieu l'a mise. Nous voyons que dans les communautés qui ont été formées par accord et par traité, ce qui est laissé *en commun* serait entièrement inutile, si on ne pouvait en prendre et s'en approprier quelque partie et par quelque voie. Il est certain qu'en ces circonstances on n'a point besoin du consentement de tous les membres de la société. Ainsi, l'herbe que mon cheval mange, les mottes de terre que mon valet a arrachées, et les creux que j'ai faits dans des lieux auxquels j'ai un droit commun avec d'autres, deviennent mon bien et mon héritage propre, sans le consentement de qui que ce soit. Le *travail*, qui est mien, mettant ces choses hors de l'*état commun* où elles étaient, les a fixées et me les a appropriées.

29. S'il était nécessaire d'avoir un consentement exprès de tous les membres d'une société, afin de pouvoir s'approprier quelque partie de ce qui est donné ou laissé *en commun* ; des enfants ou des valets ne sauraient couper rien, pour manger, de ce que leur père

ou leur maître leur aurait fait servir en commun, sans marquer à aucun sa part particulière et précise. L'eau qui coule d'une fontaine publique appartient à chacun ; mais si une personne en a rempli sa cruche, qui doute que l'eau qui y est contenue, n'appartienne à cette personne seule ? Sa peine a tiré cette eau, pour ainsi dire, des mains de la *nature*, entre lesquelles elle était commune et appartenait également à tous ses enfants, et l'a appropriée à la personne qui l'a puisée.

30. Ainsi, cette loi de la raison, fait que le cerf qu'un Indien a tué est réputé le bien propre de cet homme, qui a employé son travail et son adresse, pour acquérir une chose sur laquelle chacun avait auparavant un droit commun. Et parmi les peuples civilisés, qui ont fait tant de lois positives pour déterminer la propriété des choses, cette loi originelle de la *nature*, touchant le commencement du droit particulier que des gens acquièrent sur ce qui auparavant était commun, a toujours eu lieu, et a montré sa force et son efficace. En vertu de cette loi, le poisson qu'un homme prend dans l'Océan, ce commun et grand vivier du genre humain, ou l'ambre gris qu'il y pêche, est mis par son travail hors de cet *état commun* où la *nature* l'avait laissé, et devient son bien propre. Si quelqu'un même, parmi nous, poursuit à la chasse un lièvre, ce lièvre est censé appartenir, durant la chasse, à celui seul qui le poursuit. Ce lièvre est bien une de ces bêtes qui sont toujours regardées comme communes, et dont personne n'est le propriétaire : néanmoins, quiconque emploie sa peine et son industrie pour le poursuivre et le prendre, le tire par-là de l'*état de nature*, dans lequel il était *commun*, et le rend sien.

31. On objectera, peut-être, que si, en cueillant et amassant des fruits de la terre, un homme acquiert un droit propre et particulier sur ces fruits, il pourra en prendre autant qu'il voudra. Je réponds qu'il ne s'ensuit point qu'il ait droit d'en user de cette manière. Car la même *loi de la nature*, qui donne à ceux qui cueillent et amassent des fruits communs, un droit particulier sur ces fruits-là, renferme en même temps ce

droit dans de certaines bornes★. *Dieu nous a donné toutes choses abondamment*. C'est la voix de la *raison*, confirmée par celle de l'inspiration. Mais à quelle fin ces choses nous ont-elles été données de la sorte par le Seigneur ? *Afin que nous en jouissions*. La raison nous dit que la propriété des biens acquis par le travail doit donc être réglée selon le bon usage qu'on en fait pour l'avantage et les commodités de la vie. Si l'on passe les bornes de la modération, et que l'on prenne plus de choses qu'on n'en a besoin, on prend, sans doute, ce qui appartient aux autres. Dieu n'a rien fait et créé pour l'homme, qu'on doive laisser corrompre et rendre inutile. Si nous considérons l'abondance des provisions naturelles qu'il y a depuis longtemps dans le monde ; le petit nombre de ceux qui peuvent en user, et à qui elles sont destinées, et combien peu une personne peut s'en approprier au préjudice des autres, principalement s'il se tient dans les bornes que la raison a mises aux choses dont il est permis d'user, on reconnaîtra qu'il n'y a guère de sujets de querelles et de disputes à craindre par rapport à la propriété des biens ainsi établie.

32. Mais la principale matière de la *propriété* n'étant pas à présent les fruits de la terre, ou les bêtes qui s'y trouvent, mais la terre elle-même, laquelle contient et fournit tout le reste, je dis que, par rapport aux parties de la terre, il est manifeste qu'on en peut acquérir la propriété en la même manière que nous avons vu qu'on pouvait acquérir la propriété de certains fruits. Autant d'arpents de terre qu'un homme peut labourer, semer, cultiver, et dont il peut consommer les fruits pour son entretien, autant lui en appartient-il en propre. Par son travail, il rend ce bien-là son bien *particulier*, et le distingue de ce qui est *commun* à tous. Et il ne sert de rien d'alléguer que chacun y a autant de droit que lui, et que, par cette raison, il ne peut se l'approprier, il ne peut l'entourer d'une clôture, et le fermer de certaines bornes, sans le consentement de tous les autres hommes, lesquels ont part, comme lui, à la même terre

★ Tim., VI, 17.

commune. Car, lorsque Dieu a donné *en commun* la
terre au genre humain, il a commandé en même temps à
l'homme de travailler; et les besoins de sa condition
requièrent assez qu'il travaille. Le créateur et la raison
lui ordonnent de labourer la terre, de la semer, d'y
planter des arbres et d'autres choses, de la cultiver,
pour l'avantage, la conservation et les commodités de la
vie, et lui apprennent que cette portion de la terre, dont
il prend soin, devient, par son travail, son héritage
particulier. Tellement que celui qui, conformément à
cela, a labouré, semé, cultivé un certain nombre
d'arpents de terre, a véritablement acquis, par ce
moyen, un *droit de propriété* sur ses arpents de terre,
auxquels nul autre ne peut rien prétendre, et qu'il ne
peut lui ôter sans injustice.

33. D'ailleurs, en s'appropriant un certain coin de
terre, par son travail et par son adresse, on ne fait tort à
personne, puisqu'il en reste toujours assez et d'aussi
bonne, et même plus qu'il n'en faut à un homme qui ne
se trouve pas pourvu. Un homme a beau en prendre
pour son usage et sa subsistance, il n'en reste pas moins
pour tous les autres : et quand d'une chose on en laisse
beaucoup plus qu'n'en ont besoin les autres, il leur
doit être fort indifférent, qu'on s'en soit pourvu, ou
qu'on ne l'ait pas fait. Qui, je vous prie, s'imaginera
qu'un autre lui fait tort en buvant, même à grands
traits, de l'eau d'une grande et belle rivière, qui,
subsistant toujours tout entière, contient et présente
infiniment plus d'eau qu'il ne lui en faut pour étancher
sa soif ? Or, le cas est ici le même; et ce qui est vrai à
l'égard de l'eau d'un fleuve, l'est aussi à l'égard de la
terre.

34. Dieu a donné la terre aux hommes en *commun*[a] :
mais, puisqu'il la leur a aussi donnée pour les plus
grands avantages, et pour les plus grandes commodités
de la vie qu'ils en puissent retirer, on ne saurait
supposer et croire qu'il entend que la terre demeure

a. Il s'agit de la *communio primæva* dont parlent Grotius, *De jure
belli ac pacis* II, II, § 2, 9-10 et Ch. Wolff, *Institutiones juris naturæ et
gentium*, II, 1.

toujours *commune* et sans culture. Il l'a donnée pour l'usage des hommes industrieux, laborieux, raisonnables ; non pour être l'objet et la matière de la fantaisie ou de l'avarice des querelleurs, des chicaneurs. Celui à qui on a laissé autant de bonne terre qu'il en peut cultiver et qu'il s'en est déjà approprié, n'a nul sujet de se plaindre ; et il ne doit point troubler un autre dans une possession qu'il cultive à la sueur de son visage. S'il le fait, il est manifeste qu'il convoite et usurpe un bien qui est entièrement dû aux peines et au travail d'autrui, et auquel il n'a nul droit ; surtout puisque ce qui reste sans possesseur et propriétaire, est aussi bon que ce qui est déjà approprié, et qu'il a en sa disposition beaucoup plus qu'il ne lui est nécessaire, et au-delà de ce dont il peut prendre soin.

35. Il est vrai que pour ce qui regarde une terre qui est *commune en Angleterre*, ou en quelque autre pays, où il y a quantité de gens, sous un même Gouvernement, parmi lesquels l'argent roule, et le commerce fleurit, personne ne peut s'en approprier et fermer de bornes aucune portion, sans le consentement de tous les membres de la société. La raison en est, que cette sorte de terre est laissée *commune* par accord, c'est-à-dire, par les lois du pays, lesquelles on est obligé d'observer. Cependant, bien que cette terre-là soit *commune* par rapport à quelques hommes qui forment un certain corps de société, il n'en est pas de même à l'égard de tout le genre humain : cette terre doit être considérée comme une propriété de ce pays ou de cette paroisse, où une certaine convention a été faite. Au reste, on peut ajouter à la raison, tirée des lois du pays, cette autre qui est d'un grand poids : savoir, que si on venait à fermer de certaines bornes, et à s'approprier quelque portion de la terre *commune*, que nous supposons, ce qui en resterait ne serait pas aussi utile et aussi avantageux aux membres de la communauté, que lorsqu'elle était tout entière. Et, en cela, la chose est tout autrement aujourd'hui qu'elle ne l'était au commencement du monde, lorsqu'il s'agissait de peupler la terre, qui était donnée *en commun* au genre humain. Les lois sous

lesquelles les hommes vivaient alors, bien loin de les empêcher de s'approprier quelque portion de terre, les obligeaient fortement à s'en approprier quelqu'une. Dieu leur commandait de travailler, et leurs besoins les y contraignaient assez. De sorte que ce en quoi ils employaient leurs soins et leurs peines devenait, sans difficulté, leur bien propre; et on ne pouvait, sans injustice, les chasser d'un lieu où ils avaient fixé leur demeure et leur possession, et dont ils étaient les maîtres, les propriétaires, de droit divin : car, enfin, nous voyons que labourer, que cultiver la terre, et avoir domination sur elle, sont deux choses jointes ensemble. L'une donne droit à l'autre. Tellement que le Créateur de l'univers, commandant de labourer et cultiver la terre, a donné pouvoir, en même temps, de s'en approprier autant qu'on en peut cultiver; et la condition de la vie humaine, qui requiert le travail et une certaine matière sur laquelle on puisse agir, introduit nécessairement les possessions privées.

36. La mesure de la propriété a été très bien réglée par la *nature*, selon l'étendue du travail des hommes, et selon la commodité de la vie. Le travail d'un homme ne peut être employé par rapport à tout, il ne peut s'approprier tout; et l'usage qu'il peut faire de certains fonds, ne peut s'étendre que sur peu de chose : ainsi, il est impossible que personne, par cette voie, empiète sur les droits d'autrui, ou acquière quelque *propriété*, qui préjudicie à son prochain, lequel trouvera toujours assez de place et de possession, aussi bonne et aussi grande que celle dont un autre se sera pourvu, et que celle dont il aurait pu se pourvoir auparavant lui-même. Or, cette mesure met, comme on voit, des bornes aux biens de chacun, et oblige à garder de la proportion et user de modération et de retenue; en sorte qu'en s'appropriant quelque bien, on ne fasse tort à qui que ce soit. Et, dans le commencement du monde, il y avait si peu à craindre que la propriété des biens nuisît à quelqu'un, qu'il y avait bien plus de danger que les hommes périssent, en s'éloignant les uns des autres et s'égarant dans le vaste désert de la terre, qu'il n'y en avait qu'ils ne se

trouvassent à l'étroit, faute de place et de lieu qu'ils pussent cultiver et rendre propre. Il est certain aussi que la même mesure peut toujours être en usage, sans que personne en reçoive du préjudice. Car, supposons qu'un homme ou une famille, dans l'état où l'on était au commencement, lorsque les enfants d'*Adam* et de *Noé* peuplaient la terre, soit allé dans l'*Amérique*, toute vide et destituée d'habitants ; nous trouverons que les possessions que cet homme ou cette famille aura pu acquérir et cultiver, conformément à la mesure que nous avons établie, ne seront pas d'une fort grande étendue, et qu'en ce temps-ci même, elles ne pouvaient nuire au reste des hommes, ou leur donner sujet de se plaindre, et de se croire offensés et incommodés par les démarches d'un tel homme ou d'une telle famille ; quoique la race du genre humain, ayant extrêmement multiplié, se soit répandue par toute la terre, et excède infiniment, en nombre, les habitants du premier âge du monde. Et l'étendue d'une possession est de si peu de valeur sans le travail, que j'ai entendu assurer qu'en *Espagne* même, un homme avait permission de labourer, semer et moissonner dans des terres, sur lesquelles il n'avait d'autre droit que le présent et réel usage qu'il faisait de ces sortes de fonds. Bien loin même que les propriétaires trouvent mauvais le procédé d'un tel homme, ils croient, au contraire, lui être fort obligés à cause que, par son industrie et ses soins, des terres négligées et désertes ont produit une certaine quantité de blé, dont on manquait. Quoi qu'il en soit, car je ne garantis pas la chose, j'ose hardiment soutenir que la même mesure et la même règle de propriété, savoir, que chacun doit posséder autant de bien qu'il lui en faut pour sa subsistance, peut avoir lieu aujourd'hui, et pourra toujours avoir lieu dans le monde, sans que personne en soit incommodé et mis à l'étroit, puisqu'il y a assez de terre pour autant encore d'habitants qu'il y en a ; quand même l'usage de l'argent n'aurait pas été inventé. Or, quant à l'accord qu'ont fait les hommes au sujet de la valeur de l'argent monnayé, dont ils se servent pour acheter de grandes et vastes possessions, et en être les seuls maîtres, je ferai voir ci-après[1] comment cela s'est fait, et sur quels fondements, et je m'étendrai sur cette matière autant qu'il sera nécessaire pour l'éclaircir.

37. Il est certain qu'au commencement, avant que le désir d'avoir plus qu'il n'est nécessaire à l'homme eût altéré la valeur naturelle des choses, laquelle dépendait uniquement de leur utilité par rapport à la vie humaine ; ou qu'on fût convenu qu'une petite pièce de métal jaune, qu'on peut garder sans craindre qu'il diminue et déchoie, balancerait la valeur[a] d'une grande pièce de viande, ou d'un grand monceau de blé : il est certain, dis-je, qu'au commencement du monde, encore que les hommes eussent droit de s'approprier, par leur travail, autant des choses de la nature qu'il leur en fallait pour leur usage et leur entretien, ce n'était pas, après tout, grand-chose, et personne ne pouvait en être incommodé et en recevoir du dommage, à cause que la même abondance subsistait toujours en son entier, en faveur de ceux qui voulaient user de la même industrie, et employer le même travail.

Avant l'appropriation des terres, celui qui amassait autant de fruits sauvages, et tuait, attrapait, ou apprivoisait autant de bêtes qu'il lui était possible, mettait, par sa peine, ces productions de la nature hors de l'*état de nature*, et acquérait sur elles un droit de *propriété* : mais si ces choses venaient à se gâter et à se corrompre pendant qu'elles étaient en sa possession, et qu'il n'en fît pas l'usage auquel elles étaient destinées ; si ces fruits qu'il avait cueillis se gâtaient, si ce gibier qu'il avait pris se corrompait, avant qu'il pût s'en servir, il violait, sans doute, les *lois communes* de la *nature*, et méritait d'être puni, parce qu'il usurpait la portion de son prochain, à laquelle il n'avait nul droit, et qu'il ne pouvait posséder plus de bien qu'il lui en fallait pour la commodité de la vie.

38. La même mesure règle assez les possessions de la

1. Dans les § 47 *sq*.
a. Le texte anglais dit : « *should be Worth* ».

terre. Quiconque cultive un fonds, y recueille et mois-
sonne, en ramasse les fruits, et s'en sert, avant qu'ils se
soient pourris et gâtés, y a un droit particulier et
incontestable. Quiconque aussi a fermé d'une clôture
une certaine étendue de terre, afin que le bétail qui y
paîtra, et les fruits qui en proviendront, soient
employés à sa nourriture, est le propriétaire légitime de
cet endroit-là. Mais si l'herbe de son clos se pourrit sur
la terre, ou que les fruits de ses plantes et de ses arbres
se gâtent, sans qu'il se soit mis en peine de les recueillir
et de les amasser, ce fonds, quoique fermé d'une clôture
et de certaines bornes, doit être regardé comme une
terre en friche et déserte, et peut devenir l'héritage d'un
autre. Au commencement, *Caïn* pouvait prendre tant
de terre qu'il en pouvait cultiver, et faire, de l'endroit
qu'il aurait choisi, son bien propre et sa terre particulière, et en même temps en laisser assez à *Abel* pour
son bétail. Peu d'arpents suffisaient à l'un et à l'autre.
Cependant, comme les familles crûrent en nombre, et
que l'industrie des hommes s'accrut aussi, leurs possessions furent pareillement plus étendues et plus grandes,
à proportion de leurs besoins. On n'avait pas coutume
pourtant de fixer une *propriété* à un certain endroit ; cela
ne s'est pratiqué qu'après que les hommes eurent
composé quelque corps de société particulière, et qu'ils
eurent bâti des villes : alors, *d'un commun consentement*,
ils ont distingué leurs territoires par de certaines
bornes ; et, *en vertu des lois qu'ils ont faites entre eux*, ils
ont fixé et assigné à chaque membre de leur société
telles ou telles possessions. En effet, nous voyons que,
dans cet endroit du monde qui demeura d'abord quelque temps inhabité, et qui vraisemblablement était
commode, les hommes, du temps d'*Abraham*, allaient
librement çà et là, de tous côtés, avec leur bétail et leurs
troupeaux, qui étaient leurs richesses. Et il est à remarquer qu'*Abraham* en usa de la sorte dans une contrée où
il était étranger. De là, il s'ensuit, même bien clairement, que du moins une grande partie de la terre était
commune, et que les habitants du monde ne s'appro-
priaient pas plus de possessions qu'il leur en fallait pour

leur usage et leur subsistance. Que si, dans un même lieu, il n'y avait pas assez de place pour nourrir et faire paître ensemble leurs troupeaux ; alors, par un accord entre eux, ils se séparaient[1], ainsi que firent* *Abraham* et *Lot*, et étendaient leurs pâturages partout où il leur plaisait. Et c'est pour cela aussi qu'*Ésaü* abandonna son père** et son frère, et établit sa demeure en la montagne de *Séir*.

39. Ainsi, sans supposer en *Adam* aucune domination particulière, ou aucune *propriété* sur tout le monde, exclusivement à tous les autres hommes, puisque l'on ne saurait prouver une telle domination et une telle *propriété*, ni fonder sur elle la *propriété* et la prérogative d'aucun autre homme, il faut supposer que la terre a été donnée aux *enfants des hommes* en commun ; et nous voyons, d'une manière bien claire et bien distincte, par tout ce qui a été posé, comment le travail en rend propres et affectées, à quelques-uns d'eux, certaines parties, et les consacrent légitimement à leur usage ; en sorte que le droit que ces gens-là ont sur ces biens déterminés ne peut être mis en contestation, ni être un sujet de dispute.

40. Il ne paraît pas, je m'assure, aussi étrange que ci-devant, de dire, que la *propriété* fondée sur le travail, est capable de balancer[a] la communauté de la terre. Certainement c'est le travail qui met différents prix aux choses. Qu'on fasse réflexion à la différence qui se trouve entre un arpent de terre, où l'on a planté du tabac ou du sucre, ou semé du blé ou de l'orge, et un arpent de la même terre, qui est laissé *Commun*, sans propriétaire qui en ait soin : et l'on sera convaincu entièrement que les effets du travail font la plus grande partie de la valeur de ce qui provient des terres. Je

---

1. C'est ainsi qu'en usent encore les tribus d'*Arabes* sorties des *Arabies Pétrée* et *Déserte*, qui se sont retirées dans la *Thébaïde* et aux environs des pyramides d'*Égypte*, où chaque Tribu a son *Scheïk el Kebir* ou *Grand Scheïk*, et chaque famille son *Scheïk* ou Capitaine.

* Gen., XIII, 5.
** Gen., XXXVI, 6.
a. *To overbalance*.

pense que la supputation sera bien modeste, si je dis que des productions d'une terre cultivée, 9 dixièmes sont les effets du travail. Je dirai plus. Si nous voulions priser au juste les choses, conformément à l'utilité que nous en retirons, compter toutes les dépenses que nous faisons à leur égard, considérer ce qui appartient purement à la *nature*, et ce qui appartient précisément au travail : nous verrions, dans la plupart des revenus, que 99 centièmes doivent être attribués au travail.

41. Il ne peut y avoir de plus évidente démonstration sur ce sujet, que celle que nous présentent les divers peuples de l'*Amérique*. Les *Américains* sont très riches en terres, mais très pauvres en commodités de la vie. La *nature* leur a fourni, aussi libéralement qu'à aucun autre peuple, la matière d'une grande abondance, c'est-à-dire, qu'elle les a pourvus d'un terroir fertile et capable de produire abondamment tout ce qui peut être nécessaire pour la nourriture, pour le vêtement, et pour le plaisir : cependant, faute de travail et de soin, ils n'en retirent pas la centième partie des commodités que nous retirons de nos terres ; et un Roi en *Amérique*, qui possède de très amples et très fertiles districts, est plus mal nourri, plus mal logé, et plus mal vêtu, que n'est en *Angleterre* et ailleurs un ouvrier à la journée.

42. Pour rendre tout ceci encore plus clair et plus palpable, entrons un peu dans le détail, et considérons les provisions ordinaires de la vie, ce qui leur arrive avant qu'elles nous puissent être utiles. Certainement, nous trouverons qu'elles reçoivent de l'industrie humaine leur plus grande utilité et leur plus grande valeur. Le pain, le vin, le drap, la toile, sont des choses d'un usage ordinaire, et dont il y a une grande abondance. A la vérité, le gland, l'eau, les feuilles, les peaux nous peuvent servir d'aliment, de breuvage, de vêtement : mais le travail nous procure des choses beaucoup plus commodes et plus utiles. Car le pain, qui est bien plus agréable que le gland ; le vin, que l'eau ; le drap et la soie, plus utiles que les feuilles, les peaux et la mousse, sont des productions du travail et de l'industrie des hommes. De ces provisions, dont les unes nous sont

données pour notre nourriture et notre vêtement par la seule *nature*, et les autres nous sont préparées par notre industrie et par nos peines, qu'on examine combien les unes surpassent les autres en valeur et en utilité : et alors on sera persuadé que celles qui sont dues au travail sont bien plus utiles et plus estimables ; et que la matière que fournit un fonds n'est rien en comparaison de ce qu'on en retire par une diligente culture. Aussi, parmi nous-mêmes, une terre qui est abandonnée, où l'on ne sème et ne plante rien, qu'on a remise, pour parler de la sorte, entre les mains de la *nature*, est appelée, et avec raison, un désert, et ce qu'on en peut retirer, monte à bien peu de chose.

43. Un arpent de terre[a], qui porte ici trente boisseaux de blé, et un autre dans l'*Amérique*, qui, avec la même culture, serait capable de porter la même chose, sont, sans doute, d'une même qualité, et ont dans le fond la même valeur. Cependant, le profit qu'on reçoit de l'un, en l'espace d'une année, vaut 5 livres, et ce qu'on reçoit de l'autre, ne vaut peut-être pas un sol. Si tout le profit qu'un *Indien* en retire était bien pesé, par rapport à la manière dont les choses sont prisées et se vendent parmi nous, je puis dire véritablement qu'il y aurait la différence d'un centième. C'est donc le travail qui donne à une terre sa plus grande valeur, et sans quoi elle ne vaudrait d'ordinaire que fort peu ; c'est au travail que nous devons attribuer la plus grande partie de ses productions utiles et abondantes. La paille, le son, le pain qui proviennent de cet arpent de blé, qui vaut plus qu'un autre d'aussi bonne terre, mais laissé inculte, sont des effets et des productions du travail. En effet, ce n'est pas seulement la peine d'un laboureur, la fatigue d'un moissonneur ou de celui qui bat le blé, et la sueur d'un boulanger, qui doivent être regardées comme ce qui produit enfin le pain que nous mangeons ; il faut compter encore le travail de ceux qui creusent la terre, et cherchent dans ses entrailles le fer et les pierres ; de ceux qui mettent en œuvre ces pierres et ce fer ; de ceux

a. Le texte anglais dit : « *An acre of land* ».

qui abattent des arbres, pour en tirer le bois nécessaire aux charpentiers; des charpentiers; des faiseurs de charrues; de ceux qui construisent des moulins et des fours, de plusieurs autres dont l'industrie et les peines sont nécessaires par rapport au pain. Or, tout cela doit être mis sur le compte du travail. La *nature* et la terre fournissent presque les moins utiles matériaux, considérés en eux-mêmes; et l'on pourrait faire un prodigieux catalogue des choses que les hommes ont inventées, et dont ils se servent, pour un pain; par exemple, avant qu'il soit en état d'être mangé, ou pour la construction d'un vaisseau, qui apporte de tous côtés tant de choses si commodes et si utiles à la vie : je serais infini, sans doute, si je voulais rapporter tout ce qui a été inventé, tout ce qui se fabrique, tout ce qui se fait, par rapport à un seul pain, ou à un seul vaisseau.

44. Tout cela montre évidemment que bien que la nature ait donné toutes choses en commun, l'homme néanmoins, étant le maître et le propriétaire de sa propre personne, de toutes ses actions, de tout son travail, a toujours en soi le grand fondement de la *propriété*; et que tout ce en quoi il emploie ses soins et son industrie pour le soutien de son être et pour son plaisir, surtout depuis que tant de belles découvertes ont été faites, et que tant d'arts ont été mis en usage et perfectionnés pour la commodité de la vie, lui appartient entièrement en propre, et n'appartient point aux autres en commun.

45. Ainsi, le travail, dans le commencement, a donné droit de *propriété*, partout même où il plaisait à quelqu'un de l'employer, c'est-à-dire, dans tous les lieux communs de la terre; d'autant plus qu'il en restait ensuite, et en est resté, pendant si longtemps, la plus grande partie, et infiniment plus que les hommes n'en pouvaient souhaiter pour leur usage. D'abord, les hommes, la plupart du moins, se contentèrent de ce que la pure et seule *nature* fournissait pour leurs besoins. Dans la suite, quoiqu'en certains endroits du monde, qui furent fort peuplés, et où l'usage de l'argent monnayé commença à avoir lieu, la terre fût devenue rare, et

par conséquent d'une plus grande valeur; les sociétés ne laissèrent pas de distinguer leurs territoires par des bornes qu'elles plantèrent, et de faire des lois pour régler les propriétés de chaque membre de la société : et ainsi par accord et par convention fut établie la *propriété*, que le travail et l'industrie avaient déjà commencé d'établir. De plus, les alliances et les traités, qui ont été faits entre divers États et divers royaumes, qui ont renoncé, soit expressément, soit tacitement, au droit qu'ils avaient auparavant sur les possessions des autres, ont, par le consentement commun de ces royaumes et de ces États, aboli toutes les prétentions qui subsistaient, et qu'on avait auparavant au droit commun que tous les hommes avaient naturellement et originellement sur les pays dont il s'agit : et ainsi, par un accord positif, ils ont réglé et établi entre eux leurs *propriétés* en des pays différents et séparés. Pour ce qui est de ces grands espaces de terre, dont les habitants ne se sont pas joints aux États et aux peuples, dont je viens de parler, et n'ont pas consenti à l'usage de leur argent commun, qui sont déserts et mal peuplés; et où il y a beaucoup plus de terroir qu'il n'en faut à ceux qui y habitent, ils demeurent toujours communs. Du reste, ce cas se voit rarement dans ces parties de la terre où les hommes ont établi entre eux, d'un commun consentement, l'usage et le cours de l'argent monnayé.

46. La plupart des choses qui sont véritablement utiles à la vie de l'homme, et si nécessaires pour sa subsistance que les premiers hommes y ont eu d'abord recours, à peu près comme font aujourd'hui les *Américains*, sont généralement de peu de durée; et si elles ne sont pas consumées, dans un certain temps, par l'usage auquel elles sont destinées, elles diminuent et se corrompent bientôt d'elles-mêmes. L'or, l'argent, les diamants, sont des choses sur lesquelles la fantaisie ou le consentement des hommes, plutôt qu'un usage réel, et la nécessité de soutenir et conserver sa vie, a mis de la valeur[1]. Or, pour ce qui regarde celles dont la *nature*

---

1. *Quibus prœtium fecit Libido*, dit *Tite-Live*, auxquels nos passions ont mis le prix.

nous pourvoit en commun pour notre subsistance,
chacun y a droit, ainsi qu'il a été dit, sur une aussi
grande quantité qu'il en peut consumer pour son usage
et pour ses besoins, et il acquiert une propriété légitime
au regard de tout ce qui est un effet et une production
de son travail : tout ce à quoi il applique ses soins et son
industrie, pour le tirer hors de l'état où la *nature* l'a mis,
devient, sans difficulté, son bien *propre*. En ce cas, un
homme qui amasse ou cueille cent boisseaux de glands,
ou de pommes, a, par cette action, un droit de *propriété*
sur ces fruits-là, aussitôt qu'il les a cueillis et amassés.
Ce à quoi seulement il est obligé, c'est de prendre garde
de s'en servir avant qu'ils se corrompent et se gâtent :
car autrement ce serait une marque certaine qu'il en
aurait pris plus que sa part, et qu'il aurait dérobé celle
d'un autre. Et, certes, ce serait une grande folie, aussi
bien qu'une grande malhonnêteté, de ramasser plus de
fruits qu'on n'en a besoin et qu'on n'en peut manger.
Que si cet homme, dont nous parlons, a pris, à la vérité,
plus de fruits et de provisions qu'il n'en fallait pour lui
seul ; mais qu'il en ait donné une partie à quelque autre
personne, en sorte que cette partie ne se soit pas
pourrie, mais ait été employée à l'usage ordinaire ; on
doit alors le considérer comme ayant fait de tout un
légitime usage. Aussi, s'il troque des prunes, par
exemple, qui ne manqueraient point de se pourrir en
une semaine, avec des noix qui sont capables de se
conserver, et seront propres pour sa nourriture durant
toute une année, il ne fait nul tort à qui que ce soit : et
tandis que rien ne périt et ne se corrompt entre ses
mains, faute d'être employé à l'usage et aux nécessités
ordinaires, il ne doit point être regardé comme désolant
l'héritage commun, pervertissant le bien d'autrui, prenant avec la sienne la portion d'un autre. D'ailleurs, s'il
veut donner ses noix pour une pièce de métal qui lui
plaît, ou échanger sa brebis pour des coquilles, ou sa
laine pour des pierres brillantes, pour un diamant ; il
n'envahit point le droit d'autrui : il peut ramasser,
autant qu'il veut, de ces sortes de choses durables ;
l'excès d'une propriété ne consistant point dans l'éten-

due d'une possession, mais dans la pourriture et dans l'inutilité des fruits qui en proviennent.

47. Or, nous voilà parvenus à l'usage de l'argent monnayé, c'est-à-dire, à une chose durable, que l'on peut garder longtemps, sans craindre qu'elle se gâte et se pourrisse ; qui a été établie par le consentement mutuel des hommes ; et que l'on peut échanger pour d'autres choses nécessaires et utiles à la vie, mais qui se corrompent en peu de temps.

48. Et comme les différents degrés d'industrie donnent aux hommes, à proportion, la *propriété* de différentes possessions ; aussi l'invention de l'argent monnayé leur a fourni l'occasion de pousser plus loin, d'étendre davantage leurs héritages et leurs biens particuliers. Car supposons une île qui ne puisse entretenir aucune correspondance et aucun commerce avec le reste du monde, dans laquelle se trouve seulement une centaine de familles, où il y ait des moutons, des chevaux, des bœufs, des vaches, d'autres animaux utiles, des fruits sains, du blé, d'autres choses capables de nourrir cent mille fois autant de personnes qu'il y en a dans l'île ; mais que, soit parce que tout y est commun, soit parce que tout y est sujet à la pourriture, il n'y a rien qui puisse tenir lieu d'argent : quelle raison peut obliger une personne d'étendre sa possession au-delà des besoins de sa famille, et de l'abondance dont il peut jouir, soit en se servant de ce qui est une production précise de son travail, ou en troquant quelqu'une de ces productions utiles et commodes, mais périssables, pour d'autres à peu près de la même nature ? Où il n'y a point de choses durables, rares, et d'un prix assez considérable, pour devoir être regardées long-temps, on n'a que faire d'étendre fort ses *possessions* et ses terres, puisqu'on en peut toujours prendre autant que la nécessité le requiert. Car enfin, je demande, si un homme occupait dix mille ou cent mille arpents de terre très bien cultivée, et bien pourvue et remplie de bétail, au milieu de l'*Amérique*, où il n'aurait nulle espérance de commerce avec les autres parties du monde, pour en attirer de l'argent par la vente de ses revenus et des

productions de ses terres, toute cette grande étendue de terre vaudrait-elle la peine d'être fermée de certaines bornes, d'être appropriée ? Il est manifeste que le bon sens voudrait que cet homme laissât, dans l'état commun de la *nature*, tout ce qui ne serait point nécessaire pour le soutien et les commodités de la vie, de lui et de sa famille.

49. Au commencement, tout le monde était comme une *Amérique*, et même beaucoup plus dans l'état que je viens de supposer, que n'est aujourd'hui cette partie de la terre, nouvellement découverte. Car alors on ne savait nulle part ce que c'était qu'argent monnayé. Et il est à remarquer que dès qu'on eut trouvé quelque chose qui tenait auprès des autres la place de l'argent d'aujourd'hui, les hommes commencèrent à étendre et à agrandir leurs possessions.

50. Mais depuis que l'or et l'argent, qui, naturellement sont si peu utiles à la vie de l'homme, par rapport à la nourriture, au vêtement, et à d'autres nécessités semblables, ont reçu un certain prix et une certaine valeur, du consentement des hommes, quoique après tout, le travail contribue beaucoup à cet égard ; il est clair, par une conséquence nécessaire, que le même consentement a permis les possessions inégales et disproportionnées. Car dans les gouvernements où les lois règlent tout, lorsqu'on y a proposé et approuvé un moyen de posséder justement, et sans que personne puisse se plaindre qu'on lui fait tort, plus de choses qu'on en peut consumer pour sa subsistance propre, et que ce moyen c'est l'or et l'argent, lesquels peuvent demeurer éternellement entre les mains d'un homme, sans que ce qu'il en a, au-delà de ce qui lui est nécessaire, soit en danger de se pourrir et de déchoir, le consentement mutuel et unanime rend justes les démarches d'une personne qui, avec des espèces d'argent, agrandit, étend, augmente ses *possessions*, autant qu'il lui plaît.

51. Je pense donc qu'il est facile à présent de concevoir comment le travail a pu donner, dans le commencement du monde, un droit de *propriété* sur les choses

communes de la *nature* ; et comment l'usage que les nécessités de la vie obligeaient d'en faire, réglait et limitait ce droit-là : en sorte qu'alors il ne pouvait y avoir aucun sujet de dispute par rapport aux possessions. Le droit et la commodité allaient toujours de pair. Car, un homme qui a droit sur tout ce en quoi il peut employer son travail, n'a guère envie de travailler plus qu'il ne lui est nécessaire pour son entretien. Ainsi, il ne pouvait y avoir de sujet de dispute touchant les prétentions et les propriétés d'autrui, ni d'occasion d'envahir et d'usurper le droit et le bien des autres. Chacun voyait d'abord, à peu près, quelle portion de terre lui était nécessaire ; et il aurait été aussi inutile, que malhonnête, de s'approprier et d'amasser plus de choses qu'on n'en avait besoin.

CHAPITRE VI

Du Pouvoir paternel

52. Il se pourrait qu'on trouvât impertinent et hors de sa place, un trait de critique dans un discours tel que celui-ci, ce qui ne m'empêchera pas de me récrier contre l'usage d'une expression que la coutume a établi pour désigner le pouvoir dont j'ai dessein de parler dans ce Chapitre ; et je crois qu'il n'y a point de mal à employer des mots nouveaux, lorsque les anciens et les ordinaires font tomber dans l'erreur, ainsi qu'a fait apparemment le mot *pouvoir paternel*, lequel semble faire résider tout le *pouvoir* des *pères* et des *mères* sur leurs enfants, dans les *pères* seuls, comme si les *mères* n'y avaient aucune part. Au lieu que si nous consultons la raison ou la révélation, nous trouverons qu'ils ont l'un et l'autre un droit et un pouvoir égal[1] : en sorte que

1. Les Auteurs qui ont écrit sur ce sujet depuis *Locke*, n'ont pas suivi son sentiment, puisqu'ils donnent toute l'autorité au père seul ; c'est ce qu'enseigne le docteur *Cumberland* dans son *Traité philosophique des Lois naturelles*, M. *Burlamaqui* dans ses *Principes du Droit naturel*, et M. *Strube de Piermont* dans son *Ébauche des Lois naturelles*. Ce qui n'est arrivé que parce qu'ils n'ont pas fait attention à la distinction qu'emploie le Docteur des *Lois de la Nature et des Gens* ; Le

je ne sais s'il ne vaudrait pas mieux appeler ce pouvoir, le *pouvoir des parents*, ou le pouvoir *des pères et des mères*. Car, enfin, tous les engagements, toutes les obligations qu'impose aux enfants le droit de la génération, tirent également leur origine des deux causes qui ont concouru à cette génération. Aussi, voyons-nous que les lois positives de Dieu, touchant l'obéissance des enfants, joignent partout, inséparablement, et sans nulle distinction le *père* et la *mère*[1]. *Honore ton père et ta mère*[2]. *Quiconque maudit son père ou sa mère*[3]. *Que chacun craigne son père et sa mère*[4]. *Enfants, obéissez à vos pères et à vos mères*. C'est là le langage uniforme de l'ancien et du nouveau Testaments.

53. On peut comprendre, seulement par ce qui vient d'être remarqué, et sans entrer plus avant dans cette matière, que si on y avait fait réflexion, on aurait pu s'empêcher de tomber dans les grossières bévues où l'on est tombé à l'égard du *pouvoir des parents*, lequel, sans outrer les choses, ne peut être nommé domination absolue, ou autorité royale, lorsque, sous le titre de *pouvoir paternel*, on semble l'approprier au père. Si ce prétendu pouvoir absolu sur les enfants avait été appelé le *pouvoir des parents, le pouvoir des pères et des mères*, on aurait senti infailliblement l'absurdité qu'il y a à soutenir un pouvoir de cette nature ; et l'on aurait reconnu que le pouvoir sur les enfants appartient aussi bien à la *mère* qu'au *père*. Les partisans et les défenseurs outrés du monarchisme auraient été convaincus que cette

---

Savant *Pufendorf*, en examinant la question *si le père a plus d'autorité que la mère sur son enfant, ou la mère plus que le père*, il dit qu'il faut distinguer si l'on vit dans l'indépendance de l'*état de nature*, ou dans une société civile ; dans le premier cas, l'enfant est à la mère, ce que le Droit Romain a suivi. *Dig. Lib. I, T.I* ; dans l'autre cas, qui suppose quelque engagement ou convention entre le père et la mère, on doit voir, par les stipulations de cette convention, lequel des deux doit avoir l'autorité sur l'enfant ; car il est hors des règles, dit-il, que deux personnes aient en même temps une autorité souveraine sur quelqu'un.

  1. Exod., XX. 12.
  2. Levit., XX. 9.
  3. Levit., XIX. 3.
  4. Ephes., VI. 1.

autorité fondamentale, d'où ils font descendre leur Gouvernement favori, la *monarchie*, ne devait point être mise et renfermée en une seule personne, mais en deux conjointement. Mais en voilà assez pour le nom et le titre de ce dont nous avons à traiter.

54. Quoique j'aie posé dans le premier Chapitre que *naturellement tous les hommes sont égaux*, il ne faut pas pourtant entendre qu'ils soient égaux à tous égards ; car l'âge ou la vertu peut donner à quelques-uns de la supériorité et de la préséance. Des qualités excellentes et un mérite singulier peuvent élever certaines personnes sur les autres, et les tirer du rang ordinaire. La naissance, l'alliance, d'autres bienfaits, et d'autres engagements de cette nature, obligent aussi à respecter, à révérer, d'une façon particulière certaines personnes. Cependant, tout cela s'accorde fort bien avec cette égalité dans laquelle se trouvent tous les hommes, par rapport à la juridiction ou à la domination des uns sur les autres, et dont nous entendions parler précisément au commencement de cet ouvrage : car là il s'agissait d'établir le droit égal que chacun a à sa *liberté*, et qui fait que personne n'est sujet à la volonté ou à l'autorité d'un autre homme.

55. J'avoue que les enfants ne naissent pas dans cet entier état d'égalité, quoiqu'ils naissent pour cet état. Leurs *père et mère* ont une espèce de domination et de juridiction sur eux, lorsqu'ils viennent au monde, et ensuite durant quelque temps ; mais cela n'est qu'à temps[a]. Les liens de la sujétion des enfants sont semblables à leurs langes et à leurs premiers habillements, qui leur sont absolument nécessaires à cause de la faiblesse de l'enfance. L'âge et la raison les délivrent de ces liens, et les mettent dans leur propre et libre disposition.

56. Adam fut créé un homme parfait ; son corps et son âme, dès le premier moment de sa création, eurent toute leur force et toute leur raison ; et par ce moyen il était capable de pourvoir à sa conservation et à son

a. Cela n'est que temporaire.

entretien, et de se conduire conformément à la loi de la *raison*, dont Dieu avait orné son âme. Depuis, le monde a été peuplé de ses descendants, qui sont tous nés enfants, faibles, incapables de se donner aucun secours à eux-mêmes, et sans intelligence. C'est pourquoi, afin de suppléer aux imperfections d'un tel état, jusqu'à ce que l'âge les eût fait disparaître, *Adam* et *Ève*, et après eux, tous les *pères* et toutes les *mères* ont été *obligés, par la loi de la nature, de conserver, nourrir et élever leurs enfants*, non comme leur propre ouvrage, mais comme l'ouvrage de leur Créateur, comme l'ouvrage du Tout-Puissant, à qui ils doivent en rendre compte.

57.   La loi qui devait régler la conduite d'*Adam*, était la même que celle qui devait régler la conduite et les actions de toute sa postérité, c'est-à-dire, la *loi de la raison*. Mais ceux qui sont descendus de lui, entrant dans le monde par une voie différente de celle par laquelle il y était entré, y entrant par la naissance naturelle, et par conséquent naissant ignorants et destitués de l'usage de la *raison*, ils ne sont point d'abord *sous cette loi* : car personne ne peut être sous une loi qui ne lui est point manifestée ; or, la *loi de la raison* ne pouvant être manifestée et connue que par la *raison* seule, il est clair que celui qui n'est pas encore parvenu à l'usage de sa *raison*, ne peut être dit soumis à cette loi : et aussi par un enchaînement de conséquences, les enfants d'*Adam* n'étant point, dès qu'ils sont nés, *sous cette loi de la raison*, ne sont point non plus d'abord *libres*. En effet, une loi, suivant sa véritable notion, n'est pas tant faite pour limiter, que *pour faire agir un agent intelligent et libre conformément à ses propres intérêts* : elle ne prescrit rien que par rapport au bien général de ceux qui y sont soumis. Peuvent-ils être plus heureux sans cette loi-là ? Dès lors cette sorte de loi s'évanouit d'elle-même, *comme une chose inutile ; et ce qui nous conduit dans des précipices et dans des abîmes, mérite sans doute d'être rejeté*. Quoi qu'il en soit, il est certain que la fin d'une loi n'est point d'abolir ou de diminuer la liberté, mais de la conserver et de l'augmenter. Et certes, dans toutes les sortes d'états des êtres créés capables de lois, *où il n'y*

a point de loi, il n'y a point non plus de liberté. Car la liberté consiste à être exempt de gêne et de violence, de la part d'autrui : ce qui ne saurait se trouver où il n'y a point de loi, et où il n'y a point, selon ce que nous avons dit ci-dessus, *une liberté, par laquelle chacun peut faire ce qu'il lui plaît.* Car qui peut être *libre*, lorsque l'humeur fâcheuse de quelque autre pourra dominer sur lui et le maîtriser ? Mais on jouit d'une véritable *liberté*, quand on peut disposer librement, et comme on veut, de sa personne, de ses actions, de ses possessions, de tout son *bien propre*, suivant les lois sous lesquelles on vit, et qui font qu'on n'est point sujet à la volonté arbitraire des autres, mais qu'on peut *librement* suivre la sienne propre.

58. Le pouvoir donc que les *pères* et les *mères* ont sur leurs *enfants*, dérive de cette obligation où sont les *pères* et les *mères* de prendre soin de leurs enfants durant l'état imparfait de leur enfance. Ils sont obligés de les instruire, de cultiver leur esprit, de régler leurs actions, jusqu'à ce qu'ils aient atteint l'âge de *raison*, et qu'ils puissent se conduire eux-mêmes. Car Dieu ayant donné à l'homme un entendement pour diriger ses actions, lui a accordé aussi la *liberté* de la volonté, la *liberté* d'agir, conformément aux lois sous lesquelles il se trouve. Mais pendant qu'il est dans un état, dans lequel il n'a pas assez d'intelligence pour diriger sa volonté, il ne faut pas qu'il suive sa volonté propre ; celui qui a de l'intelligence pour lui, doit vouloir pour lui, doit régler sa conduite. Mais lorsqu'il est parvenu à cet état qui a rendu son père un *homme libre*, le fils devient *homme libre* aussi.

59. Cela a lieu dans toutes les lois sous lesquelles on vit, et dans les *lois naturelles*, et dans les lois civiles. Quelqu'un se trouve-t-il sous les *lois de la nature :* qu'est-ce qui peut établir sa *liberté* sous ces lois ? Qu'est-ce qui peut lui donner la *liberté* de disposer, comme il lui plaît, de son bien, en demeurant dans les bornes de ces lois ? Je réponds que c'est l'état dans lequel il peut être supposé capable de connaître ces lois-là, et de se contenir dans les bornes qu'elles pres-

crivent. Lorsqu'il est parvenu à cet état, il faut présumer qu'il connaît ce que les lois exigent de lui, et jusqu'où s'étend la *liberté* qu'elles lui donnent. Donc, tout homme qui sait l'étendue de la *liberté* que les lois lui donnent, est en droit de se conduire lui-même. Que si un tel *état de raison*, si un tel état de discrétion a pu rendre quelqu'un *libre*, le même état rend *libre* aussi son fils. Quelqu'un est-il soumis aux lois d'*Angleterre* : qu'est-ce qui le fait *libre*, au milieu de ces lois ? c'est-à-dire, qu'est-ce qui fait qu'il a la *liberté* de disposer de ses actions et de ses possessions, selon sa volonté, conformément pourtant à l'esprit des lois dont il s'agit ? C'est un état qui le rend capable de connaître la nature de ces lois. Et c'est aussi ce qu'elles supposent elles-mêmes, lorsqu'elles déterminent, pour cela, l'âge de vingt ans, et dans de certains cas, un âge moins avancé. Si un état semblable rend le père *libre*, il doit rendre de même le fils *libre*. Nous voyons donc que les lois veulent qu'un fils, dans sa minorité, n'ait point de volonté, mais qu'il suive la volonté de son *père* ou de son conducteur, qui a de l'intelligence pour lui : et si le *père* meurt sans avoir substitué quelqu'un qui eût soin de son fils, et tînt sa place, s'il ne lui a point nommé de tuteur pour le gouverner, durant sa minorité, durant son peu d'intelligence, en ce cas, les lois se chargent de ce soin et de cette direction, l'un ou l'autre peut gouverner cet orphelin, et lui proposer sa volonté pour règle, *jusqu'à ce qu'il ait atteint l'état de liberté*, et que son esprit puisse être propre à gouverner sa volonté selon les lois. Mais après cela, le *père* et le *fils*, le tuteur et le pupille sont *égaux* ; ils sont tous également soumis aux mêmes lois : et un *père* ne peut prétendre alors avoir nulle domination sur la vie, sur la *liberté*, sur les biens de son fils, soit qu'ils vivent seulement dans l'*état* et sous les *lois de la nature*, soit qu'ils se trouvent soumis aux lois positives d'un gouvernement établi.

60. Mais si par des défauts qui peuvent arriver, hors du cours ordinaire de la *nature*, une personne ne parvient pas à ce degré de *raison*, dans lequel elle peut être supposée capable de connaître les lois et d'en observer

les règles, *elle ne peut point être considérée comme une personne libre*, on ne peut jamais la laisser disposer de sa volonté propre, à laquelle elle ne sait pas quelles bornes elle doit donner. C'est pourquoi étant sans l'intelligence nécessaire, et ne pouvant se conduire elle-même, elle continue à être sous la tutelle et sous la conduite d'autrui, pendant que son esprit demeure incapable de ce soin. Ainsi, les *lunatiques*[a] et les *idiots* sont toujours sous la conduite et le gouvernement de leurs parents[1]. *Or, tout ce droit et tout ce pouvoir des pères et des mères, ne semble être fondé que sur cette obligation, que* Dieu *et la nature ont imposée aux hommes, aussi bien qu'aux autres créatures, de conserver ceux à qui ils ont donné la naissance, et de les conserver jusqu'à ce qu'ils soient capables de se conduire eux-mêmes*; et tout ce droit, *tout ce pouvoir ne saurait que difficilement produire un exemple, ou une preuve de l'autorité royale des parents.*

61. Ainsi, nous naissons *libres*, aussi bien que raisonnables, quoique nous n'exercions pas d'abord actuellement notre *raison* et notre *liberté*. L'âge qui amène l'une, amène aussi l'autre. Et par là, nous voyons comment la *liberté naturelle*, et la sujétion aux parents peuvent subsister ensemble, et sont fondées l'une et l'autre sur le même principe. Un enfant est *libre*, sous la protection et par l'intelligence de son *père*, qui le doit conduire jusqu'à ce qu'il puisse régler ses propres actions. *La liberté d'un homme, à l'âge de discrétion*[b], *et la sujétion où est un enfant, pendant un certain temps, à l'égard de son père et de sa mère*, s'accordent si bien, et sont si peu incompatibles, que les plus entêtés défenseurs de la *monarchie*, de cette *monarchie* qu'ils fondent sur le *droit de paternité*[2], ne sauraient s'empêcher de le reconnaître. Car quand même ce qu'ils enseignent

a. Ce sont les « insensés ».
1. Voyez Hooker, *Eccl. Pol.*, lib. 1, § 7.
b. Discrétion = discernement.
2. Tels que *Hobbes* dans son *Leviathan* et *Filmer* dans son *Patriarcha*; parfaitement réfutés par *Algernon Sidney*, et par *Locke*; et cela en leur opposant une raison très simple, qui est que le *pouvoir paternel* n'ayant jamais été despotique et absolu, ne peut être l'origine du Gouvernement *Monarchique*. *(N.d.T.)*

serait entièrement vrai, quand le droit hérité d'*Adam*
serait à présent tout à fait reconnu, et qu'en conséquence de ce droit, de cette prérogative excellente, celui
qui l'aurait héritée du premier homme, serait assis sur
son trône, en qualité de monarque, revêtu de tout ce
pouvoir absolu et sans bornes, dont parle R. *Filmer*, s'il
venait à mourir dès que son héritier serait né, ne
faudrait-il pas que l'enfant, quoiqu'il n'eût été jamais
plus *libre*, jamais plus souverain qu'il ne serait en ce cas,
fût dans la sujétion à l'égard de sa mère, de sa nourrice,
de ses tuteurs, de ses gouverneurs, jusques à ce que
l'âge et l'éducation eussent amené la *raison*, et eussent
rendu le jeune monarque capable de se conduire lui-
même, et de conduire les autres? Les nécessités de sa
vie, la santé de son corps, l'instruction et la culture dont
son esprit a besoin, demandent qu'il soit conduit et
gouverné par la volonté des autres, non par la sienne
propre. Qui pourra, après cela, soutenir raisonnablement que cette sujétion ne saurait s'accorder avec cette
liberté de souveraineté à laquelle il a droit, ou qu'elle le
dépouille de son empire et de sa domination, pour en
revêtir ceux qui le gouvernent durant sa minorité? Ce
qu'ils font ne tend qu'à le rendre plus capable de
conduire les autres, et à le mettre en état de prendre
plutôt les rênes du gouvernement. Si donc quelqu'un
me demandait, quand est-ce que mon fils est en âge de
liberté? Je répondrais : justement lorsque ce Monarque
est en âge et en état de gouverner. *Mais dans quel temps,*
dit le judicieux Hooker[1], *un homme peut-il être regardé
comme ayant l'usage de la raison? Ce temps, c'est celui où il
est capable de connaître la nature de ces lois, suivant
lesquelles tout homme est obligé de régler ses actions. Du
reste, c'est une chose plus aisée à discerner par les sens, qu'à
déterminer et décider par la plus grande habileté et par le
plus profond savoir.*

62. Les sociétés elles-mêmes prennent connaissance
de ce point, et prescrivent l'âge auquel on peut
commencer à faire les actes d'*homme libre* : et pendant

1. *Eccl.*, *Pol.*, lib. 1, § 6.

qu'on se trouve au-dessous de cet âge, elles ne requièrent nul serment, ni aucun autre acte public de cette nature, par lequel on se soumet au gouvernement du pays où l'on est.

63. La *liberté* de l'homme, par laquelle il peut agir comme il lui plaît, est donc fondée sur l'usage de la *raison*, qui est capable de lui faire bien connaître ces lois, suivant lesquelles il doit se conduire, et l'étendue précise de la *liberté* que ces lois laissent à sa volonté. Mais le laisser dans une *liberté* entière, avant qu'il puisse se conduire par la *raison*, ce n'est pas le laisser jouir du privilège de la *nature*, c'est le mettre dans le rang des brutes, et l'abandonner même à un état pire que le leur, à un état beaucoup au-dessous de celui des bêtes. Or, c'est par cette raison que les *pères* et les *mères* acquièrent cette autorité avec laquelle ils gouvernent la minorité de leurs enfants. Dieu les a chargés du soin de ceux à qui ils ont donné la naissance, et a mis dans leur cœur une grande tendresse pour tempérer leur pouvoir, et les engager à ne s'en servir que par rapport à ce à quoi sa sagesse l'a destiné, c'est-à-dire, au bien et à l'avantage de leurs enfants, pendant qu'ils ont besoin de leur conduite et de leur secours.

64. Mais quelle raison peut changer ce soin, que les *pères* et les *mères* sont obligés de prendre de leurs enfants, en une *domination absolue et arbitraire du père*, dont certainement le pouvoir ne s'étend pas plus loin, qu'à user des moyens les plus efficaces et les plus propres, pour rendre leurs corps vigoureux et sains, et leurs esprits forts et droits, en sorte qu'ils puissent être un jour par là plus utiles, et à eux-mêmes et aux autres ; et si la condition de leur famille le requiert, travailler de leurs mains pour pourvoir à leur propre subsistance. Mais la *mère* a aussi bien sa part que le *père* à ce pouvoir.

65. Il appartient si peu au *père*, par quelque droit particulier de la *nature*, et il est si certain qu'il ne l'a qu'en qualité de gardien et de gouverneur de ses enfants, que lorsqu'il vient à n'avoir plus soin d'eux et à les abandonner, dans le même temps qu'il se dépouille des tendresses paternelles, il se dépouille du pouvoir

qu'il avait auparavant sur eux, qui était inséparablement annexé au soin qu'il prenait de les nourrir et de les élever, et qui passe ensuite tout entier au *père nourricier* d'un enfant exposé, et lui appartient autant qu'appartient un semblable pouvoir au *père naturel* et véritable d'un autre. Le simple acte de génération donne, sans doute, à un homme un pouvoir bien mince sur ses enfants ; si ces soins n'allaient pas plus avant, et s'il n'alléguait point d'autre fondement du nom et de l'autorité de *père*, ce fondement ne serait pas grand-chose. Et je puis demander ici, qu'arrivera-t-il de ce pouvoir paternel, dans cette partie du monde où une femme a deux maris en même temps ? ou dans ces endroits de l'*Amérique*, dans lesquels, quand le mari et la femme viennent à se séparer, ce qui arrive fréquemment, les enfants sont tous laissés à la *mère*, la suivent, et sont entièrement sous sa conduite ? Que si un *père* meurt pendant que ses enfants sont jeunes et dans le bas âge, ne sont-ils pas obligés naturellement d'obéir à leur *mère*, durant leur minorité, comme ils obéissaient à leur *père*, lorsqu'il vivait ? Et quelqu'un dira-t-il qu'une *mère* a un pouvoir législatif sur ses enfants, qu'elle peut leur dresser et proposer des règles, qui soient d'une perpétuelle obligation, et par lesquelles elle puisse disposer de tout ce qui leur appartient, limiter leur *liberté* pendant toute leur vie, et les obliger, sur des peines corporelles, à observer ses lois, et à se conformer aveuglément à sa volonté ? Car c'est là le pouvoir propre des magistrats, duquel les *pères* n'ont que l'ombre. Le droit que les *pères* ont de commander à leurs enfants, ne subsiste qu'un certain temps, et ne s'étend point jusqu'à leur vie et à leurs biens propres et particuliers. Ce droit-là n'est établi, pour un temps, que pour soutenir la faiblesse du bas âge et remédier aux imperfections de la *minorité* ; c'est une discipline nécessaire pour l'éducation des enfants : et quoiqu'un *père* puisse disposer de ses propres possessions, comme il lui plaît, lorsque ses enfants sont hors de danger de mourir de faim : son pouvoir néanmoins ne s'étend point jusqu'à leur vie, ou jusqu'à leurs biens, soit que ces biens aient été acquis par leur propre industrie, ou qu'ils soient des effets de la bonté et de la libéralité de quelqu'un. Il n'a nul pouvoir aussi sur leur *liberté*, dès qu'ils sont parvenus à l'âge de discrétion. Alors l'empire des *pères* cesse ; et ils ne peuvent non plus disposer de la *liberté* de leur fils, que de celle d'aucun autre homme. Et certes, il faut bien que le pouvoir, qu'on nomme *paternel*, soit bien différent d'une juridiction absolue et perpétuelle, puisque l'autorité divine permet de se soustraire à ce pouvoir[1]. *L'homme laissera père et mère, et se joindra à sa femme.*

66. Cependant, bien que l'âge de discrétion soit le temps auquel un enfant est délivré de la sujétion où il était auparavant par rapport à la volonté et aux ordres de son père, lequel n'est nullement tenu lui-même de suivre la volonté de qui que ce soit ; et qu'ils soient l'un et l'autre obligés à observer les mêmes règlements, soient qu'ils se trouvent soumis aux seules lois de la *nature*, ou qu'ils soient soumis aux lois positives de leur pays : néanmoins, cette sorte de liberté n'exempte point un fils de l'*honneur* que les lois de Dieu et de la *nature* l'obligent de rendre à son *père* et à sa *mère*. Dieu s'étant servi des *pères* et des *mères* comme d'instruments propres pour accomplir son grand dessein, touchant la propagation et la conservation du genre humain, et comme de causes occasionnelles pour donner la vie à des *enfants* ; il a véritablement imposé aux *pères* et aux *mères* une forte obligation de nourrir, conserver et élever leurs enfants : mais aussi, il a imposé en même temps aux *enfants* une *obligation perpétuelle d'honorer leurs pères* et *leurs mères*, d'entretenir dans le cœur une estime et une vénération particulière pour eux, et de marquer cette vénération et cette estime par leurs paroles et leurs expressions, d'avoir un grand éloignement pour tout ce qui pourrait tant soit peu les offenser, les fâcher, nuire à leur vie, ou à leur bonheur ; de les défendre, de les assister, de les consoler, par tous les moyens possibles et légitimes. Il n'y a ni biens, ni

1. Gen. II. 24., Ephes. V. 31.

établissements, ni dignités, ni âge, ni *liberté* qui puisse exempter des enfants de s'acquitter de ces devoirs envers ceux de qui ils ont reçu le jour, et à qui ils ont des obligations si considérables. Mais tout cela est bien éloigné d'un droit qu'auraient les *pères* de commander d'une manière absolue à leurs *enfants*; cela est bien éloigné d'une autorité par laquelle les pères puissent faire des lois perpétuelles par rapport à leurs enfants, et disposer, comme il leur plaira, de leur vie et de leur *liberté*. Autre chose est honorer, respecter, secourir, témoigner de la reconnaissance; autre chose, être obligé à une obéissance et à une soumission absolue. Quant à l'honneur dû aux parents, un Monarque même, et le plus grand Monarque, est obligé d'honorer sa *mère* : mais cela ne diminue rien de son autorité, et ne l'oblige point à se soumettre au gouvernement de celle de qui il a reçu la vie.

67. La sujétion d'un mineur établit dans le père un gouvernement d'un certain temps, qui finit avec la minorité du fils : et l'honneur auquel un *enfant* est obligé, établit dans son *père* et dans sa *mère* un droit perpétuel d'exiger du respect, de la vénération, du secours, et de la consolation, plus ou moins, selon qu'ils ont eu plus ou moins de soin de son éducation, lui ont donné plus ou moins de marque de tendresse, et ont plus ou moins dépensé pour lui. Et ce droit ne finit point avec la minorité; il subsiste tout entier et a lieu dans tous les temps et dans toutes les conditions de la vie. Faute de bien distinguer ces deux sortes de pouvoirs qu'un *père* a, l'un par le droit de tutelle durant la minorité, l'autre par le droit à cet honneur, qui lui est dû pendant toute sa vie, on est apparemment tombé dans les erreurs dans lesquelles on a été sur cette matière. Car, pour en parler proprement et selon la nature des choses, le premier est plutôt un privilège des *enfants*, et un devoir des *pères et des mères*, qu'une prérogative du pouvoir paternel. Les pères et les mères sont si étroitement obligés à nourrir et à élever leurs enfants, qu'il n'y a rien qui puisse les exempter de cela. Et quoique le *droit de leur commander et de les châtier* aille

toujours de pair avec le soin qu'ils ont de leur nourriture et de leur éducation, Dieu a imprimé dans l'âme
des pères et des mères tant de tendresse pour ceux qui
sont engendrés d'eux, qu'il n'y a guère à craindre qu'ils
abusent de leur pouvoir par trop de sévérité : les
principes de la *nature* humaine portent plutôt les *pères* et
les *mères* à un excès d'amour et de tendresse, qu'à un
excès de sévérité et de rigueur. C'est pour cela que,
quand Dieu veut bien faire connaître sa conduite pleine
d'affection envers les *Israélites*, il leur dit que bien qu'il
les ait châtiés, il ne les aime pas moins, parce *qu'il les a
châtiés, comme l'homme châtie son enfant**, c'est-à-dire,
avec affection et avec tendresse, et leur donne à
entendre qu'il ne les tenait pas sous une discipline plus
sévère que leur bien et leur avantage ne le requérait.
Or, c'est par rapport à ce pouvoir que les *enfants* sont
tenus d'obéir à leurs *pères* et à leurs *mères*, afin que leurs
soins et leurs travaux en puissent être moins grands et
moins longs, ou afin qu'ils ne soient pas mal récompensés.

68. De l'autre côté, l'*honneur* et tous les *secours* que la
gratitude exige des *enfants*, à cause de tant de bienfaits
qu'ils ont reçus de leurs *pères* et de leurs *mères*, sont des
devoirs indispensables des *enfants*, et les propres privilèges des *pères* et des *mères*. Ce dernier article tend à
l'avantage des *pères* et des *mères*, comme le premier tend
à l'avantage des *enfants*; quoique l'éducation, qui est le
devoir des parents, semble emporter plus de pouvoir et
donner plus d'autorité, à cause que l'ignorance et la
faiblesse de l'enfance requièrent quelque crainte, quelque correction, quelque châtiment, certains règlements, et l'exercice d'une espèce de domination : au
lieu que le devoir qui est compris dans le mot d'honneur, demande, à proportion, moins d'obéissance, et
cela par rapport à l'âge plus ou moins avancé des
enfants. En effet, qui est-ce qui ira s'imaginer que ce
commandement : *enfants, obéissez à vos pères et à vos
mères*, oblige un homme, qui a des enfants, à avoir la

* Deuter. VIII. 5.

même soumission à l'égard de son père, qu'il oblige ses jeunes enfants à en avoir à son égard; et que par ce précepte, on est tenu d'obéir toujours et en toutes choses à un père, qui, parce qu'il s'imagine avoir une autorité sans bornes, aura l'indiscrétion de traiter son fils comme un valet[a].

69. La première partie donc du pouvoir paternel, qui est au fond plutôt un *devoir* qu'un *pouvoir*, savoir l'éducation, appartient au père, en sorte qu'il finit dans un certain temps; car lorsque l'éducation est achevée, ce pouvoir cesse, et même auparavant il a dû être aliéné, puisqu'un homme peut remettre son fils en d'autres mains pour l'élever et en avoir soin; et que celui qui met son fils en apprentissage chez un autre, le décharge par là, pendant le temps de cet apprentissage, d'une grande partie de l'obéissance qu'il devait, soit à lui, soit à sa *mère*. Mais pour ce qui regarde le devoir de respect, il subsiste toujours dans son entier, rien ne peut l'abolir, ni le diminuer; et il appartient si inséparablement au *père* et à la *mère*, que l'autorité du *père* ne peut déposséder la *mère* du droit qu'elle y a, ni exempter son fils d'honorer celle qui l'a porté dans ses flancs. Mais l'un et l'autre sont bien éloignés d'avoir le pouvoir de faire des lois et de contraindre à les observer, par la crainte des peines qui regardent les biens, la liberté, les membres, la vie. Le pouvoir de commander finit avec la *minorité :* et quoique ensuite l'honneur, le respect, les consolations, les secours, la défense, tout ce que peut produire la gratitude au sujet des plus grands bienfaits qu'on peut avoir reçus, soit toujours dû à un *père* et à une *mère*; tout cela pourtant ne met point le sceptre entre les mains d'un *père*, et ne lui donne point le pouvoir souverain de commander. Un *père* ne peut prétendre d'avoir domination sur les biens propres et sur les actions de son fils, ni d'avoir le droit de lui prescrire en toutes choses ce qu'il trouvera à propos : néanmoins, il faut qu'un *fils*, lorsque lui ou sa famille n'en reçoivent pas de choses injustes, ait de la déférence pour son *père*, et ait égard à ce qui lui est agréable.

a. *a boy* = un gamin.

70. Un homme peut honorer et respecter une personne âgée, ou d'un grand mérite ; défendre et protéger son enfant ou son ami ; consoler et secourir une personne affligée ou qui est dans l'indigence ; témoigner de la gratitude à un bienfaiteur, à qui il aura des obligations infinies : cependant, tout cela ne lui confère point l'autorité ni le droit d'imposer des lois à ces personnes ; et il est clair que tout ce à quoi un *fils* est obligé, n'est pas fondé sur le simple titre de *père*, puisqu'il est tenu de s'acquitter des mêmes devoirs envers sa mère, et que ses engagements peuvent varier selon les différents soins, selon les degrés de bonté et d'affection de son *père* ou de sa *mère*, et selon la dépense qu'ils auront faite pour son éducation : il peut arriver aussi qu'un *père* et une *mère* prennent plus de soin d'un enfant que d'un autre ; et il ne faut point douter que de deux enfants, dont l'un a reçu des témoignages particuliers de ses parents, à l'exclusion de l'autre, le premier n'ait aussi plus de devoirs à remplir envers eux, et ne soit obligé à une plus grande reconnaissance.

71. Ceci fait voir la raison pour laquelle les *pères* et les *mères*, dans les sociétés et les États dont ils sont sujets, retiennent leurs pouvoirs sur leurs *enfants*, et ont autant de droit à leur obéissance, que ceux qui se trouvent dans l'*état de nature :* ce qui ne pourrait pas arriver si tout le *pouvoir politique* était purement paternel, si le *pouvoir politique* et le *pouvoir paternel* n'étaient qu'une seule et même chose. Car alors, tout le *pouvoir paternel* résidant dans le Prince, les sujets n'y pourraient naturellement avoir nulle part. C'est pourquoi, il faut reconnaître que ces deux *pouvoirs*, le *politique*, et le *paternel*, sont véritablement distincts et séparés, sont fondés sur différentes bases, et ont des fins différentes ; que chaque sujet, qui est *père*, a autant de *pouvoir paternel* sur ses enfants, que le Prince en a sur les siens ; et qu'un Prince qui a un *père* ou une *mère*, leur doit autant de respect et d'obéissance, que le moindre de ses sujets en doit aux siens.

72. Quoique l'obligation où sont les *pères* et les *mères* par rapport à leurs *enfants*, et l'obligation où sont les

enfants à l'égard de leurs *pères* et de leurs *mères*, produisent d'un côté, en général, le *pouvoir*, et de l'autre la
soumission; néanmoins, il y a souvent dans les *pères* un
certain *pouvoir* qui naît de ce qui n'a pas toujours lieu,
parce que ce qui le produit ne se trouve pas toujours. Ce
pouvoir vient de la liberté où sont les hommes de donner
et laisser leurs biens à ceux à qui il leur plaît. Les biens
et les possessions d'un *père* étant d'ordinaire regardés
comme l'héritage de ses *enfants*, conformément aux
différentes lois et aux différentes coutumes des pays, il
peut en donner aux uns plus ou moins qu'aux autres,
selon la conduite qu'ils auront tenue envers lui, selon le
soin qu'ils auront eu de lui obéir, et de se conformer à sa
volonté et à son humeur.

73. Ce n'est pas un petit motif pour obliger les
enfants à une exacte obéissance. Et comme à la jouissance des biens qui sont dans un certain pays, est jointe
la sujétion au gouvernement établi, on suppose d'ordinaire qu'un père peut obliger, même étroitement, sa
postérité à se soumettre à ce gouvernement, aux lois de
cet État, dont il est sujet, et que l'engagement dans
lequel il est à l'égard de cet État, oblige indispensablement ses successeurs à un semblable : au lieu que cette
condition n'étant nécessaire qu'à cause des terres et des
biens qui sont dans l'État dont nous parlons, elle
n'oblige véritablement que ceux qui veulent bien
l'accepter, n'étant point un engagement naturel, mais
purement volontaire. En effet, des *enfants* étant par la
nature aussi *libres* que leur *père*, ou qu'ont été leurs
ancêtres, peuvent, pendant qu'ils se trouvent dans cette
liberté, choisir la société qu'il leur plaît, pour en être
membres et en observer les lois. Mais s'ils veulent jouir
de l'héritage de leurs ancêtres et de leurs prédécesseurs,
il faut qu'ils le fassent sous les mêmes conditions sous
lesquelles ils en ont joui eux-mêmes, qu'ils se soumettent aux conditions qui y sont attachées. Certainement, les *pères* ont le pouvoir d'obliger leurs *enfants* à
leur obéir à cet égard, après même que le temps de leur
minorité est expiré, et à se soumettre à un tel ou à un tel
pouvoir politique : mais ni l'un ni l'autre de ces pouvoirs

n'est fondé sur aucun droit de paternité, mais sur les avantages qu'ils accordent à des *enfants*, pour récompenser leur déférence ; et il n'y a pas, en cela, plus de *pouvoir naturel*, qu'en a, par exemple, un Français sur un *Anglais*, duquel, par l'espérance qu'il lui donne de lui laisser du bien, il a droit d'exiger et d'attendre de la soumission et de la complaisance ; et qui, lorsqu'il est temps, s'il veut jouir du bien qui lui a été laissé, est assurément tenu de le prendre sous les conditions annexées au lieu où il se trouve, soit en *France* ou en *Angleterre*.

74. Pour conclure donc, quoique le pouvoir qu'ont les *pères* de commander, ne s'étende point au-delà de la minorité de leurs *enfants*, et ne tende qu'à les élever et à les conduire dans leur bas âge ; que l'honneur, le respect, tout ce que les Latins appellent *piété*, et qui est dû indispensablement aux *pères* et aux *mères*, durant toute la vie, et dans toutes sortes d'états et de conditions, ne leur donne point le pouvoir du gouvernement, c'est-à-dire, le pouvoir de faire des lois, et d'établir des peines, pour obliger leurs *enfants* à les observer ; et que, par là, un *père* n'a nulle domination sur les biens propres de son fils, ou sur ses actions ; cependant, il est aisé de concevoir que dans les premiers temps du monde, et dans les lieux qui n'étaient guère peuplés, des familles venant à se séparer et à occuper des terres inhabitées, un père devenait le prince de sa famille*, et

---

* « L'opinion du prince des Philosophes est assez probable que le chef de chaque famille en était le *Roi*. Ainsi, lorsqu'un certain nombre de familles se joignirent, pour composer un corps de société civile, les *Rois* étaient la première sorte des gouverneurs parmi elles ; et il semble que c'est la raison pourquoi ils ont toujours retenu le nom de *pères*, car on avait coutume de choisir les *pères* pour gouverner, ça été aussi une forte ancienne coutume, ainsi qu'on voit en la personne de *Melchisedec*, que ces *Rois* et ces gouverneurs exerçassent la charge de *prêtre* et de sacrificateur, que les *pères* exercèrent peut-être au commencement et pour le même sujet. Quoi qu'il en soit, ce ne fut pas la seule sorte de gouvernement qui fut reçue dans le monde : les inconvénients d'une telle sorte de gouvernement obligèrent ceux qui en étaient membres, de se diviser, de le changer, et d'en former d'autres. En un mot, tous les gouvernements publics, de quelque nature qu'ils aient été, semblent évidemment avoir été formés de l'avis de chacun, par délibération, par consultation, par accord, et

le gouverneur de ses enfants, dans leurs premières années, et aussi après qu'ils étaient parvenus à l'âge de discrétion. En effet, il leur aurait été assez difficile de vivre ensemble, sans quelque espèce de gouvernement ; et il y a apparence que le gouvernement du *père* fut établi par un consentement exprès ou tacite des *enfants*, et qu'il continua ensuite sans interruption, par le même consentement. Et certes, il ne pouvait y avoir alors rien de plus expédient qu'un gouvernement par lequel un *père* exerçât seul dans sa famille le pouvoir exécutif des *lois de la nature*, que chaque homme *libre* a naturellement, et que par la permission qui lui en avait été donnée, il eût un *pouvoir monarchique*. Mais cela, comme on voit, n'était point fondé sur aucun *droit paternel*, mais simplement sur le consentement des *enfants*. Pour en être tout à fait convaincus, supposons qu'un étranger, par hasard, ou pour affaires, soit venu alors chez un *père de famille*, et y ait tué un de ses *enfants*, ou ait commis quelque autre crime. Qui doute que ce *père de famille* n'eût pu condamner cet étranger, et le faire mourir, ou lui infliger quelque autre peine, conformément au cas, aussi bien qu'aurait pu faire aucun de ses *enfants* ? Or, il est clair qu'il aurait été impossible qu'il en eût usé de la sorte, par la vertu de quelque autorité *paternelle*, sur un homme qui n'était point son fils ; il n'aurait pu le faire qu'en vertu du pouvoir exécutif des *lois de la nature*, auquel, en qualité d'homme, il avait droit : et parce que l'exercice de ce pouvoir lui avait été remis entre les mains par le respect de ses *enfants*, lui seul pouvait punir un tel homme dans sa famille, laquelle avait bien voulu faire résider en sa personne toute l'autorité et toute la dignité du pouvoir exécutif.

75. Il était aisé et presque naturel aux *enfants* de revêtir leur *père* de l'autorité du gouvernement, par un consentement tacite. Ils avaient été accoutumés, dans

après qu'on avait jugé qu'ils étaient utiles et nécessaires ; quoiqu'il ne fût pas impossible, à considérer la nature en elle-même, que des hommes pussent vivre sans aucun gouvernement public. *Hooker, Eccl. Polity, lib.* 1, § 10. »

leur enfance, à se laisser conduire par lui, et à porter devant lui leurs petits différends : quand ils furent devenus des hommes faits, qui pouvait être plus propre que leur *père* pour les gouverner ? Leurs petits biens, et le peu de lieu qu'il y avait en ce temps-là à l'avarice, ne pouvait que rarement produire des disputes ; et lorsqu'il s'en élevait quelqu'une, qui était plus propre à les terminer que celui par les soins duquel ils avaient été nourris et élevés, que celui qui avait tant de tendresse pour eux tous ? Il ne faut donc pas s'étonner si l'on ne distingua pas alors entre minorité et âge parfait ; si l'on n'examinait point si quelqu'un avait vingt ans, s'il était dans un âge où il pût disposer librement de sa personne et de ses biens, puisqu'en ce temps-là on ne pouvait désirer de sortir de tutelle. Le gouvernement auquel on était soumis, continuait toujours, à la satisfaction de chacun, et était plutôt une protection et une sauvegarde qu'un frein et une sujétion, et les *enfants* n'auraient pu trouver une plus grande sûreté pour leur paix, pour leurs *libertés*, pour leurs biens, que dans la conduite et le gouvernement de leur *père*.

76. C'est pourquoi les pères, par un changement insensible, devinrent les monarques politiques de leurs familles : et comme ils vivaient longtemps et laissaient des héritiers capables, et dignes de leur succéder, ils jetèrent ainsi insensiblement les fondements de royaumes héréditaires ou électifs, qui pouvaient être réglés par diverses constitutions, et par diverses lois, que le hasard, les conjonctures et les occasions obligeaient de faire. Mais si les Princes veulent fonder leur autorité sur le droit des *pères*, et que ce soit une preuve suffisante du droit naturel des *pères* à l'*autorité politique*, parce que ce sont eux, entre les mains de qui nous trouvons au commencement, *de facto*, l'exercice du gouvernement, je dis que si l'argument est bon, il prouve de même, et aussi fortement, que tous les Princes, même les Princes seuls, doivent être *Prêtres* et *Ecclésiastiques*, puisqu'il est certain que dans le commencement, les *pères*, et les *pères* seuls, étaient sacrificateurs dans leurs familles, tout de même qu'ils en étaient les gouverneurs, et les seuls gouverneurs.

CHAPITRE VII

De la Société politique ou civile

77. Dieu ayant fait l'homme une certaine créature à qui, selon le jugement que ce sage Créateur en avait porté lui-même, *il n'était pas bon d'être seul*, il l'a mis dans l'obligation, la nécessité et la convenance qu'il lui a inspirée avec le désir de se joindre en société. La première société a été celle de l'homme et de la femme ; et elle a donné lieu à une autre qui a été entre le *père*, la *mère* et les *enfants*. A ces deux sortes de sociétés, s'en est jointe une troisième, avec le temps, savoir celle des *maîtres* et des *serviteurs*. Quoique ces trois sortes de sociétés se soient rencontrées ordinairement ensemble dans une même famille, dans laquelle le maître ou la maîtresse avait quelque espèce de gouvernement, et le droit de faire des lois propres et particulières à une telle famille, chacune de ces sociétés-là, ou toutes ensemble, étaient différentes de ce que nous appelons aujourd'hui *sociétés politiques*, ainsi que nous en serons convaincus, si nous considérons les différentes fins, et les différentes obligations de chacune d'elles.

78. La société conjugale a été formée, par un accord volontaire, entre l'homme et la femme ; et bien qu'elle consiste particulièrement dans le droit que l'un a sur le corps de l'autre, par rapport à la fin principale et la plus nécessaire, qui est de procréer des enfants, elle ne laisse pas d'emporter avec soi, et d'exiger une complaisance et une assistance mutuelle, et une communauté d'intérêts nécessaire, non seulement pour engager les mariés à se secourir et à s'aimer l'un l'autre, mais aussi pour les porter à prendre soin de leurs *enfants*, qu'ils sont obligés de nourrir et d'élever, jusqu'à ce qu'ils soient en état de s'entretenir et de se conduire eux-mêmes.

79. Car la fin de la société, entre le mâle et la femelle, n'étant pas simplement de procréer, mais de continuer l'espèce, cette société doit durer du moins, même après la procréation, aussi longtemps qu'il est nécessaire pour

la nourriture et la conservation des procréés, c'est-
à-dire, jusqu'à ce qu'ils soient capables de pourvoir
eux-mêmes à leurs besoins. Cette règle, que la sagesse
infinie du Créateur a établie sur les œuvres de ses
mains, nous voyons que les créatures inférieures à
l'homme l'observent constamment et avec exactitude.
Dans ces animaux qui vivent d'herbe, la société entre le
mâle et la femelle ne dure pas plus longtemps que
chaque acte de copulation, parce que les mamelles de la
mère étant suffisantes pour nourrir les petits, jusqu'à ce
qu'ils soient capables de se nourrir d'herbe, le mâle se
contente d'engendrer, et il ne se mêle plus, après cela,
de la femelle, ni des petits, à la subsistance desquels il
ne peut rien contribuer. Mais à l'égard des bêtes de
proie, la société dure plus longtemps, à cause que la
mère ne pouvant pas bien pourvoir à sa subsistance
propre, et nourrir en même temps ses petits par sa seule
proie, qui est une voie de se nourrir, et plus laborieuse
et plus dangereuse que n'est celle de se nourrir d'herbe,
l'assistance du mâle est tout à fait nécessaire pour le
maintien de leur commune famille, si l'on peut user de
ce terme, laquelle, jusqu'à ce qu'elle puisse aller chercher quelque proie, ne saurait subsister que par les
soins du mâle et de la femelle. On remarque la même
conduite dans tous les oiseaux, si on excepte quelques
oiseaux domestiques, qui se trouvent dans des lieux où
la continuelle abondance de nourriture exempte le mâle
du soin de nourrir les petits : on voit que pendant que
les petits, dans leurs nids, ont besoin d'aliments, le
mâle et la femelle y en portent, jusqu'à ce que ces
petits-là puissent voler et pourvoir à leur propre subsistance.

80. Et en cela, à mon avis, consiste la principale, si
ce n'est la seule raison, pour laquelle le mâle et la
femelle, dans le genre humain, sont obligés à une
société plus longue que n'entretiennent les autres créatures. Cette raison est que la femme est capable de
concevoir, et est, *de facto*, pour l'ordinaire, derechef
enceinte et accouche longtemps avant que l'enfant
qu'elle a déjà, soit en état de se passer du secours de ses

parents, et puisse lui-même pourvoir à ses besoins. Ainsi, un *père* étant obligé de prendre soin de ceux qu'il a engendrés, et de prendre ce soin-là pendant long-temps, il est aussi dans l'obligation de continuer à vivre dans la société conjugale, avec la même femme, de qui il les a eus, et de demeurer dans cette société beaucoup plus longtemps que les autres créatures, dont les petits pouvant subsister d'eux-mêmes avant que le temps d'une nouvelle procréation vienne, le lien du mâle et de la femelle se rompt de lui-même, et l'un et l'autre se trouvent en une pleine *liberté*; jusqu'à ce que cette saison, qui a coutume de solliciter les animaux à se joindre ensemble, les oblige à se choisir de nouvelles compagnes. Et ici, on ne saurait admirer assez la sagesse du grand créateur, qui ayant donné à l'homme des qualités propres pour pourvoir à l'avenir, aussi bien que pour pourvoir au présent, a voulu et a fait en sorte que la société de l'homme et de la femme durât beau-coup plus longtemps que celle du mâle et de la femelle parmi les autres créatures; afin que par là l'industrie de l'*homme* et de la *femme* fût plus excitée, et que leurs intérêts fussent mieux unis, dans la vue de faire des provisions pour leurs enfants, et de leur laisser du bien : rien ne pouvant être plus préjudiciable à des enfants qu'une conjonction incertaine et vague, ou une dissolution facile et fréquente de la société conjugale.

81. Ce sont là certainement les fondements de l'*union conjugale*, qui est infiniment plus ferme et plus durable parmi les hommes, que parmi les autres espèces d'animaux. Cependant, cela ne laisse pas de donner occasion de demander, pourquoi le contrat de mariage, après que les enfants ont été procréés et élevés, et qu'on a eu soin de leur laisser un bon héritage, ne peut être déterminé de sorte que le mari et la femme puissent disposer d'eux comme il leur plaira, par accord, pour un certain temps, ou sous de certaines conditions, conformément à ce qui se pratique dans tous les autres contrats et traités volontaires. Il semble qu'il n'y a pas une absolue nécessité, dans la nature de la chose, ni eu égard à ses fins, que le contrat de mariage

doive avoir lieu durant toute la vie. J'entends parler du mariage de ceux qui ne sont soumis à aucunes lois positives, qui ordonnent que les contrats de mariage soient perpétuels.

82. Le mari et la femme, qui n'ont au fond que les mêmes intérêts, ont pourtant quelquefois des esprits si différents, des inclinations et des humeurs si opposées, qu'il est nécessaire qu'il se trouve alors quelque dernière détermination, quelque règle qui remédie à cet inconvénient-là; et que le droit de gouverner et de décider soit placé quelque part, ce droit est naturellement le partage du mari, la nature le lui donne comme au plus capable et au plus fort. Mais cela ne s'étendant qu'aux choses qui appartiennent en commun au *mari* et à la *femme*, laisse la femme dans une pleine et réelle possession, de ce qui, par le contrat, est reconnu son droit particulier, et du moins ne donne pas plus de pouvoir au mari sur la femme, que la femme en a sur sa vie. Le pouvoir du mari est si éloigné du pouvoir d'un monarque absolu, que la femme a, en plusieurs cas, la liberté de se séparer de lui, lorsque le *droit naturel*, ou leur contrat le lui permettent, soit que ce contrat ait été fait par eux-mêmes, dans l'*état de nature*, soit qu'il ait été fait selon les coutumes et les lois du pays où ils vivent; et alors les *enfants*, dans la séparation, échoient au père ou à la mère, comme ce contrat le détermine.

83. Car toutes les fins du mariage devant être considérées, et avoir leur effet, sous un gouvernement politique, aussi bien que dans l'*état de nature*, le Magistrat civil ne diminue point le droit ou le pouvoir du mari, ou de la femme, naturellement nécessaire pour ces fins, qui sont de procréer des enfants, de se supporter, et de s'assister mutuellement pendant qu'ils vivent ensemble. Tout ce que le Magistrat fait, c'est qu'il termine les différends qui peuvent s'élever entre eux à l'égard de ces choses-là. S'il en arrivait autrement, si la souveraineté absolue, et le pouvoir de vie et de mort, appartenait naturellement au mari, et n'était nécessaire à la société de l'homme et de la femme, il ne pourrait y avoir de mariage en aucun de ces pays, où il n'est point

permis aux maris d'avoir et d'exercer une telle autorité, et un tel pouvoir absolu ; mais les fins du mariage, ne requérant point un tel pouvoir dans les maris, il est clair qu'il ne leur est nullement nécessaire ; la condition de la société conjugale ne l'établit point, mais bien tout ce qui peut s'accorder avec la procréation et l'éducation des *enfants*, que les parents sont absolument obligés de nourrir et d'élever, jusqu'à ce qu'ils puissent pourvoir à leurs besoins et se secourir eux-mêmes. Pour ce qui regarde l'assistance, la défense, les consolations réciproques, elles peuvent varier, et être réglées par ce contrat qui a uni d'abord les mariés, et les a mis en société ; rien n'étant nécessaire à une société, que par rapport aux fins pour lesquelles elle a été faite.

84. Dans le chapitre précédent, j'ai traité assez au long de *la société qui est entre les pères et mères, et les enfants*, et des droits et des pouvoirs distincts et divers qui leur appartiennent respectivement : c'est pourquoi il n'est pas nécessaire que j'en parle ici. Il suffit de reconnaître combien cette société est différente d'une société politique.

85. Les noms de *maîtres* et des *serviteurs* sont aussi anciens que l'histoire, et ne sont donnés qu'à ceux qui sont de condition fort différente. Car un *homme* libre se rend serviteur et valet d'un autre, en lui vendant, pour un certain temps, son service, moyennant un certain salaire. Or, quoique cela le mette communément dans la famille de son *maître*, et l'oblige à se soumettre à sa discipline et aux occupations de sa maison, il ne donne pourtant de pouvoir au *maître* sur son *serviteur* ou son valet, que pendant quelque temps, que pendant le temps qui est contenu et marqué dans le contrat ou le traité fait entre eux. Mais il y a une autre sorte de *serviteurs*, que nous appelons, d'un nom particulier, *esclaves*, et qui ayant été faits prisonniers dans une juste guerre, sont, selon le *droit de la nature*, sujets à la domination absolue et au pouvoir arbitraire de leurs *maîtres*. Ces gens-là ayant mérité de perdre la vie[1], à

1. « C'est ce que nie, avec raison, l'Auteur de *L'Esprit des lois*. *Liv. XV, c. 2.* Il est faux, *dit-il*, qu'il soit permis de tuer, dans la guerre, que dans un cas de nécessité, mais dès qu'un homme en a fait

laquelle ils n'ont plus de droit par conséquent, non plus aussi qu'à leur *liberté*, ni à leurs biens, et se trouvant dans l'état d'*esclavage*, qui est incompatible avec la jouissance d'aucun bien propre, ils ne sauraient être considérés, en cet état, comme membres de la *société civile*[1] dont la fin principale est de conserver et maintenir les biens propres.

86. Considérons donc le *maître* d'une famille avec toutes ces relations subordonnées de *femme*, d'*enfants*, de *serviteurs* et d'*esclaves*, unis et assemblés sous un même gouvernement domestique. Quelque ressemblance que cette famille puisse avoir, dans son ordre, dans ses officies, dans son nombre, avec un petit État[a]; il est certain pourtant qu'elle en est fort différente, soit dans sa constitution, soit dans son pouvoir, soit dans sa fin : ou si elle peut être regardée comme une *Monarchie*, et que le père de famille y soit un *Monarque absolu*, la Monarchie absolue a un pouvoir bien resserré et bien petit : puisqu'il est manifeste, par tout ce qui a été dit auparavant, que le maître d'une famille a sur ces diverses personnes qui la composent, des pouvoirs distincts, des pouvoirs limités différemment, soit à l'égard du temps, soit à l'égard de l'étendue. Car, si l'on excepte les *esclaves*, lesquels après tout ne contribuent en rien à l'essentiel d'une famille, le *maître*, dont nous parlons, n'a point un pouvoir législatif sur la vie ou sur la mort d'aucun de ceux qui composent sa famille ; et la *maîtresse* en a autant que lui. Et certainement, un *père de famille* ne saurait avoir un pouvoir absolu sur toute sa famille, vu qu'il n'a qu'un pouvoir limité sur chacun de ceux qui en sont membres. Nous verrons mieux com-

un autre prisonnier, on ne peut pas dire qu'il ait été dans la nécessité de le tuer, puisqu'il ne l'a pas fait. Tout le droit que la guerre peut donner sur les captifs, est de s'assurer tellement de leur personne, qu'ils ne puissent plus nuire. Les homicides faits de sang-froid par les soldats, et après la chaleur de l'action, sont rejetés de toutes les nations du monde. »

1. Donc, dit le même Auteur, *l c.*, *il n'y a pas de loi civile qui puisse empêcher un esclave de fuir* ; lui qui n'est pas dans la société, *et que par conséquent aucune loi civile ne concerne.*

a. *Commonwealth.*

ment une famille, ou quelque autre semblable société d'hommes diffère de ce qui s'appelle proprement *société politique*, en considérant en quoi une *société politique* consiste elle-même.

87. Les hommes étant nés tous également, ainsi qu'il a été prouvé, dans une *liberté* parfaite, et avec le droit de jouir paisiblement et sans contradiction, de tous les droits et de tous les privilèges des *lois de la nature*; chacun a, par la *nature*, le pouvoir, non seulement de conserver ses biens propres, c'est-à-dire, sa vie, sa *liberté* et ses richesses, contre toutes les entreprises, toutes les injures et tous les attentats des autres; mais encore de juger et de punir ceux qui violent les *lois de la nature*, selon qu'il croit que l'offense le mérite, de punir même de mort, lorsqu'il s'agit de quelque crime énorme, qu'il pense mériter la mort. Or, parce qu'il ne peut y avoir de *société politique*, et qu'une telle société ne peut subsister, si elle n'a en soi le pouvoir de conserver ce qui lui appartient en propre, et, pour cela, de punir les fautes de ses membres; là seulement se trouve une *société politique*, où *chacun des membres s'est dépouillé de son pouvoir naturel, et l'a remis entre les mains de la société, afin qu'elle en dispose dans toutes sortes de causes, qui n'empêchent point d'appeler toujours aux lois établies par elle.* Par ce moyen, tout jugement des particuliers étant exclu, la *société* acquiert le droit de souveraineté; et certaines lois étant établies, et certains hommes autorisés par la communauté pour les faire exécuter, ils terminent tous les différends qui peuvent arriver entre les membres de cette *société*-là, touchant quelque matière de droit, et punissent les fautes que quelque membre aura commises contre la *société* en général, ou contre quelqu'un de son corps, conformément aux peines marquées par les lois. Et par là, il est aisé de discerner ceux qui sont ou qui ne sont pas ensemble en *société politique*[a]. Ceux qui composent un seul et même corps, qui ont des lois communes établies et des juges auxquels ils peuvent appeler, et qui ont l'autorité de

a. *Political society.*

terminer les disputes et les procès, qui peuvent être parmi eux et de punir ceux qui font tort aux autres et commettent quelque crime : ceux-là sont en *société civile*[a] les uns avec les autres ; mais ceux qui ne peuvent appeler de même à aucun tribunal sur la terre, ni à aucunes *lois positives*, sont toujours dans l'*état de nature* ; chacun, où il n'y a point d'autre juge, étant juge et exécuteur pour soi-même, ce qui est, comme je l'ai montré auparavant, le véritable et parfait *état de nature*.

88. Une *société*[b] vient donc, par les voies que nous venons de marquer, à avoir le pouvoir de régler quelles sortes de punitions sont dues aux diverses offenses et aux divers crimes, qui peuvent se commettre contre ses membres, ce qui est le pouvoir *législatif :* comme elle acquiert de même par là le pouvoir de punir les injures faites à quelqu'un de ses membres par quelque personne qui n'en est point ; ce qui est le *droit de la guerre et de la paix.* Tout cela ne tend qu'à conserver, autant qu'il est possible, ce qui appartient en propre aux membres de cette *société.* Mais quoique chacun de ceux qui sont entrés en société ait abandonné le pouvoir qu'il avait de punir les infractions des *lois de la nature*, et de juger lui-même des cas qui pouvaient se présenter, il faut remarquer néanmoins qu'avec le droit de juger des offenses, qu'il a remis à l'*autorité législative*, pour toutes les causes dans lesquelles il peut appeler au Magistrat, il a remis en même temps à la *société* le droit d'employer toute sa force pour l'exécution des jugements de la *société*, toutes les fois que la nécessité le requerra : en sorte que ces jugements sont au fond ses propres jugements, puisqu'ils sont faits par lui-même ou par ceux qui le représentent. Et ici nous voyons la vraie origine du *pouvoir législatif et exécutif* de la *société civile*, lequel consiste à juger par des lois établies et constantes, de quelle manière les offenses, commises dans la *société*, doivent être punies ; et aussi, par des jugements occasionnels fondés sur les présentes cir-

a. *Civil society.* Les deux expressions sont synonymes.
b. Le texte anglais emploie ici le mot *Commonwealth* ; il s'agit donc exclusivement de la société civile ou politique, de l'État.

constances du fait, de quelle manière doivent être punies les injures de dehors, et à l'égard des unes et des autres, à employer toutes les forces de tous les membres, lorsqu'il est nécessaire.

89. C'est pourquoi, partout où il y a un certain nombre de gens unis de telle sorte en société, que chacun d'eux ait renoncé à son *pouvoir exécutif des lois de la nature* et l'ait remis au public, là et là seulement, se trouve une société politique ou *civile*. Et au nombre des membres d'une telle société, doivent être mises non seulement ces diverses personnes, qui, étant dans l'*état de nature*, ont voulu entrer en société, pour composer un peuple et un *corps politique, sous un gouvernement souverain, mais aussi tous* ceux qui se sont joints ensuite à ces gens-là, qui se sont incorporés à la même *société*, qui se sont soumis à un gouvernement déjà établi. Car de cette manière, ils autorisent la *société* dans laquelle ils entrent volontairement, confirment le pouvoir qu'y ont les Magistrats et les princes de faire des lois, selon que le bien public le requiert, et s'engagent encore à joindre leur secours à celui des autres s'il est nécessaire, pour la sûreté des lois et l'exécution des jugements, qu'ils doivent regarder comme leurs jugements et leurs arrêts propres. Les hommes donc sortent de l'*état de nature*, et entrent dans une *société politique*, lorsqu'ils créent et établissent des Juges et des Souverains sur la terre, à qui ils communiquent l'autorité de terminer tous les différends, et de punir toutes les injures qui peuvent être faites à quelqu'un des membres de la société ; et partout où l'on voit un certain nombre d'hommes, de quelque manière d'ailleurs qu'ils se soient associés, parmi lesquels ne se trouve pas un tel pouvoir décisif, auquel on puisse appeler, on doit regarder l'état où ils sont, comme étant toujours l'*état de nature*.

90. Il paraît évidemment, par tout ce qu'on vient de lire, que la *monarchie absolue*, qui semble être considérée par quelques-uns comme le seul gouvernement qui doive avoir lieu dans le monde, est, à vrai dire, incompatible avec la *société civile*, et ne peut nullement être réputée une forme de *gouvernement civil*. Car la fin

de la société civile étant de remédier aux inconvénients qui se trouvent dans l'*état de nature*, et qui naissent de la *liberté* où chacun est, d'être juge dans sa propre cause ; et dans cette vue, d'établir une certaine autorité publique et approuvée, à laquelle chaque membre da la *société* puisse appeler et avoir recours, pour des injures reçues, ou pour des disputes et des procès qui peuvent s'élever, et être obligés d'obéir ; partout où il y a des gens qui ne peuvent point appeler et avoir recours à une autorité de cette sorte, et faire terminer par elle leurs différends[1], ces gens-là sont assurément toujours dans l'*état de nature*, aussi bien que tout *Prince absolu* y est, à l'égard de ceux qui sont sous sa domination.

91. En effet, ce *Prince absolu*, que nous supposons, s'attribuant à lui seul, tant le *pouvoir législatif*, que le *pouvoir exécutif*, on ne saurait trouver parmi ceux sur qui il exerce son pouvoir, un Juge à qui l'on puisse appeler, comme à un homme qui soit capable de décider et régler toutes choses librement, sans prendre parti et avec autorité, et de qui l'on puisse espérer de la consolation et quelque réparation, au sujet de quelque injure ou de quelque dommage qu'on aura reçu, soit de lui-même, ou par son ordre. Tellement qu'un tel homme, quoiqu'il s'appelle *Czar* ou *Sultan*, ou de quelque autre manière qu'on voudra, est aussi bien dans l'*état de nature* avec tous ceux qui sont sous sa domination, qu'il l'y est avec tout le reste du genre humain. Car, partout où il y a des gens qui n'ont point de règlements stables, et quelque commun Juge, auquel ils puissent appeler sur la terre, pour la décision des disputes de droit qui sont capables de s'élever entre eux, on y est toujours dans l'*état de nature*[2], et exposé à

---

1. « Le *pouvoir public* de toute société s'étend sur chaque personne qui est contenue dans une société : et le principal usage de ce pouvoir est de faire des lois pour tous ceux qui y sont soumis, auxquelles, en tel cas, ils doivent obéir ; à moins qu'il ne se présente quelque raison qui force nécessairement de ne le pas faire, c'est-à-dire, à moins que les lois de la raison, ou de Dieu, n'enjoignent le contraire. *Hooker, Eccl. Pol., lib. 1*, § 16. »

2. « Pour éloigner toutes ces fâcheries mutuelles, toutes ces injures, toutes ces injustices, *savoir celles qui sont à craindre dans* l'état de nature, il n'y avait qu'un moyen à pratiquer, qui était d'en venir à un accord entre eux, par lequel ils formassent quelque sorte de

tous les inconvénients qui l'accompagnent, avec cette
seule et malheureuse différence qu'on y est sujet, ou
plutôt esclave d'un prince absolu : au lieu que dans
l'*état ordinaire de nature*, chacun a la liberté de juger de
son propre droit, de la maintenir et de le défendre
autant qu'il peut. Mais toutes les fois que les biens
propres d'un homme seront envahis par la volonté ou
l'ordre de son Monarque, non seulement il n'a personne à qui il puisse appeler, et ne peut avoir recours à
une autorité publique, comme doivent avoir la liberté
de faire ceux qui sont dans une société ; mais comme s'il
était dégradé de l'état commun de créature raisonnable,
il n'a pas la liberté et la permission de juger de son droit
et de le soutenir : et par là, il est exposé à toutes les
misères et à tous les inconvénients, qu'on a sujet de
craindre et d'attendre d'un homme, qui étant dans un
état de nature, où il se croit tout permis, et où rien ne
peut s'opposer à lui, est de plus corrompu par la
flatterie, et armé d'un grand pouvoir.

92. Car si quelqu'un s'imagine que le *pouvoir absolu
purifie le sang des hommes, et élève la nature humaine*, il
n'a qu'à lire l'histoire de ce siècle ou de quelque autre,
pour être convaincu du contraire. Un homme, qui,
dans les déserts de l'*Amérique*, serait insolent et dangereux, ne deviendrait point sans doute meilleur sur le

gouvernement public, et s'y soumissent : en sorte que sous ceux à qui
ils auraient commis l'autorité du gouvernement, ils pussent voir
fleurir la paix, la tranquillité, et toutes les autres choses qui peuvent
rendre heureux. Les hommes ont toujours reconnu que lorsqu'on
usait de violence envers eux, et qu'on leur faisait tort, ils pouvaient se
défendre eux-mêmes ; que chacun peut chercher sa propre commodité, mais que si en la cherchant on faisait tort à autrui, cela ne devait
point être souffert, et que tout le monde devait s'y opposer, par les
meilleurs moyens ; et qu'enfin, personne ne pouvait raisonnablement
entreprendre de déterminer son propre droit ; et conformément à sa
détermination et à sa décision, de passer ensuite à le maintenir : à
cause que chacun est partial et envers soi, et envers ceux pour qui il a
de l'affection, et que par conséquent les désordres ne finiraient point,
si l'on ne donnait, d'un commun consentement, l'autorité et le
pouvoir de décider et de régler tout, à quelques-uns qu'on choisirait ;
personne n'étant en droit, sans le consentement dont nous parlons, de
s'ériger en seigneur et en juge d'aucun autre. *Hooker, Eccl. Pol.,
lib. 1*, § 10. »

trône, surtout lorsque le savoir et la religion seraient
employés pour justifier tout ce qu'il ferait à ses sujets, et
que l'épée et le glaive imposeraient d'abord la nécessité
du silence à ceux qui oseraient y trouver à redire. Après
tout, quelle espèce de protection est celle d'un
Monarque absolu ? Quelle sorte de *père de la patrie* est
un tel Prince ? Quel bonheur, quelle sûreté en revient à
la société civile, lorsqu'un gouvernement, comme celui
dont il s'agit, a été amené à sa perfection, nous le
pouvons voir dans la dernière relation de *Ceylan*[a] ?

93. A la vérité, dans les *monarchies absolues*, aussi
bien que dans les autres formes de gouvernement, les
sujets ont des lois pour y appeler, et des Juges pour faire
terminer leurs différends et leurs procès, et réprimer la
violence que les uns peuvent faire aux autres. Certainement, il n'y a personne qui ne pense que cela est
nécessaire, et qui ne croit que celui qui voudrait entreprendre de l'abolir, mériterait d'être regardé comme un
ennemi déclaré de la société et du genre humain. On
peut raisonnablement douter que cet usage établi ne
vienne d'une véritable affection pour le genre humain et
pour la société, et soit un effet de cette charité que nous
sommes tous obligés d'avoir les uns pour les autres ;
cependant, il ne se pratique rien en cela, que ce que
ceux qui aiment leur pouvoir, leur profit et leur agran-
dissement, peuvent et doivent naturellement laisser
pratiquer, qui est d'empêcher que ces animaux, dont le
travail et le service sont destinés aux plaisirs de leurs
maîtres et à leur avantage, ne se fassent du mal les uns
aux autres, et ne se détruisent. Si leurs maîtres en usent
de la sorte, s'ils prennent soin d'eux, ce n'est par
aucune amitié, c'est seulement à cause du profit qu'ils
en retirent. Que si l'on se hasardait à demander, ce qui
n'a garde d'arriver souvent, quelle sûreté et quelle
sauvegarde se trouve dans un tel état et dans un tel
gouvernement, contre la violence et l'oppression du
gouverneur absolu ? On recevrait bientôt cette réponse,

a. Il s'agit d'un ouvrage de Robert Knox, *An historical Relation of
Island of Ceylan*, paru en 1680.

qu'*une seule demande de cette nature mérite la mort*. Les
Monarques absolus, et les défenseurs du pouvoir arbitraire, avouent bien qu'entre sujets et sujets, il faut qu'il
y ait de certaines règles, des lois et des Juges pour leur
paix et leur sûreté mutuelle ; mais ils soutiennent qu'un
homme qui a le gouvernement entre ses mains, doit être
absolu et au-dessus de toutes les circonstances et des
raisonnements d'autrui ; qu'il a le pouvoir de faire le
tort et les injustices qu'il lui plaît, et que ce qu'on
appelle communément tort et injustice, devient juste,
lorsqu'il le pratique. Demander alors comment on peut
être à l'abri du dommage, des injures, des injustices
qui peuvent être faites à quelqu'un par celui qui est le
plus fort ; ah! ce n'est pas moins d'abord, que la voix de
la *faction* et de la *rébellion*. Comme si lorsque les
hommes quittant l'*état de nature*, pour entrer en société,
convenaient que tous, hors un seul, seraient soumis
exactement et rigoureusement aux lois ; et que ce seul
privilégié retiendrait toujours toute la liberté de l'*état de
nature*, augmentée et accrue par le pouvoir, et devenue
licencieuse par l'impunité. Ce serait assurément s'imaginer que les hommes sont assez fous pour prendre
grand soin de remédier aux maux que pourraient leur
faire des fouines et des renards, et pour être bien aises,
et croire même qu'il serait fort doux pour eux d'être
décorés par des lions.

94. Quoique les flatteurs puissent dire, pour amuser
les esprits du peuple, les hommes ne laisseront pas de
sentir toujours les inconvénients qui naissent du *pouvoir
absolu*. Lorsqu'ils viendront à apercevoir qu'un
homme, quel que soit son rang, *est hors des engagements
de la société civile*, dans lesquels ils sont, et qu'il n'y a
point d'appel pour eux *sur la terre*, contre les dommages
et les maux qu'ils peuvent recevoir de lui, ils seront fort
disposés à se croire dans l'*état de nature*, à l'égard de
celui qu'ils verront y être, et à tâcher, dès qu'il leur sera
possible, de se procurer quelque sûreté et quelque
protection efficace dans la *société civile*, qui n'a été
formée, du[a] commencement, que pour cette protection

a. Du commencement = dès le commencement (*at first*).

et cette sûreté ; et ceux qui en sont membres, n'ayant consenti d'y entrer que dans la vue d'être à couvert de toute injustice, et de vivre heureusement. Et quoique au commencement (ainsi que je le montrerai plus au long dans la suite de ce Traité), quelque vertueux et excellent personnage ayant acquis, par son mérite, une certaine prééminence sur le reste des gens qui étaient dans le même lieu que lui, ceux-ci aient bien voulu récompenser, d'une grande déférence, ses vertus et ses talents extraordinaires, comme étant une espèce d'autorité naturelle, et aient remis entre ses mains, d'un commun accord, le gouvernement et l'arbitrage de leurs différends, sans prendre d'autre précaution, que celle de se confier entièrement en sa droiture et en sa sagesse ; néanmoins, lorsque le temps eut donné de l'autorité, et, comme quelques-uns veulent nous le persuader, eut rendu sacrée et inviolable cette coutume, que la négligente et peu prévoyante innocence a fait naître, et a laissé parvenir à des temps différents, et à des successeurs d'une autre trempe, le peuple a trouvé que ce qui lui appartient en propre, n'était pas en sûreté et hors d'atteinte, sous le gouvernement dans lequel il vivait, comme il devrait être, puisqu'il n'y avait point d'autre fin d'un gouvernement, que de conserver ce qui appartient à chacun[1] : alors, il n'a pu se croire en sûreté, ni être en repos, ni se regarder comme étant en *société civile*, jusqu'à ce que l'*autorité législative* ait été placée en un *corps collectif* de gens, qu'on appellera *Sénat*, *Parlement*, ou de quelque autre manière qu'on voudra, et par le moyen duquel chacun, sans excepter

1. « Dans le commencement, lorsque quelque sorte de gouvernement fut formée, il peut être arrivé qu'on n'ait fait autre chose, que de remettre tout à la sagesse et à la discrétion de ceux qui étaient choisis pour gouverneurs. Mais ensuite, par l'expérience, les hommes ont reconnu que ce gouvernement, auquel ils se trouvaient soumis, était sujet à toutes sortes d'inconvénients, et que ce qu'ils avaient établi pour remédier à leurs maux, ne faisait que les augmenter ; et on dit que *vivre selon la volonté d'un seul homme, c'est la cause et la source de toutes les misères*. C'est pourquoi ils ont fait des lois, dans lesquelles chacun pût contempler et lire son devoir, et connaître les peines que méritent ceux qui les violent. *Hooker, Eccl. Pol., lib. 1*, § 10. »

le premier et le principal de la *société*, devienne sujet à
ces lois, que lui-même, comme étant une partie de
l'*autorité législative*, a établies, et jusqu'à ce qu'il ait été
résolu, que qui que ce soit ne pourra, par sa propre
autorité, diminuer la force des lois, quand une fois elles
auront été faites, ni sous aucun prétexte de supériorité,
prétendre être exempt d'y obéir, pour se permettre, ou
à quelques-uns de ceux de sa dépendance, des choses
qui y soient contraires[1]. *Personne, sans doute, dans la
société civile, ne peut être exempt d'en observer les Lois.*
Car, si quelqu'un pense pouvoir faire ce qu'il voudra, et
qu'il n'y ait d'appel sur la terre contre ses injustices et
ses violences, je demande, si un tel homme n'est pas
toujours entièrement dans l'*état de nature*, s'il n'est pas
incapable d'être membre de la société civile ? Il faut demeurer d'accord de cela, à moins qu'on n'aime mieux dire
que l'*état de nature* et la *société civile* sont une seule et
même chose ; ce que je n'ai jamais vu, comme je n'ai
jamais entendu dire, qu'aucun l'ait soutenu, quelque
grand défenseur qu'il ait été de l'anarchie.

CHAPITRE VIII

Du commencement des Sociétés politiques

95. Les hommes, ainsi qu'il a été dit, étant tous
naturellement libres, égaux et indépendants, nul ne
peut être tiré de cet état, et être soumis au *pouvoir
politique* d'autrui, sans son propre consentement, par
lequel il peut convenir, avec d'autres hommes, de se
joindre et *s'unir en société* pour leur conservation, pour
leur sûreté mutuelle, pour la tranquillité de leur vie,
pour jouir paisiblement de ce qui leur appartient en

---

1. *Les lois civiles étant des actes de tout le corps politique, sont par
conséquent au-dessus de chaque partie de ce corps.* Hooker, dans le même
endroit.

propre, et être mieux à l'abri des insultes de ceux qui voudraient leur nuire et leur faire du mal. Un certain nombre de personnes sont en droit d'en user de la sorte, à cause que cela ne fait nul tort à la *liberté* du reste des hommes, qui sont laissés dans la *liberté* de l'*état de nature*. Quand un certain nombre de personnes sont convenues ainsi de *former une communauté et un gouvernement*, ils sont par là en même temps incorporés, et composent un seul *corps politique*, dans lequel le plus grand nombre[a] a droit de conclure et d'agir.

96. Car lorsqu'un certain nombre d'hommes ont, par le consentement de chaque individu, formé une *communauté*, ils ont par là fait de cette *communauté*, un corps qui a le pouvoir d'agir comme un corps doit faire, c'est-à-dire, de suivre la volonté et la détermination du *plus grand nombre*; ainsi une *société* est bien formée par le consentement de chaque individu; mais cette *société* étant alors un corps, il faut que ce corps se meuve de quelque manière : or, il est nécessaire qu'il se meuve du côté où le pousse et l'entraîne la plus grande force, qui est le *consentement du plus grand nombre*; autrement il serait absolument impossible qu'il agît ou continuât à être un corps et une *société*, comme le consentement de chaque particulier, qui s'y est joint et uni, a voulu qu'il fût : chacun donc est obligé, par ce consentement-là, de se conformer à ce que *le plus grand nombre* conclut et résout. Aussi voyons-nous que dans les assemblées qui ont été autorisées par des lois positives, et qui ont reçu de ces lois le pouvoir d'agir, quoiqu'il arrive que le nombre ne soit pas déterminé pour conclure un point, ce que fait et conclut le *plus grand nombre*, est considéré comme étant fait et conclu par tous; les lois de la nature et de la raison dictant que la chose doit se pratiquer et être regardée de la sorte.

97. Ainsi, chaque particulier convenant avec les autres de faire un *corps politique*, sous un certain gouvernement, s'oblige envers chaque membre de cette

---

a. Le texte anglais emploie le terme *majority*, que D. Mazel traduit régulièrement par « le plus grand nombre ».

société, de se soumettre à ce qui aura été déterminé par *le plus grand nombre*, et d'y consentir : autrement cet accord original, par lequel il s'est incorporé avec d'autres dans une *société*, ne signifierait rien ; et il n'y aurait plus de convention, s'il demeurait toujours *libre*, et n'avait pas des engagements différents de ceux qu'il avait auparavant, dans l'*état de nature*. Car quelle apparence, quelle marque de convention et de traité y a-t-il en tout cela ? Quel nouvel engagement paraît-il, s'il n'est lié par les décrets de la *société*, qu'autant qu'il le trouvera bon, et qu'il y consentira actuellement ? S'il peut ne se soumettre et consentir aux actes et aux résolutions de sa société, qu'autant et selon qu'il le jugera à propos, il sera toujours dans une aussi grande liberté qu'il était avant l'accord, ou qu'aucune autre personne puisse être dans l'*état de nature*.

98. Car si *le consentement du plus grand nombre* ne peut raisonnablement être reçu comme un *acte de tous*[a], et obliger chaque individu à s'y soumettre, rien autre chose que le consentement de chaque individu ne sera capable de faire regarder un arrêt et une délibération, comme un arrêt et une délibération de tout le corps. Or, si l'on considère les infirmités et les maladies auxquelles les hommes sont exposés, les distractions, les affaires, les différents emplois, qui ne peuvent qu'empêcher, je ne dirai pas seulement, un aussi grand nombre de gens qu'il y en a dans une *société politique*, mais un beaucoup moins grand nombre de personnes, de se trouver dans les assemblées publiques ; et que l'on joigne à tout cela la variété des opinions et la contrariété des intérêts, qui ne peuvent qu'être dans toutes les assemblées : on reconnaîtra qu'il serait presque impossible, que jamais aucun décret fût valable et reçu. En effet, si l'on n'entrait en *société* que sous telles conditions, cette entrée serait semblable à l'entrée de *Caton* au théâtre, *tantum ut exiret*[b]. Il y entrait *seulement pour en sortir*. Une

a. *of the whole.*
b. P. Laslett mentionne ici une anecdote célèbre dans la Rome antique et que rapporte Martial, selon laquelle Caton d'Utique apparaissait souvent sur la scène pour quitter le théâtre aussitôt après.

telle constitution rendrait le plus fort *Léviathan**, d'une plus courte durée que ne sont les plus faibles créatures, et sa durée ne s'étendait pas au-delà du jour de sa naissance, ce que nous ne saurions supposer devoir être, sans avoir présupposé, ce qui serait ridicule, que des créatures raisonnables désireraient et établiraient des *sociétés*, uniquement pour les voir se dissoudre. Car, où *le plus grand nombre* ne peut conclure et obliger le reste à se soumettre à ses décrets ; là on ne saurait résoudre et exécuter la moindre chose ; là ne saurait se remarquer nul acte, nul mouvement d'un corps ; et par conséquent, cette espèce de corps de *société* se dissoudrait d'abord.

99. Quiconque donc sort de l'*état de nature*, pour entrer dans une *société*[a], doit être regardé comme ayant remis tout le pouvoir nécessaire, aux fins pour lesquelles il y est entré, entre les mains du *plus grand nombre* des membres, à moins que ceux qui se sont joints pour composer un *corps politique*, ne soient convenus expressément d'un plus grand nombre. Un homme qui s'est joint à une *société*, a remis et donné ce pouvoir dont il s'agit, en consentant simplement de s'unir à une *société politique*, laquelle contient en elle-même toute la convention, qui est ou qui doit être, entre des particuliers qui se joignent pour former une *communauté*. Tellement que ce qui a donné naissance à une *société politique*, et qui l'a établie, n'est autre chose que le consentement d'un certain nombre d'hommes *libres*, capables d'être représentés par le plus grand nombre d'eux, et c'est cela, et cela seul qui peut avoir donné commencement dans le monde à un *gouvernement légitime*[b].

100. A cela, on fait deux objections. La première,

---

* Ce mot se trouve souvent dans l'Écriture pour signifier un grand poisson ; mais suivant son origine, *Leviat* et *Tan*, il signifie *un grand tout, composé de parties liées ensemble*, ce qui a donné lieu au fameux *Hobbes*, d'intituler *Leviathan*, son Traité du Gouvernement politique, auquel M. *Locke* fait ici allusion. *(N.d.T.)*

a. *Community.*

b. *A Lawful government.*

qu'on ne saurait montrer dans l'histoire aucun exemple d'une compagnie d'hommes indépendants et égaux, les uns à l'égard des autres, qui se soient joints et unis pour composer un corps, et qui, par cette voie, aient commencé à établir un gouvernement.

La seconde, *qu'il est impossible, de droit, que les hommes aient fait cela, à cause que naissant tous sous un gouvernement, ils sont obligés de s'y soumettre, et n'ont pas la liberté de jeter les fondements d'un nouveau.*

101. Quant à la première, je réponds qu'il ne faut nullement s'étonner, si l'histoire ne nous dit que peu de choses touchant *les hommes qui ont vécu ensemble dans l'état de nature.* Les inconvénients d'une telle condition, le désir et le besoin de la *société*, ont obligé ceux qui se trouvaient ensemble, en un certain nombre, à s'unir incessamment et à composer un corps, s'ils souhaitaient que la *société* durât. Que si nous ne pouvons pas supposer que des hommes aient jamais été dans l'*état de nature*, parce que nous n'apprenons presque rien sur ce point, nous pouvons aussi douter que les gens qui composaient les armées de *Salmanassar*[a] ou de *Xerxès*[b], aient jamais été enfants, à cause que l'histoire ne le marque point et qu'il n'y est fait mention d'eux que comme d'hommes faits, que comme d'hommes qui portaient les armes. Le gouvernement précède toujours sans doute les registres; et rarement les belles-lettres sont cultivées parmi un peuple, avant qu'une longue continuation de la *société* civile ait, par d'autres arts plus nécessaires, pourvu à sa sûreté, à son aise et à son abondance. C'est alors que l'on commence à fouiller dans l'histoire de ces fondateurs, et à rechercher son origine, quand la mémoire s'en est perdue ou obscurcie. Car les *sociétés* ont cela de commun avec les personnes particulières, qu'elles sont d'ordinaire fort ignorantes dans leur naissance et dans leur enfance, et si elles apprennent et savent quelque chose, ce n'est que par le moyen des registres et des monuments que

a. Il y eut du XIIIe au VIIIe siècle av. J.-C. quatre rois d'Assyrie qui portèrent ce nom.
b. Xerxès est le célèbre roi des Perses assassiné en 465 av. J.-C.

d'autres ont conservés par hasard. Ceux que nous avons du commencement des *sociétés politiques*, si l'on excepte celle des *Juifs*, dans laquelle Dieu lui-même est intervenu immédiatement, en accordant à cette nation des faveurs très particulières, nous ont conservé des exemples clairs de ces commencements de *sociétés*, dont j'ai parlé, ou du moins ils nous en font voir des traces manifestes.

102. Il faut avouer qu'on a un étrange penchant à nier les choses de fait les plus évidentes, lorsqu'elles ne s'accordent pas avec les hypothèses qu'on a une fois embrassées. Qui est-ce aujourd'hui qui ne m'accordera que *Rome* et *Venise* ont commencé par des gens libres et indépendants au regard les uns des autres, entre lesquels il n'y avait nulle supériorité, nulle sujétion naturelle ? Que si nous voulons écouter *Joseph Acosta*[a], il nous dira que dans la plus grande partie de l'*Amérique*, il ne se trouva nul gouvernement. *Il y a de grandes et fort apparentes conjectures*, dit-il, *que ces gens-là* (parlant de ceux du Pérou), *n'ont eu, durant longtemps, ni Rois, ni communautés, mais qu'ils ont vécu et sont allés en troupes, ainsi que font aujourd'hui ceux qui habitent la Floride, et comme pratiquent encore les Cheriquanas et les gens du Brésil, et plusieurs autres nations qui n'ont pas certains Rois, mais qui, suivant que l'occasion de la paix ou de la guerre se présente, choisissent leurs capitaines, selon leur volonté*, liv. 1, chap. 25. Si l'on dit que chacun naît sujet à son *père* ou au chef de sa famille, nous avons prouvé que la soumission due par un enfant à son *père*, ne détruit point la *liberté* qu'il a toujours de se joindre à la *société politique*, qu'il juge à propos. Mais, quoi qu'il en soit, il est évident que ceux, dont il vient d'être fait mention, étaient actuellement *libres*, et quelque supériorité que certains politiques veuillent aujourd'hui placer dans quelques-uns d'entre eux, il est constant qu'ils ne la reconnaissent ni ne se l'attribuent point ; mais, *d'un commun consentement*, ils sont tous égaux,

a. Joseph Acosta est un jésuite du Pérou auteur, en 1591, d'un ouvrage sur les Indes, que cite ici Locke.

jusqu'à ce que, par le même consentement, ils aient établi des gouverneurs sur eux-mêmes. Tellement que toutes leurs *sociétés politiques* ont commencé par une union volontaire, et par un accord mutuel de personnes, qui ont agi *librement*, dans le choix qu'ils ont fait de leurs gouverneurs, et de la forme du gouvernement.

103. Je ne doute point que ceux qui vinrent de *Sparte* avec *Palante*[a], et dont *Justin*[b] fait mention, n'eussent assuré qu'ils avaient été des gens *libres* et indépendants les uns à l'égard des autres ; et qu'ils avaient établi un gouvernement, et s'y étaient soumis par leur propre consentement. Voilà des exemples que l'histoire nous fournit, des personnes *libres* et dans l'*état de nature*, qui s'étant assemblées, ont formé des corps et des *sociétés*[c]. Et même, si parce que l'on ne pourrait produire sur ce sujet aucun exemple, on était en droit d'en tirer un argument pour prouver que le gouvernement n'a point commencé, ni n'a pu commencer, de la manière que nous prétendons ; je crois que les défenseurs de l'*empire paternel* feraient beaucoup mieux d'abandonner cette sorte de preuve, que d'y insister et de la pousser contre la *liberté naturelle*. Car, quand même ils pourraient alléguer un grand nombre d'exemples tirés de l'Histoire des Gouvernements, qui auraient commencé par le *droit paternel*, sur lequel ils auraient été fondés (quoique après tout un argument employé pour prouver par ce qui a été, ce qui devrait être de droit, ne soit pas d'une grande force) ; on peut, sans grand danger, accorder ce qu'ils avancent. Mais si je puis leur donner un conseil, ce serait qu'ils feraient mieux de ne pas rechercher trop l'origine des gouvernements pour connaître comment ils ont commencé, *de facto*, de peur qu'ils ne trouvent dans la fondation de la plupart, quelque chose qui favorise peu leur dessein, et le pouvoir pour lesquels ils combattent.

a. Palante a fondé, au VIIIe siècle av. J.-C., la ville de Tarente qui appartenait alors à Sparte.

b. Justin a relaté l'histoire des monarchies de la période hellénistique.

c. *Commonwealths*.

104. Mais pour conclure, puisque de notre côté il paraît, même très clairement, que les hommes sont naturellement *libres*, et que les exemples pris de l'histoire montrent que les gouvernements du monde, qui ont commencé en paix, ont été fondés de la manière que nous avons dit, et ont été formés par le consentement des peuples, il ne peut plus y avoir lieu de douter du droit et de la justice de ces sortes de gouvernements, ni de l'opinion dans laquelle ont été les hommes à cet égard, et de la pratique qu'ils ont observée dans l'érection des *sociétés*[a].

105. Je ne veux pas nier que, si on pénètre bien avant dans l'histoire, et si l'on remonte, aussi haut qu'il est possible, vers l'origine des sociétés, on ne les trouve généralement sous le gouvernement et l'administration d'un seul homme. Je suis même fort disposé à croire que, quand une famille était assez nombreuse pour subsister et se soutenir d'elle-même, et qu'elle continuait à demeurer unie en elle-même, mais séparée des autres sans se mêler avec elles, dans un temps où il y avait beaucoup de terres et peu de peuples, le gouvernement commençait et résidait ordinairement dans le père. Car le père ayant, par les lois de la nature, le même pouvoir qu'avait tout autre homme, de punir, comme il jugeait à propos, la violation de ces lois, pouvait punir les fautes de ses enfants, lors même qu'ils étaient hommes faits et hors de minorité ; et il y a apparence qu'ils se soumettaient tous à lui et consentaient d'être punis tous par ses mains et par son autorité seule ; qu'ils se joignaient tous à lui dans le besoin, contre celui qui avait fait quelque méchante action ; et que, par là, ils donnaient le pouvoir d'exécuter sa sentence pour punir quelque crime, et l'établissaient effectivement législateur et gouverneur de tous ceux qui demeuraient unis à sa famille. C'était, sans doute, la meilleure précaution et le meilleur parti qu'ils pouvaient prendre. L'affection paternelle ne pouvait que prendre grand soin de ce qui appartenait à chacun, et le

---

a. Le texte anglais emploie ici le mot *governments*.

mettre en sûreté. Et comme, dans leur enfance, ils étaient accoutumés à obéir à leur père, ils trouvaient infailliblement qu'il était plus commode, plus aisé et plus avantageux de se soumettre à lui, qu'il ne leur aurait été de se soumettre à quelque autre. Et, s'ils avaient besoin de quelqu'un qui les gouvernât, parce que des gens qui vivent ensemble ne peuvent se passer qu'avec peine de quelque gouvernement, qui pouvait le faire mieux que leur père commun? à moins que sa négligence, sa cruauté ou quelque autre défaut de l'esprit ou du corps ne l'en rendît incapable. Mais quand le père venait à mourir, et que le plus proche héritier qu'il laissait n'était pas capable de gouvernement, faute d'âge, de sagesse, de prudence, de courage ou de quelque autre qualité, ou bien lorsque diverses familles convenaient de s'unir et de continuer à vivre ensemble dans une même *société :* il ne faut point douter qu'alors tous ceux qui composaient ces familles, n'usassent pleinement de leur *liberté naturelle,* pour établir sur eux celui qu'ils jugeaient le plus capable de les gouverner. Conformément à cela, nous voyons que les peuples de l'*Amérique,* qui vivent éloignés des épées des conquérants, et de la domination ambitieuse des deux grands Empires du *Pérou* et du *Mexique,* jouissent de leur *naturelle liberté;* quoique, *cœteris paribus,* ils préfèrent d'ordinaire l'héritier du Roi défunt. Cependant, s'ils viennent à remarquer en lui quelque faiblesse, quelque défaut considérable, quelque incapacité essentielle, ils le laissent; et ils établissent, pour leur gouverneur, le plus vaillant et le plus brave d'entre eux.

106. Ainsi, quoiqu'en remontant aussi haut que les monuments de l'histoire[a] des nations le permettent, l'on trouve que dans le temps que le monde se peuplait, le gouvernement des peuples était entre les mains d'un seul; cela ne détruit pourtant point ce que j'affirme; savoir, que le commencement de la *société politique* dépend du *consentement de chaque particulier,* qui veut

a. Il s'agit, bien entendu, des « documents » de l'histoire *(records).*

bien se joindre avec d'autres pour composer une *société*, en sorte que tous ceux qui y entrent peuvent établir la forme de gouvernement qu'ils jugent à propos. Mais cela ayant donné occasion à quelques-uns de tomber dans l'erreur, et de s'imaginer que par *nature*, le gouvernement est monarchique, et appartient au *père*; il ne faut point oublier d'examiner pourquoi, du commencement, les peuples se sont attachés à cette forme-là de gouvernement. Dans la première institution des communautés, la prééminence des *pères* peut l'avoir produite, peut avoir été cause que tout le pouvoir a été remis *entre les mains d'un seul* : cependant, il est clair que ce qui obligea, dans la suite, de continuer à vivre dans la même forme de gouvernement, ne regardait point l'*autorité paternelle*, puisque toutes les petites monarchies, proches de leur origine, ont été ordinairement, du moins par occasion, *électives*.

107. Premièrement donc, dans le commencement des choses, le gouvernement des *pères* ayant accoutumé leurs enfants, dès leur bas âge, au gouvernement d'un seul homme, et leur ayant appris que, lorsqu'il était exercé avec soin, diligence et affection, à l'égard de ceux qui y étaient soumis, il suffisait, pour protéger et procurer tout le bonheur qu'on pouvait espérer raisonnablement, il ne faut pas s'étonner si les hommes se sont attachés à cette forme de gouvernement, à laquelle ils avaient été accoutumés tous dès leur enfance et qu'ils avaient, outre cela, trouvée, par l'expérience, aisée et sûre. On peut ajouter à cette réflexion, que la monarchie étant quelque chose de simple, et qui se présentait de soi-même à l'esprit des hommes, que l'expérience n'avait pas encore instruits des différentes formes possibles du gouvernement, et qui n'avaient aucune idée de l'ambition ou de l'insolence des empires, ils n'ont pu se mettre en garde contre les maux de l'*autorité suprême*, et les inconvénients du *pouvoir absolu*, que la monarchie dans la succession des temps devait s'attribuer et exercer. On trouvera, de même, moins étrange qu'ils ne se soient pas mis en peine de penser aux moyens de réprimer les entreprises outrées de ceux à qui ils avaient

commis l'*autorité*, et de balancer[a] le pouvoir du gouvernement, en mettant diverses parties de ce pouvoir en
différentes mains. Ils n'avaient jamais senti l'oppression de la domination tyrannique ; et les mœurs de leur
temps, leurs possessions, leur manière de vivre, qui
fournissaient peu de matière à l'avarice ou à l'ambition,
ne leur faisaient point appréhender cette domination, et
ne les obligeaient point de se précautionner contre elle.
Ainsi, il n'est pas étonnant qu'ils aient établi cette
forme de gouvernement, qui, comme j'ai dit, non
seulement s'offrait d'abord à l'esprit, mais était la plus
conforme à leur condition et à leur état présent. Car ils
avaient bien plus besoin de défense contre les invasions
et les attentats du dehors, que d'un grand nombre de
lois, de gouverneurs et d'officiers, pour régler le dedans
et punir les criminels, à cause qu'ils n'avaient alors que
peu de biens propres, et qu'il y en avait peu d'entre eux
qui fissent tort aux autres. Comme ils s'étaient joints en
société volontairement et d'un commun accord, on ne
peut que supposer qu'ils avaient de la bienveillance et
de l'affection les uns pour les autres, et qu'il y avait
entre eux une mutuelle confiance. Ils craignaient bien
plus ceux qui n'étaient pas de leur corps, qu'ils ne se
craignaient les uns les autres : et par conséquent leur
principal soin, et leur principale attention était de se
mettre à couvert de la violence du dehors ; et il leur était
fort naturel d'établir entre eux la forme de gouvernement qui pouvait le plus servir à cette fin, et de choisir
le plus sage et le plus brave, qui les conduisît dans leurs
guerres, et les menât avec succès contre leurs ennemis,
et qui, en cela principalement, fût leur gouverneur.

108. Aussi voyons-nous que les Rois des *Indiens*
dans l'*Amérique*, dont les manières et les coutumes
doivent toujours être regardées comme un modèle de ce
qui s'est pratiqué dans le premier âge du monde, en
Asie et en *Europe*, pendant que les habitants de cette
partie de la terre, si éloignée des autres, ont été en petit
nombre, et que ce petit nombre de gens, dans un pays si

---

a. *To balance* = équilibrer.

grand, et le peu d'usage et de connaissance de l'argent monnayé, ne les ont pas sollicités à étendre leurs possessions et leurs terres, ou à contester pour une étendue déserte de pays, n'ont été guère plus que généraux de leur armée. Quoiqu'ils commandent absolument pendant la guerre, ils n'exercent chez eux, en temps de paix, qu'une *autorité* fort mince, et n'ont qu'une souveraineté très modérée. Les résolutions, au sujet de la paix et de la guerre, sont, pour l'ordinaire, les résolutions du peuple ou du conseil. Du reste, la guerre elle-même, qui ne s'accommode guère de la pluralité des généraux, fait tomber naturellement le commandement entre les mains des rois seuls.

109. Parmi le peuple d'*Israël* même, le principal emploi des *Juges*, et des premiers *Rois*, semble n'avoir consisté qu'à faire la fonction de général, en temps de guerre, et à conduire les armées. Cela paraît clairement, non seulement par cette expression si fréquente de l'Écriture, *sortir et revenir devant le peuple*, ce qui était se mettre en marche pour la guerre, et revenir ensuite à la tête des troupes, mais aussi particulièrement par l'histoire de *Jephté*. Les *Ammonites* faisant la guerre à *Israël*, les *Galaadites*, saisis de crainte, envoyèrent des députés à *Jephté*, qu'ils avaient chassé comme un bâtard de leur famille, et convinrent avec lui qu'il serait leur gouverneur, à condition qu'il les secourût contre les *Ammonites*[1]. *Le peuple l'établit sur soi pour chef et pour capitaine :* ce qui était, comme il paraît, la même chose que *Juge*[2]. *Et Jephté jugea Israël*, c'est-à-dire, fut son général *six ans*. De même, lorsque *Jonatham* reproche aux *Sichemites* les obligations qu'ils avaient à *Gédéon*, qui avait été leur *Juge* et leur conducteur, il leur dit[3] : *Mon père a combattu pour vous et a hasardé sa vie, et vous a délivrés des mains de Madian*. Il ne dit autre chose de lui, ainsi qu'on voit, sinon qu'il avait agi comme un général d'armée a coutume de faire. Certainement, c'est tout ce qui se trouve dans son histoire, aussi bien que dans

1. Jug., XI, 11.
2. Jug., XII, 7.
3. Jug., IX, 17.

l'histoire du reste des Juges. *Abimélec*, particulièrement, est appelé Roi, quoique tout au plus il ne fût que
général. Et lorsque les enfants d'*Israël* étant las de la
mauvaise conduite des fils de[1] *Samuel*, désirèrent avoir
un Roi, *comme toutes les nations, qui les jugeât, et sortît
devant eux, et conduisît leurs guerres*, que Dieu leur
accorda ce qu'ils souhaitaient avec tant d'ardeur, il dit à
Samuel[2] : *Je t'enverrai un homme, et tu l'oindras pour être
capitaine de mon peuple* Israël, et il délivrera *mon peuple
des mains des* Philistins : comme si toute l'occupation et
tout l'emploi du Roi des *Israélites* ne consistait qu'à
conduire leurs armées, et à combattre pour leur
défense ; aussi, lorsque *Saül* fut sacré, *Samuel*, en
versant une fiole d'huile sur lui, lui déclara que[3] *le
Seigneur l'avait oint sur son héritage pour en être le
capitaine*. C'est par la même raison et dans les mêmes
vues que ceux qui, après que *Saül* eut été choisi
solennellement, et salué Roi par les tribus, à *Mispah*,
étant fâchés qu'il fût leur Roi, ne firent d'autre objection que celle-ci[4] : *Comment nous délivrerait cet homme ?*
Comme s'ils avaient dit, cet homme n'est pas propre
pour être notre Roi, il n'a pas assez d'adresse, d'habileté, de conduite, de capacité pour nous défendre.
Quand Dieu encore résolut de transférer le gouvernement et de le donner à *David*, *Samuel* parla à *Saül* de
cette sorte* : *Mais maintenant ton règne ne sera point
affermi. Le Seigneur s'est choisi un homme selon son cœur ;
et le Seigneur lui a commandé d'être capitaine de son
peuple*, comme si toute l'autorité royale n'était autre
chose que l'autorité de général. Aussi, lorsque les tribus
qui étaient restées fidèles à la famille de *Saül*, après sa
mort, et s'étaient opposées de tout leur pouvoir au
règne de *David*, allèrent enfin en *Hébron*, pour lui faire
hommage, elles alléguèrent, entre les motifs qui les
obligeaient de se soumettre à lui et de reconnaître son

1. I. Sam., VIII. 20.
2. IX. 16.
3. X. 1.
4. V. 37.
* XIII. 34.

autorité, qu'il était effectivement leur Roi, du temps
même de *Saül*, et qu'ainsi il n'y avait nulle raison de ne
le pas recevoir et considérer comme leur Roi, dans le
temps et les circonstances où ils se trouvaient*. *Ci-
devant, quand* Saül *était Roi sur nous, tu étais celui qui
menais et ramenais* Israël : *et le Seigneur t'a dit, tu
paîtras*[a] *mon peuple d'*Israël, *et seras capitaine d'*Israël.

110. Soit donc qu'une famille, par degrés, ait formé
une communauté[b], et que l'*autorité paternelle* ayant été
continuée, et ayant passé dans l'aîné, de sorte que
chacun, à son tour, l'ayant exercée, chacun aussi s'y
était soumis tacitement, surtout puisque cette facilité,
cette égalité, cette bonté qui se trouvaient dans ceux qui
composaient une même famille, empêchait que personne ne pût être offensé, jusqu'à ce que le temps eût
confirmé cette autorité, et fondé un droit de succession,
soit que diverses familles, ou les descendants de
diverses familles, que le hasard, le voisinage, ou les
affaires avaient ramassées, se soient, par ce moyen,
jointes en *société*; le besoin d'un général, dont la
conduite et la valeur pût les défendre contre leurs
ennemis dans la guerre, et la grande confiance qu'inspirait naturellement l'innocence et la sincérité de ces
pauvres, mais vertueux temps, tels qu'ont été presque
tous ceux qui ont donné naissance aux gouvernements
qui ont été jamais dans le monde, ont engagé les
premiers instituteurs des communautés à remettre
généralement le gouvernement entre les mains d'un
seul. Le bien public, la sûreté, le but des communautés
obligèrent d'en user de la sorte, dans l'enfance, pour
ainsi dire, des sociétés et des États. Et l'on ne peut
disconvenir que si l'on n'avait pratiqué cela, les nouvelles, les jeunes sociétés n'auraient pu subsister longtemps. Sans ces pères sages et affectionnés, dont nous
avons parlé tant de fois, sans les soins de ces gouverneurs établis, tous les gouvernements seraient bientôt
fondus, et auraient été détruits dans la faiblesse et les

---

* 2. Sam. V. 2.
a. « Tu nourriras. »
b. *Commonwealth.*

infirmités de leur enfance; le Prince et le peuple seraient péris tous ensemble dans peu de temps.

111. Le premier âge du monde était un âge d'or. L'ambition, l'avarice, *amor sceleratus habendi*, les vices qui règnent aujourd'hui, n'avaient pas encore corrompu les cœurs des hommes, dans ce bel âge, et ne leur avaient pas donné de fausses idées au sujet du pouvoir des Princes et des gouverneurs. Comme il y avait beaucoup plus de vertu, les gouverneurs y étaient beaucoup meilleurs, et les sujets moins vicieux. En ce temps-là, les gouverneurs et les magistrats, d'un côté, n'étendaient pas leur pouvoir et leurs privilèges pour opprimer le peuple, ni de l'autre, le peuple ne se plaignait point des privilèges et de la conduite des gouverneurs et des magistrats, et ne s'efforçait point de diminuer ou de réprimer leur pouvoir; ainsi, il n'y avait entre eux nulle contestation au sujet du gouvernement. Mais lorsque l'ambition, le luxe et l'avarice, dans les siècles suivants, ont voulu retenir et accroître le pouvoir, sans se mettre en peine de considérer comment et pour quelle fin il avait été commis; et que la flatterie s'y étant mêlée, a appris aux Princes à avoir des intérêts distincts et séparés de ceux du peuple; on a cru qu'il était nécessaire d'examiner avec plus de soin *l'origine et les droits du gouvernement*; et de tâcher de trouver des moyens de *réprimer les excès* et de *prévenir les abus* de ce pouvoir, qu'on avait, pour son propre bien, confié à d'autres, et qu'on voyait pourtant n'être employé qu'à faire du mal à ceux qui l'avaient remis[1].

112. Ainsi nous voyons combien il est probable que

---

1. « Dans le commencement, lorsque quelque sorte de gouvernement fut formée, il peut être arrivé qu'on n'ait fait autre chose que de remettre tout à la sagesse et à la discrétion de ceux qui étaient choisis pour gouverneurs. Mais ensuite, par l'expérience, les hommes ont reconnu que ce gouvernement auquel ils se trouvaient soumis était sujet à toutes sortes d'inconvénients, et que ce qu'ils avaient établi pour remédier à leurs maux, ne faisait que les augmenter, et on dit que, *vivre selon la volonté d'un seul homme, c'est la cause et la source de toutes les misères*. C'est pourquoi ils ont fait des lois, dans lesquelles chacun pût contempler et lire son devoir, et connaître les peines que méritent ceux qui les violent. *Hooker, Eccl. Pol. I., § 10.* »

les hommes, qui étaient naturellement libres, et qui, de leur propre consentement, se sont soumis au gouvernement de leurs pères, ou se sont joints ensemble, pour faire de diverses familles un seul et même corps, ont remis le gouvernement *entre les mains d'un seul*, sans limiter, par des conditions expresses, ou régler son pouvoir, qu'ils croient être assez en sûreté, et devoir conserver assez sa justice et sa droiture dans la probité et dans la prudence de celui qui avait été élu. Il ne leur était jamais monté dans l'esprit que la monarchie fût, *jure divino*, de droit divin; on n'avait jamais entendu parler de rien de semblable avant que ce grand mystère eût été révélé par la *Théologie* des derniers siècles. Ils ne regardaient point non plus le pouvoir paternel comme un droit à la domination, ou comme le fondement de tous les gouvernements. Il suffit donc d'être convaincu que les lumières que l'histoire nous peut fournir sur ce point, nous autorisent à conclure que tous les commencements paisibles des gouvernements ont eu pour cause *le consentement des peuples*. Je dis les commencements *paisibles*, parce que j'aurai occasion, dans un autre endroit[a], de parler des conquêtes, que quelques-uns estiment être des causes du commencement des gouvernements.

113. L'autre objection que je trouve être faite contre le commencement des sociétés politiques, tel que je l'ai représenté, est celle-ci : *que tous les hommes étant nés sous quelque gouvernement, il est impossible qu'aucun d'eux ait jamais été libre, ait jamais eu la liberté de se joindre à d'autres pour en commencer un nouveau, ou qu'il ait jamais pu ériger un légitime gouvernement*. Si ce raisonnement est juste, je demande comment sont devenues légitimes les monarchies dans le monde? Car, si quelqu'un peut me montrer un homme, dans quelque siècle, qui ait été en liberté de commencer une monarchie légitime, je lui en montrerai dix autres, qui, dans le même temps, auront eu la liberté et le pouvoir de s'unir, et de commencer un nouveau gouvernement sous la forme

a. Cf. chap. XVI, § 175 *sq.*, p. 274 *sq.*

royale, ou sous quelque autre forme. N'est-ce pas une démonstration évidente, que si quelqu'un né sous la domination d'un autre, a été assez libre pour avoir droit de commander aux autres, dans un empire nouveau et distinct, tous ceux qui sont nés sous la domination d'autrui, peuvent avoir été aussi libres, et être devenus, par la même voie, les gouverneurs ou les sujets d'un gouvernement distinct et séparé ? Et ainsi, par le propre principe de ceux qui font l'objection, ou bien tous les hommes sont nés libres à cet égard, ou il n'y a qu'un seul légitime Prince, et un seul gouvernement juste dans le monde ? Qu'ils aient la bonté de nous marquer et indiquer simplement quel il est ; je ne doute point que tout le monde ne soit d'abord disposé à lui faire hommage, à s'y soumettre, et à lui obéir.

114. Quoique cette réponse, qui fait voir que l'objection jette ceux qui la proposent dans les mêmes difficultés où ils veulent jeter les autres, puisse suffire ; je tâcherai, néanmoins, de mettre encore mieux dans tout son jour la faiblesse de l'argument des adversaires.

Tous les hommes, disent-ils, *sont nés sous un gouvernement ; et, par cette raison, ils ne sont point dans la liberté d'en instituer aucun nouveau. Chacun naît sujet de son père ou de son Prince, et par conséquent chacun est dans une perpétuelle obligation de sujétion et de fidélité.* Il est clair que jamais les hommes n'ont considéré *cette sujétion naturelle dans laquelle ils soient nés*, à l'égard de leurs pères ou à l'égard de leurs princes, comme quelque chose qui les obligeât, sans leur propre consentement, à se soumettre à eux ou à leurs héritiers.

115. Il n'y a pas dans l'Histoire, soit sacrée, soit profane, de plus fréquents exemples que ceux des gens qui se sont retirés de l'obéissance et de la juridiction sous laquelle ils étaient nés, et de la famille ou de la communauté dans laquelle ils avaient pris naissance, et avaient été nourris, et qui ont établi de nouveaux gouvernements en d'autres endroits. C'est ce qui a produit un si grand nombre de petites sociétés au commencement des siècles, lesquelles se répandirent peu à peu en différents lieux, et se multiplièrent autant

que l'occasion s'en présenta et qu'il se trouva de place
pour les contenir ; jusqu'à ce que les plus fortes englou-
tirent les plus faibles ; et qu'ensuite les plus grands
Empires étant tombés dans la décadence et ayant été,
pour ainsi dire, mis en pièces, se sont partagés en
diverses petites dominations. Or, toutes ces choses sont
de puissants témoignages contre la souveraineté paternelle, et prouvent clairement que ce n'a point été un
droit naturel du père passé à ses héritiers, qui a fondé
les gouvernements dans le commencement du monde,
puisqu'il est impossible, sur ce fondement-là, qu'il y ait
eu tant de petits Royaumes, et qu'il ne devrait s'y être
trouvé qu'une seule Monarchie universelle, s'il est vrai
que les hommes n'aient pas eu la liberté de se séparer de
leurs familles, et de leur gouvernement tel qu'il ait été,
et d'ériger différentes communautés et d'autres gouvernements, tels qu'ils jugeaient à propos.

116. Telle a été la pratique du monde, depuis son
commencement jusqu'à ce jour ; et aujourd'hui ceux
qui sont nés sous un gouvernement établi et ancien ont
autant de droit et de liberté qu'on en a jamais eu et
qu'ils en pourraient avoir s'ils étaient nés dans un
désert, dont les habitants ne reconnaîtraient nulles lois
et ne vivraient sous aucuns règlements. J'affirme ceci,
parce que ceux qui veulent nous persuader que *ceux qui*
sont nés sous un gouvernement y sont naturellement sujets,
et n'ont plus de droit et de prétention à la liberté de l'état de
nature, ne produisent d'autre raison, si l'on excepte
celles qu'ils tirent du pouvoir paternel, à laquelle nous
avons déjà répondu ; ne produisent, dis-je, d'autre
raison que celle-ci, savoir que nos pères ayant renoncé à
leur *liberté* naturelle, et s'étant soumis à un gouvernement, se sont mis et ont mis leurs descendants dans
l'obligation d'être perpétuellement sujets à ce gouvernement-là. J'avoue qu'un homme est obligé d'exécuter
et accomplir les promesses qu'il a faites pour soi, et de
se conduire conformément aux engagements dans lesquels il est entré ; mais *il ne peut, par aucune convention,*
lier ses enfants ou sa postérité. Car un fils, lorsqu'il est
majeur, étant aussi libre que son père ait jamais été,

aucun acte du père ne peut plus ravir au fils la liberté,
qu'aucun acte d'aucun autre homme peut faire. Un
père peut, à la vérité, attacher certaines conditions aux
terres dont il jouit, en qualité de sujet d'une communauté, et obliger son fils à être membre de cette communauté, s'il veut jouir, comme lui, des possessions de ses
pères ; la raison de cela est que les biens qu'un père
possède, étant ses biens propres, il en peut disposer
comme il lui plaît.

117. Or, cela a donné occasion de tomber généralement dans l'erreur sur cette matière. Car les communautés ne permettant point qu'aucunes de leurs terres
soient démembrées, et voulant qu'elles ne soient toutes
possédées que par ceux qui sont de la communauté, un
fils ne peut d'ordinaire jouir des possessions de son
père, que sous les mêmes conditions, sous lesquelles
son père en a joui, c'est-à-dire, qu'en devenant membre
de la même *société*, et se soumettant par conséquent au
gouvernement qui y est établi tout de même que tout
autre sujet de cette société-là. Ainsi, le consentement
d'hommes libres, nés dans une société, lequel seul est
capable de les en faire membres, étant donné sépare-
ment par chacun à son tour, selon qu'il vient en âge, et
non par une multitude de personnes assemblées, le
peuple n'y prend point garde, et pensant ou que cette
sorte de consentement ne se donne point, ou que ce
consentement n'est point nécessaire, il conclut que tous
sont naturellement sujets, en tant qu'hommes.

118. Il est manifeste que les Gouvernements eux-
mêmes conçoivent et considèrent la chose autrement.
Ils ne prétendent point avoir de pouvoir sur le fils,
parce qu'ils en ont sur le père ; et ils ne regardent point
les enfants comme leurs sujets, sur ce fondement que
leurs pères le sont. Si un sujet d'*Angleterre* a, en *France*,
un enfant d'une femme *anglaise*, de qui sera sujet cet
enfant ? Non du Roi d'*Angleterre*, car auparavant il faut
qu'il obtienne la permission d'avoir part à ce privilège ;
non du Roi de *France*, car alors son père a la liberté de
l'emporter en un autre pays et de l'élever comme il lui
plaît. Et qui, je vous prie, a jamais été regardé comme

un traître ou un déserteur, pour avoir pris naissance dans un pays, de parents qui y étaient étrangers, et avoir vécu dans un autre ? Il est donc clair, par la pratique des gouvernements mêmes, aussi bien que par les lois de la *droite raison*, qu'un enfant ne naît sujet d'aucun pays, ni d'aucun gouvernement. Il demeure sous la tutelle et l'autorité de son père, jusqu'à ce qu'il soit parvenu à l'âge de discrétion ; alors, il est homme libre, il est dans la liberté de choisir le gouvernement sous lequel il trouve bon de vivre, et de s'unir au corps politique qui lui plaît le plus. En effet, si le fils d'un *Anglais*, né en *France*, est dans cette liberté-là, et peut en user de la sorte, il est évident que de ce que son père est sujet de ce Royaume, il ne s'ensuit point qu'il soit obligé de l'être. Si le père même a des engagements à cet égard, ce n'est point à cause de quelque traité qu'aient fait ses ancêtres. Pourquoi donc son fils, par la même raison, n'aura-t-il pas la même liberté que lui, quand même il serait en quelque autre lieu que ce fût ; puisque le pouvoir qu'un père a naturellement sur son enfant est le même partout, en quelque lieu qu'il naisse, et que les liens des obligations naturelles ne sont point renfermés dans les limites positives des Royaumes et des communautés ?

119.   Chacun étant *naturellement libre*, ainsi qu'il a été montré, et rien n'étant capable de le mettre sous la sujétion d'aucun autre pouvoir sur la terre, que son propre consentement, il faut considérer en quoi consiste cette *déclaration suffisante du consentement d'un homme, pour le rendre sujet aux lois de quelque Gouvernement*. On distingue communément entre un *consentement exprès* et un *consentement tacite*, et cette distinction fait à notre sujet[a]. Personne ne doutera, je pense, que le *consentement exprès* de quelqu'un, qui entre dans une société, ne le rende parfait membre de cette société-là, et sujet du gouvernement auquel il s'est soumis. La difficulté est de savoir ce qui doit être regardé comme un *consentement tacite*, et jusqu'où il oblige et lie,

---

a. « intéresse notre sujet » (*concern our case*).

c'est-à-dire, jusqu'où quelqu'un peut être censé avoir
consenti et s'être soumis à un gouvernement, quoiqu'il
n'ait pas proféré une seule parole sur ce sujet. Je dis que
tout homme qui a quelque possession, qui jouit de
quelque terre et de quelque bien qui est de la domination d'un gouvernement, donne par-là son *consentement
tacite*, et est obligé d'obéir aux lois de ce gouvernement,
tant qu'il jouit des biens qui y sont renfermés, autant
que puisse l'être aucun de ceux qui s'y trouvent soumis.
Si ce qu'il possède est une terre, qui lui appartienne et à
ses héritiers, ou une maison où il n'ait à loger qu'une
semaine, ou s'il voyage simplement et librement dans
les grands chemins; en un mot, s'il est sur le territoire
d'un gouvernement, il doit être regardé comme ayant
donné son *consentement tacite*, et comme s'étant soumis
aux lois de ce gouvernement-là.

120. Pour comprendre encore mieux ceci, il est à
propos de considérer que quelqu'un qui, au commencement, s'est incorporé à quelque communauté, a en
même temps, par cet acte, annexé et soumis à cette
communauté les possessions qu'il a ou qu'il pourra
acquérir, pourvu qu'elles n'appartiennent point déjà à
quelque autre gouvernement. En effet, ce serait une
contradiction manifeste, que de dire qu'un homme
entre dans une société pour la sûreté et l'établissement
de ses biens propres; et de supposer au même temps
que ses biens, que ses terres, dont la propriété est réglée
et établie par les lois de la société, soient exemptes de la
juridiction du gouvernement, à laquelle et le propriétaire et la propriété sont soumis. C'est pourquoi, par le
même acte, par lequel quelqu'un unit sa personne, qui
était auparavant libre, à quelque communauté, il y unit
pareillement ses possessions, qui étaient auparavant
libres; et sa personne et ses possessions deviennent
également sujettes au gouvernement et à la domination
de cette communauté. Quiconque donc désormais
poursuit la permission de posséder quelque héritage ou
de jouir autrement de quelque partie de terre annexée,
et soumise au gouvernement de cette société, doit
prendre ce bien-là sous la condition sous laquelle il se

trouve, qui est d'être soumis au gouvernement de cette société, sous la juridiction de laquelle il est autant que puisse être aucun sujet du même gouvernement.

121. Mais si le gouvernement n'a de juridiction directe que sur les terres, et sur les possesseurs considérés précisément comme possesseurs, c'est-à-dire, comme des gens qui possèdent des biens et habitent dans une société, mais qui ne s'y sont pas encore incorporés ; l'obligation où ils sont, en vertu des biens qu'ils possèdent, *de se soumettre au gouvernement qui y est établi, commence et finit avec la jouissance de ces biens.* Tellement que toutes les fois que des propriétaires de cette nature, qui n'ont donné qu'un *consentement tacite* au gouvernement, veulent, par donation, par vente ou autrement, quitter leurs possessions, ils sont en liberté de s'incorporer dans une autre communauté ; ou de convenir avec d'autres pour en ériger une nouvelle, *in vacuis locis*, en quelque endroit du monde qui soit libre et sans possesseur. Mais si un homme a, par un accord actuel et par une *déclaration expresse*, donné son consentement pour être de quelque société[a], il est perpétuellement et indispensablement obligé d'en être, et y doit être constamment soumis toute sa vie, et ne peut rentrer dans l'*état de nature* ; à moins que, par quelque calamité, le gouvernement ne vînt à se dissoudre.

122. Mais se soumettre aux lois d'un pays, vivre paisiblement, et jouir des privilèges et de la protection de ce pays, sont des circonstances qui *ne rendent point un homme membre de la société qui y est établie* : ce n'est qu'une protection locale, et qu'un hommage local, qui doivent se trouver entre des gens qui ne sont point en état de guerre. Mais cela ne rend pas plus un homme membre et sujet perpétuel d'une société, qu'un autre le serait de quelqu'un dans la famille duquel il trouverait bon de demeurer quelque temps, encore que pendant qu'il continuerait à y être, il fût obligé de se conformer aux règlements qu'on y suivrait. Aussi voyons-nous que les étrangers, qui passent toute leur vie dans d'autres

a. *Commonwealth.*

États que ceux dont ils sont sujets, et jouissent des privilèges et de la protection qu'on y accorde; quoiqu'ils soient tenus, même en conscience, de se soumettre à l'administration qui y est établie, ne deviennent point néanmoins par là sujets ou membres de ces États. Rien ne peut rendre un homme membre d'une société, qu'une entrée actuelle, qu'un engagement positif, que des promesses et des conventions expresses. Or, voilà ce que je pense touchant le commencement des sociétés politiques, et touchant *ce consentement qui rend quelqu'un membre d'une société politique*.

CHAPITRE IX

Des fins de la Société politique et du Gouvernement

123. Si l'homme, dans l'*état de nature*, est aussi *libre* que j'ai dit, s'il est le seigneur absolu de sa personne et de ses possessions, égal au plus grand et sujet à personne; pourquoi se dépouille-t-il de sa liberté et de cet empire, pourquoi se soumet-il à la domination et à l'inspection de quelque autre pouvoir? Il est aisé de répondre, qu'encore que, dans l'*état de nature*, l'homme ait un droit, tel que nous avons posé, la jouissance de ce droit est pourtant fort incertaine et exposée sans cesse à l'invasion d'autrui. Car, tous les hommes étant Rois, tous étant égaux et la plupart peu exacts observateurs de l'équité et de la justice, la jouissance d'un bien propre, dans cet état, est mal assurée, et ne peut guère être tranquille. C'est ce qui oblige les hommes de quitter cette condition, laquelle, quelque libre qu'elle soit, est pleine de crainte, et exposée à de continuels dangers, et cela fait voir que ce n'est pas sans raison qu'ils recherchent la société, et qu'ils souhaitent de se joindre avec d'autres qui sont déjà unis ou qui ont dessein de

s'unir et de composer un corps, pour la conservation mutuelle de leurs vies, de leurs *libertés* et de leurs biens ; choses que j'appelle, d'un nom général, *propriétés*.

124. C'est pourquoi, la plus grande et la principale fin que se proposent les hommes, lorsqu'ils s'unissent en communauté et se soumettent à un gouvernement, c'est de *conserver leurs propriétés*, pour la conservation desquelles bien des choses manquent dans l'*état de nature*.

Premièrement, il y manque des lois établies, connues, reçues et approuvées d'un commun consentement, qui soient comme l'étendard du droit et du tort, de la justice et de l'injustice, et comme une commune mesure capable de terminer les différents qui s'élèveraient. Car bien que les lois de la *nature* soient claires et intelligibles à toutes les créatures raisonnables ; cependant, les hommes étant poussés par l'intérêt aussi bien qu'ignorants à l'égard de ces lois, faute de les étudier, ils ne sont guère disposés, lorsqu'il s'agit de quelque cas particulier qui les concerne, à considérer les lois de la *nature*, comme des choses qu'ils sont très étroitement obligés d'observer.

125. *En second lieu, dans l'état de nature*, il manque un juge reconnu, qui ne soit pas partial, et qui ait l'autorité de terminer tous les différends, conformément aux lois établies. Car, dans cet état-là, chacun étant juge et revêtu du pouvoir de faire exécuter les lois de la *nature*, et d'en punir les infracteurs, et les hommes étant partiaux, principalement lorsqu'il s'agit d'eux-mêmes et de leurs intérêts, la passion et la vengeance sont fort propres à les porter bien loin, à les jeter dans de funestes extrémités et à leur faire commettre bien des injustices ; ils sont fort ardents lorsqu'il s'agit de ce qui les regarde, mais fort négligents et fort froids, lorsqu'il s'agit de ce qui concerne les autres : ce qui est la source d'une infinité d'injustices et de désordres.

126. *En troisième lieu, dans l'état de nature*, il manque ordinairement un pouvoir qui soit capable d'appuyer et de soutenir une sentence donnée, et de l'exécuter. Ceux qui ont commis quelque crime, emploient d'abord,

lorsqu'ils peuvent, la force pour soutenir leur injustice ; et la résistance qu'ils font rend quelquefois la punition dangereuse, et mortelle même à ceux qui entreprennent de la faire.

127. Ainsi, les hommes, nonobstant tous les privilèges de l'*état de nature*, ne laissant pas d'être dans une fort fâcheuse condition tandis qu'ils demeurent dans cet état-là, sont vivement poussés à vivre en société. De là vient que nous voyons rarement qu'un certain nombre de gens vivent quelque temps ensemble, en cet état. Les inconvénients auxquels ils s'y trouvent exposés, par l'exercice irrégulier et incertain du pouvoir que chacun a de punir les crimes des autres, les contraignent de chercher dans les lois établies d'un gouvernement, *un asile et la conservation de leurs propriétés*. C'est cela, c'est cela précisément, qui porte chacun à se défaire de si bon cœur du pouvoir qu'il a de punir, à en commettre l'exercice à celui qui a été élu et destiné pour l'exercer, et à se soumettre à ces règlements que la communauté ou ceux qui ont été autorisés par elle, auront trouvé bon de faire. Et voilà proprement *le droit original et la source, et du pouvoir législatif et du pouvoir exécutif*, aussi bien que des sociétés et des gouvernements mêmes.

128. Car, dans l'*état de nature*, un homme, outre la *liberté* de jouir des plaisirs innocents, a deux sortes de pouvoirs.

Le premier est de faire tout ce qu'il trouve à propos pour sa conservation, et pour la conservation des autres, suivant l'esprit et la permission des *lois de la nature*, par lesquelles lois, communes à tous, lui et les autres hommes font une communauté, composent une société qui les distingue du reste des créatures ; et si ce n'était la corruption des gens dépravés, on n'aurait besoin d'aucune autre société, il ne serait point nécessaire que les hommes se séparassent et abandonnassent la communauté naturelle pour en composer de plus petites.

L'autre pouvoir qu'un homme a dans l'*état de nature*, c'est de *punir les crimes commis contre les lois*. Or, il se dépouille de l'un et de l'autre, lorsqu'il se joint à une société particulière et politique, lorsqu'il s'incorpore dans une communauté distincte de celle du reste du genre humain.

129. Le premier pouvoir, qui est de *faire tout ce qu'on juge à propos pour sa propre conservation et pour la conservation du reste des hommes*, on s'en dépouille, afin qu'il soit réglé et administré par les lois de la société, de la manière que la conservation de celui qui vient à s'en dépouiller, et de tous les autres membres de cette société le requiert : et ces lois de la société resserrent en plusieurs choses la *liberté* qu'on a par les lois de la *nature*.

130. On se défait aussi de l'autre *pouvoir*, qui consiste à *punir*, et l'on engage toute sa force naturelle qu'on pouvait auparavant employer, de son autorité seule, pour faire exécuter les lois de la *nature*, comme on le trouvait bon : on se dépouille, dis-je, de ce second pouvoir, et de cette force naturelle, pour assister et fortifier le pouvoir exécutif d'une société, selon que ses lois le demandent. Car un homme, étant alors dans un nouvel état, dans lequel il jouit des commodités et des avantages du travail, de l'assistance et de la société des autres qui sont dans la même communauté, aussi bien que de la protection de l'entière puissance du corps politique, est obligé de se dépouiller de la *liberté naturelle* qu'il avait de songer et pourvoir à lui-même ; oui, il est obligé de s'en dépouiller, autant que le bien, la prospérité, et la sûreté de la société à laquelle il s'est joint le requièrent : cela est non seulement nécessaire, mais juste, puisque les autres membres de la société font la même chose.

131. Cependant, quoique ceux qui entrent dans une société, remettent l'*égalité*, la *liberté*, et le *pouvoir* qu'ils avaient dans l'*état de nature*, entre les mains de la société, afin que l'*autorité législative* en dispose de la manière qu'elle trouvera bon, et que le bien de la société requerra ; ces gens-là, néanmoins, en remettant ainsi leurs *privilèges naturels*, n'ayant d'autre intention que de pouvoir mieux conserver leurs personnes, leurs libertés, leurs propriétés (car, enfin, on ne saurait

supposer que des créatures raisonnables changent leur condition, dans l'intention d'en avoir une plus mauvaise), le pouvoir de la société ou de l'*autorité législative* établie par eux, ne peut jamais être supposé devoir *s'étendre plus loin que le bien public ne le demande*. Ce pouvoir doit se réduire à mettre en sûreté et à conserver les propriétés de chacun, en remédiant aux trois défauts, dont il a été fait mention ci-dessus, et qui rendaient l'*état de nature* si dangereux et si incommode. Ainsi, qui que ce soit qui a le pouvoir législatif ou souverain d'une communauté, est obligé de gouverner suivant les lois établies et connues du peuple, non par des décrets arbitraires et formés sur-le-champ ; d'établir des Juges désintéressés et équitables qui décident les différends par ces lois ; d'employer les forces de la communauté au-dedans, seulement pour faire exécuter ces lois, ou au-dehors pour prévenir ou réprimer les injures étrangères, mettre la communauté à couvert des courses et des invasions ; et en tout cela de ne se proposer d'autre fin que la *tranquillité, la sûreté, le bien du peuple*.

CHAPITRE X

Des diverses formes de Sociétés politiques[a]

132. Le *plus grand nombre*[b], comme il a déjà été prouvé, ayant, parmi ceux qui sont unis en société, le pouvoir entier du corps politique, peut employer ce pouvoir à faire des lois, de temps en temps, pour la communauté, et à faire exécuter ces lois par des officiers destinés à cela par ce *plus grand nombre*, et alors la forme du gouvernement est une véritable *démocratie*. Il peut

a. *Forms of a Commonwealth.*
b. *The majority.*

aussi remettre entre les mains de peu de personnes choisies, et de leurs héritiers ou successeurs, le pouvoir de faire des lois ; alors c'est une *oligarchie ;* ou le remettre entre les mains d'un seul, et c'est une *monarchie.* Si le pouvoir est remis entre les mains d'un seul et de ses héritiers, c'est une *monarchie héréditaire ;* s'il lui est commis seulement à vie, et à condition qu'après sa mort le pouvoir retournera à ceux qui le lui ont confié, et qu'ils lui nommeront un successeur : c'est une *monarchie élective.* Toute société qui se forme a la liberté d'établir un gouvernement tel qu'il lui plaît, de le combiner et de le mêler des différentes sortes que nous venons de marquer, comme elle juge à propos. Que si le pouvoir législatif a été donné par *le plus grand nombre*, à une personne ou à plusieurs, seulement à vie, ou pour un temps autrement limité ; quand ce temps-là est fini, le pouvoir souverain retourne à la société ; et quand il y est retourné de cette manière, la société en peut disposer comme il lui plaît, et le remettre entre les mains de ceux qu'elle trouve bon, et ainsi établir une nouvelle forme de gouvernement.

133. Par une communauté ou un État[1], il ne faut donc point entendre, ni une démocratie, ni aucune autre forme précise de gouvernement, mais bien en général une société indépendante, que les Latins ont très bien désignée par le mot *civitas*, et qu'aucun mot de notre langue ne saurait mieux exprimer que celui d'*État*[2].

a. *Commonwealth* ; le mot est parfois traduit par *République, Res publica.*

b. Le traducteur a sauté ici une phrase :
« and Therefore, to avoid ambiguity, I crave leave to use the word "*Commonwealth*" in that sense, in which sense I find the word used by King James himself, Which I think to be its genuine signification, which, if anybody dislike, I consent with him to change it for a better. »
Nous traduisons :
« Aussi bien, afin d'éviter toute ambiguïté, proposé-je d'employer le mot *État* en ce sens, qui est celui auquel se réfère le Roi Jacques Ier lui-même et qui en est, je pense, l'acception exacte ; si quelqu'un n'est point d'accord là-dessus, je consens à le remplacer par un terme meilleur. »

CHAPITRE XI

De l'étendue du Pouvoir législatif

134. La grande fin que se proposent ceux qui entrent dans une société, étant de jouir de leurs propriétés, en sûreté et en repos; et le meilleur moyen qu'on puisse employer, par rapport à cette fin, étant d'établir des lois dans cette société, *la première et fondamentale loi positive de* tous les États, *c'est celle qui établit le pouvoir législatif*, lequel, aussi bien que les lois fondamentales de la *nature*, doit tendre à *conserver la société*; et, autant que le bien public le peut permettre, chaque membre et chaque personne qui la compose. Ce pouvoir législatif n'est pas seulement le *suprême pouvoir* de l'État, mais encore est sacré, et ne peut être ravi à ceux à qui il a été une fois remis. Il n'y a point d'édit, de qui que ce soit, et de quelque manière qu'il soit conçu, ou par quelque pouvoir qu'il soit appuyé, qui soit légitime et ait force de loi, s'il n'a été fait et donné par cette *autorité législative*, que la société a choisie et établie; sans cela, une loi ne saurait avoir ce qui est absolument nécessaire à une loi[1]; savoir, *le consentement de la société*, à laquelle

---

C'est par le terme *État* que le traducteur David Mazel a, le plus souvent, rendu le vocable *Commonwealth* utilisé par Locke.

1. « Le pouvoir de faire des lois et de les proposer pour être observées, à toute une société politique, appartenant si parfaitement à toute la même société, si un Prince ou un Potentat, quel qu'il soit sur la terre, exerce ce pouvoir de lui-même, sans une commission expresse, reçue immédiatement et personnellement de Dieu, ou bien par l'autorité dérivée du consentement de ceux à qui il impose des lois, ce n'est autre chose qu'une pure tyrannie. Il n'y a de lois légitimes que celles qui l'approbation publique a rendues telles. C'est pourquoi nous remarquerons sur ce sujet que, puisqu'il n'y a personne qui ait naturellement un plein et parfait pouvoir de commander toute une multitude politique de gens; nous pouvons, si nous n'avons point donné notre consentement, demeurer libres et sans être soumis au commandement d'aucun homme qui vive. Mais nous consentons de recevoir des ordres, lorsque cette société, dont nous sommes membres, a donné son consentement quelque temps auparavant, sans l'avoir révoqué quelque temps après par un semblable accord universel. Les lois humaines donc, de quelque nature qu'elles soient, sont valables par le consentement. » *Hooker, Eccl. Pol., lib.* I, § 10.

nul n'est en droit de proposer des lois à observer qu'en vertu du consentement de cette société, et en conséquence du pouvoir qu'il a reçu d'elle. C'est pourquoi toute la plus grande obligation où l'on puisse être de témoigner de l'*obéissance*, n'est fondée que sur ce *pouvoir suprême* qui a été remis à certaines personnes, et sur ces lois qui ont été faites par ce pouvoir. De même, aucun serment prêté à un pouvoir étranger, quel qu'il soit, ni aucun pouvoir domestique ou subordonné, ne peuvent décharger aucun membre de l'État de l'obéissance qui est due au pouvoir législatif, qui agit conformément à l'autorité qui lui a été donnée, ni l'obliger à faire aucune démarche contraire à ce que les lois prescrivent, étant ridicule de s'imaginer que quelqu'un pût être obligé, en dernier ressort, d'obéir au pouvoir d'une société, lequel ne serait pas suprême.

135. Quoique le *pouvoir législatif* (soit qu'on l'ait remis à une seule personne ou à plusieurs, pour toujours, ou seulement pour un temps et par intervalles) soit le *suprême pouvoir* d'un État ; cependant, il n'est premièrement, et ne peut être absolument arbitraire sur la vie et les biens du peuple. Car, ce pouvoir n'étant autre chose que le pouvoir de chaque membre de la société, remis à cette personne ou à cette assemblée, qui est le législateur, ne saurait être plus grand que celui que toutes ces différentes personnes avaient dans l'*état de nature*, avant qu'ils entrassent en société, et eussent remis leur pouvoir à la communauté qu'ils formèrent ensuite. Car, enfin, personne ne peut conférer à un autre plus de pouvoir qu'il n'en a lui-même : or, personne n'a un pouvoir absolu et arbitraire sur soi-même, ou sur un autre, pour s'ôter la vie, ou pour la ravir à qui que ce soit, ou lui ravir aucun bien qu'il lui appartienne en propre. Un homme, ainsi qu'il a été prouvé, ne peut se soumettre au pouvoir arbitraire d'un autre ; et, dans l'*état de nature*, n'ayant point un pouvoir arbitraire sur la vie, sur la liberté, ou sur les possessions d'autrui, mais son pouvoir s'étendant seulement jusqu'où les lois de la *nature* le lui permettent, pour la conservation de sa personne, et pour la conservation du

reste du genre humain ; c'est tout ce qu'il donne et qu'il peut donner à une société, et, par ce moyen, au *pouvoir législatif* ; en sorte que le *pouvoir législatif* ne saurait s'étendre plus loin. Selon sa véritable nature et ses véritables engagements, il doit se terminer au bien public de la société. C'est un pouvoir qui n'a pour fin que la conservation, et qui, par conséquent, ne saurait jamais avoir droit de détruire, de rendre esclave, ou d'appauvrir, à dessein, aucun sujet*. Les obligations des lois de la *nature* ne cessent point dans la société ; elles y deviennent même plus fortes en plusieurs cas ; et les peines qui y sont annexées pour contraindre les hommes à les observer, sont encore mieux connues par le moyen des lois humaines. Ainsi, les lois de la *nature* subsistent toujours comme des règles éternelles pour tous les hommes, pour les législateurs, aussi bien que pour les autres. S'ils font des lois pour régler les actions des membres de l'État, elles doivent être aussi faites pour les leurs propres, et doivent être conformes à celles de la *nature*, c'est-à-dire, à la volonté de Dieu, dont elles sont la déclaration ; et la loi fondamentale de la *nature* ayant pour objet la conservation du genre humain ; il n'y a aucun décret humain qui puisse être bon et valable, lorsqu'il est contraire à cette loi.

136. En second lieu, l'*autorité législative* ou suprême, n'a point droit d'agir par des décrets arbitraires, et formés sur-le-champ, mais est tenue de dispenser la justice, et de décider des droits des sujets par les lois publiées et établies, et par des juges connus et autorisés**. Car, les lois de la nature n'étant point écrites, et par conséquent ne pouvant se trouver que dans le cœur des hommes, il peut arriver que, par passion, ou par intérêt, ils en fassent un très mauvais usage, les expliquent et les appliquent mal, et qu'il soit difficile de les convaincre de leur erreur et de leur injustice, s'il n'y a point de juges établis ; et, par ce moyen, le droit de chacun ne saurait être déterminé comme il faut, ni les

---

* Voyez Hooker, *Eccl. Pol.*, lib. 1, § 10.
** Voyez Hooker, *Eccl. Pol.*, lib. 3, § 9, et lib. 1, § 10.

propriétés être mises à couvert de la violence, chacun se trouvant alors juge, interprète et exécuteur dans sa propre cause. Celui qui a le droit de son côté, n'ayant d'ordinaire à employer que son seul pouvoir, n'a pas assez de force pour se défendre contre les injures, ou pour punir les malfaiteurs. Afin de remédier à ces inconvénients, qui causent bien du désordre dans les propriétés des particuliers, dans l'*état de nature*, les hommes s'unissent en société, afin qu'étant ainsi unis, ils aient plus de force et emploient toute celle de la société pour mettre en sûreté et défendre ce qui leur appartient en propre, et puissent avoir des lois stables, par lesquelles les biens propres soient déterminés, et que chacun reconnaissance ce qui est sien. C'est pour cette fin que les hommes remettent à la société dans laquelle ils entrent, tout leur *pouvoir naturel*, et que la communauté remet le *pouvoir législatif* entre les mains de ceux qu'elle juge à propos, dans l'assurance qu'ils gouverneront par les lois établies et publiées : autrement, la paix, le repos et les biens de chacun seraient toujours dans la même incertitude et dans les mêmes dangers qu'ils étaient dans l'*état de nature*.

137. Un pouvoir arbitraire et absolu, et un gouvernement sans lois établies et stables, ne saurait s'accorder avec les *fins* de la société et du gouvernement. En effet, les hommes quitteraient-ils la liberté de l'*état de nature* pour se soumettre à un gouvernement dans lequel leurs vies, leurs libertés, leur repos, leurs biens ne seraient point en sûreté ? On ne saurait supposer qu'ils aient l'intention, ni même le droit de donner à un homme, ou à plusieurs, un pouvoir absolu et arbitraire sur leurs personnes et sur leurs biens, et de permettre au magistrat ou au prince, de faire, à leur égard, tout ce qu'il voudra, par une volonté arbitraire et sans bornes ; ce serait assurément se mettre dans une condition beaucoup plus mauvaise que n'est celle de l'*état de nature*, dans lequel on a la liberté de défendre son droit contre les injures d'autrui, et de se maintenir, si l'on a assez de force, contre l'invasion d'un homme, ou de plusieurs joints ensemble. En effet, supposant qu'on se

soit livré au pouvoir absolu et à la volonté arbitraire
d'un législateur, on s'est désarmé soi-même, et on a
armé ce législateur, afin que ceux qui lui sont soumis,
deviennent sa proie, et soient traités comme il lui plaira.
Celui-là est dans une condition bien plus fâcheuse, qui
est exposé au pouvoir arbitraire d'un seul homme, qui
en commande 100 000, que celui qui est exposé au
pouvoir arbitraire de 100 000 hommes particuliers,
personne ne pouvant s'assurer que ce seul homme, qui
a un tel commandement, ait meilleure volonté que
n'ont ces autres, quoique sa force et sa puissance soit
cent mille fois plus grande. Donc, dans tous les États, le
pouvoir de ceux qui gouvernent doit être exercé selon
des lois publiées et reçues, non par des arrêts faits
sur-le-champ, et par des résolutions arbitraires : car
autrement, on se trouverait dans un plus triste et plus
dangereux état que n'est l'*état de nature*, si l'on avait
armé du pouvoir réuni de toute une multitude, une
personne, ou un certain nombre de personnes, afin
qu'elles se fissent obéir selon leur plaisir, sans garder
aucunes bornes, et conformément aux décrets arbitraires de la première pensée qui leur viendrait, sans
avoir jusqu'alors donné à connaître leur volonté, ni
observé aucunes règles qui pussent justifier leurs
actions. Tout le pouvoir d'un gouvernement n'étant
établi que pour le bien de la société, comme il ne
saurait, par cette raison, être arbitraire et être exercé
suivant le *bon plaisir*, aussi doit-il être exercé suivant les
lois établies et connues ; en sorte que le peuple puisse
connaître son devoir, et être en sûreté à l'ombre de ces
lois ; et qu'en même temps les gouverneurs se tiennent
dans de justes bornes, et ne soient point tentés
d'employer le pouvoir qu'ils ont entre les mains, pour
suivre leurs passions et leurs intérêts, pour faire des
choses inconnues et désavantageuses à la société politique, et qu'elle n'aurait garde d'approuver.

138. En troisième lieu, la suprême puissance n'a
point le droit de se saisir d'aucune partie des biens
propres d'un particulier, sans son consentement. Car,
la conservation de ce qui appartient en propre à chacun

étant la fin du gouvernement, et ce qui engage à entrer en société ; ceci suppose nécessairement que les biens propres du peuple doivent être sacrés et inviolables : ou il faudrait supposer que des gens entrant dans une société auraient par là perdu leur droit à ces sortes de biens, quoiqu'ils y fussent entrés dans la vue d'en pouvoir jouir avec plus de sûreté et plus commodément. L'absurdité est si grande, qu'il n'y a personne qui ne la sente. Les hommes donc, possédant, dans la société, les choses qui appartiennent en propre, ont un si grand droit sur ces choses, qui, par les lois de la communauté, deviennent leurs, que personne ne peut les prendre, ou toutes, ou une partie, sans leur consentement. En sorte que si quelqu'un pouvait s'en saisir, dès lors ce ne seraient plus des biens propres. Car, à dire vrai, je ne suis pas le propriétaire de ce qu'un autre est en droit de me prendre quand il lui plaira, contre mon consentement. C'est pourquoi, c'est une erreur que de croire que le pouvoir suprême ou législatif d'un État puisse faire ce qu'il veut, et disposer des biens des sujets d'une manière arbitraire, ou se saisir d'une partie de ces biens, comme il lui plaît. Cela n'est pas fort à craindre dans les gouvernements où le pouvoir législatif réside entièrement, ou en partie, dans des assemblées qui ne sont pas toujours sur pied, mais composées des mêmes personnes, et dont les membres, après que l'assemblée a été séparée et dissoute, sont sujets aux lois communes de leur pays, tout de même que le reste des citoyens. Mais dans les gouvernements, où l'autorité législative réside dans une assemblée stable, ou dans un homme seul, comme dans les monarchies absolues, il y a toujours à craindre que cette assemblée, ou ce monarque, ne veuille avoir des intérêts à part et séparés de ceux du reste de la communauté ; et qu'ainsi il ne soit disposé à augmenter ses richesses et son pouvoir, en prenant au peuple ce qu'il trouvera bon. Ainsi, dans ces sortes de gouvernements, les biens propres ne sont guère en sûreté. Car, ce qui appartient en propre à un homme, n'est guère sûr, encore qu'il soit dans un État où il y a de très bonnes lois capables de terminer, d'une

manière juste et équitable, les procès qui peuvent
s'élever entre les sujets; si celui qui gouverne ces
sujets-là, a le pouvoir de prendre à un particulier de ce
qui lui appartient en propre, ce qu'il lui plaira, et de
s'en servir et en disposer comme il jugera à propos.

139. Mais le gouvernement, entre quelques mains
qu'il se trouve, étant, comme j'ai déjà dit, confié sous
cette condition, et *pour cette fin*, que chacun aura et
possédera en sûreté ce qui lui appartient en propre;
quelque pouvoir qu'aient ceux qui gouvernent, de faire
des lois pour régler les biens propres de tous les sujets,
et terminer entre eux toutes sortes de différends, ils
n'ont point droit de se saisir des biens propres d'aucun
d'eux, pas même de la moindre partie de ces biens,
contre le consentement du propriétaire. Car autrement,
ce serait ne leur laisser rien qui leur appartînt en
propre. Pour nous convaincre que le pouvoir absolu,
lors même qu'il est nécessaire de l'exercer, n'est pas
néanmoins arbitraire, mais demeure toujours limité par
la raison, et terminé par ces mêmes fins qui requièrent,
en certaines rencontres, qu'il soit absolu, nous n'avons
qu'à considérer ce qui se pratique dans la discipline
militaire. La conservation et le salut de l'armée et de
tout l'État demandent qu'on obéisse absolument aux
commandements des officiers supérieurs; et on punit
de mort ceux qui ne veulent pas obéir, quand même
celui qui leur donne quelque ordre serait le plus
fâcheux et le plus déraisonnable de tous les hommes; il
n'est pas même permis de contester; et si on le fait, on
peut être, avec justice, puni de mort; cependant, nous
voyons qu'un sergent, qui peut commander à un soldat
de marcher pour aller se mettre devant la bouche d'un
canon, ou pour se tenir sur une brèche, où ce soldat est
presque assuré de périr, ne peut lui commander de lui
donner un sol de son argent. Un général non plus, qui
peut condamner un soldat à la mort, pour avoir déserté,
pour avoir quitté un poste, pour n'avoir pas voulu
exécuter quelque ordre infiniment dangereux, pour
avoir désobéi tant soit peu, ne peut pourtant, avec tout
son pouvoir absolu de vie et de mort, disposer d'un

liard du bien de ce soldat, ni se saisir de la moindre partie de ce qui lui appartient en propre. La raison de cela, est que cette obéissance aveugle est nécessaire *pour la fin* pour laquelle un général ou un commandant a reçu un si grand pouvoir, c'est-à-dire, pour le salut et l'avantage de l'armée et de l'État ; et que disposer, d'une manière arbitraire, des biens et de l'argent des soldats, n'a nul rapport avec cette *fin*.

140. Il est vrai, d'un autre côté, que les gouvernements ne sauraient subsister sans de grandes dépenses, et par conséquent sans subsides, et qu'il est à propos que ceux qui ont leur part de la protection du gouvernement, paient quelque chose, et donnent à proportion de leurs biens, pour la défense et la conservation de l'État ; mais toujours faut-il avoir le consentement du *plus grand nombre* des membres de la société qui le donnent, ou bien par eux-mêmes immédiatement, ou bien par ceux qui les représentent et qui ont été choisis par eux. Car, si quelqu'un prétendait avoir le pouvoir d'imposer et de lever des taxes sur le peuple, de sa propre autorité, et sans le consentement du peuple, il violerait la loi fondamentale de la *propriété des choses*, et détruirait la *fin* du gouvernement. En effet, comment me peut appartenir en propre ce qu'un autre a droit de me prendre lorsqu'il lui plaira ?

141. En quatrième lieu, l'*autorité législative ne peut remettre en d'autres mains le pouvoir de faire des lois*. Car, cette autorité n'étant qu'une autorité confiée par le peuple, ceux qui l'ont reçue n'ont pas droit de la remettre à d'autres. Le peuple seul peut établir la forme de l'État, c'est-à-dire faire résider le *pouvoir législatif* dans les personnes qu'il lui plaît, et de la manière qu'il lui plaît. Et quand le peuple a dit, *nous voulons être soumis aux lois de tels hommes*, et en telle manière, aucune autre personne n'est en droit de proposer à ce peuple des lois à observer, puisqu'il n'est tenu de se conformer qu'aux règlements faits par ceux qu'il a choisis et autorisés pour cela.

142. Ce sont là les bornes et les restrictions que la confiance qu'une société a prise en ceux qui gou-

vernent, et les lois de *Dieu* et de la *nature* ont mises au *pouvoir législatif* de chaque État, quelque forme de gouvernement qui y soit établie. La première restriction est *qu'ils gouverneront selon les lois établies et publiées, non par des lois muables et variables, suivant les cas particuliers ; qu'il y aura les mêmes règlements pour le riche et pour le pauvre, pour le favori et le courtisan, et pour le bourgeois et le laboureur.* La seconde, *que ces lois et ces règlements ne doivent tendre qu'au bien public.* La troisième, *qu'on n'imposera point de taxes sur les biens propres du peuple, sans son consentement, donné immédiatement par lui-même ou par ses députés.* Cela regarde proprement et uniquement ces sortes de gouvernements, dans lesquels le *pouvoir législatif* subsiste toujours et est sur pied sans nulle discontinuation, ou dans lesquels du moins le peuple n'a réservé aucune partie de ce pouvoir aux députés, qui peuvent être élus, de temps en temps, par lui-même. En quatrième lieu, *que le pouvoir législatif ne doit conférer, à qui que ce soit, le pouvoir de faire des lois ; ce pouvoir ne pouvant résider de droit que là où le peuple l'a établi.*

CHAPITRE XII

Du Pouvoir législatif, exécutif et fédératif d'un État

143. Le *pouvoir législatif* est celui qui a droit *de régler comment les forces d'un État peuvent être employées pour la conservation de la communauté et de ses membres.* Mais parce que ces lois, qui doivent être constamment exécutées, et dont la vertu doit toujours subsister, peuvent être faites en peu de temps, il n'est pas nécessaire que le *pouvoir législatif* soit toujours sur pied, n'ayant pas toujours des affaires qui l'occupent. Et comme ce pourrait être une grande tentation pour la fragilité humaine, et pour ces personnes qui ont le pouvoir de

faire des lois, d'avoir aussi entre leurs mains le pouvoir de les faire exécuter, dont elles pourraient se servir pour s'exempter elles-mêmes de l'obéissance due à ces lois qu'elles auraient faites, et être portées à ne se proposer, soit en les faisant, soit lorsqu'il s'agirait de les exécuter, que leur propre avantage, et à avoir des intérêts distincts et séparés des intérêts du reste de la communauté, et contraires à la fin de la société et du gouvernement : c'est, pour cette raison, que dans les États bien réglés, où le bien public est considéré comme il doit être, le *pouvoir législatif* est remis entre les mains de diverses personnes, qui dûment assemblées, ont elles seules, ou conjointement avec d'autres, le pouvoir de faire des lois, auxquelles, après qu'elles les ont faites et qu'elles se sont séparées, elles sont elles-mêmes sujettes ; ce qui est un motif nouveau et bien fort pour les engager à ne faire de lois que pour le *bien public*.

144. Mais parce que les lois qui sont une fois et en peu de temps faites, ont une vertu constante et durable, qui oblige à les observer et à s'y soumettre continuellement, il est nécessaire qu'il y ait toujours quelque puissance sur pied qui fasse exécuter ces lois, et qui conserve toute leur force : et c'est ainsi que le *pouvoir législatif*, et le *pouvoir exécutif*, se trouvent souvent séparés.

145. Il y a un autre pouvoir dans chaque société, qu'on peut appeler *naturel*, à cause qu'il répond au pouvoir que chaque homme a naturellement avant qu'il entre en société. Car, quoique dans un État les membres soient des personnes distinctes qui ont toujours une certaine relation de l'une à l'autre, et qui, comme telles, sont gouvernées par les lois de leur société, dans cette relation pourtant qu'elles ont avec le reste du genre humain, elles composent un corps, qui est toujours, ainsi que chaque membre l'était auparavant, dans l'*état de nature*, tellement que les différends qui arrivent entre un homme d'une société, et ceux qui n'en sont point, doivent intéresser cette société-là, et une injure faite à un membre d'un corps politique engage tout le corps à en demander réparation. Ainsi,

toute communauté est un corps qui est dans l'*état de nature*, par rapport aux autres États, ou aux personnes qui sont membres d'autres communautés.

146. C'est sur ce principe qu'est fondé le droit de la *guerre* et de la *paix*, des *ligues*, des *alliances*, de tous les *traités* qui peuvent être faits avec toutes sortes de communautés et d'États. Ce droit peut être appelé, si l'on veut, droit ou *pouvoir fédératif* : pourvu qu'on entende la chose, il est assez indifférent de quel mot on se serve pour l'exprimer.

147. Ces deux pouvoirs, le *pouvoir exécutif*, et le *pouvoir fédératif*, encore qu'ils soient réellement distincts en eux-mêmes, l'un comprenant l'exécution des lois positives de l'État, de laquelle on prend soin au-dedans de la société ; l'autre, les soins qu'on prend, et certaine adresse dont on use pour ménager les *intérêts de l'État*, au regard des gens de dehors et des autres sociétés ; cependant, ils ne laissent pas d'être presque toujours joints. Pour ce qui regarde en particulier le *pouvoir fédératif*, ce pouvoir, soit qu'il soit bien ou mal exercé, est d'une grande conséquence à un État ; mais il est pourtant moins capable de se conformer à des lois antécédentes, stables et positives, que n'est le *pouvoir exécutif* ; et, par cette raison, il doit être laissé à la prudence et à la sagesse de ceux qui en ont été revêtus, afin qu'ils le ménagent pour le *bien public*. En effet, les lois qui concernent les sujets entre eux, étant destinées à régler leurs actions, doivent précéder ces actions-là : mais qu'y a-t-il à faire de semblable à l'égard des étrangers, sur les actions desquels on ne saurait compter ni prétendre avoir aucune juridiction ? Leurs sentiments, leurs desseins, leurs vues, leurs intérêts peuvent varier ; et on est obligé de laisser la plus grande partie de ce qu'il y a à faire auprès d'eux, à la prudence de ceux à qui l'on a remis le *pouvoir fédératif*, afin qu'ils emploient ce pouvoir, et ménagent les choses avec le plus de soin pour l'avantage de l'État.

148. Quoique, comme j'ai dit, le *pouvoir exécutif* et le *pouvoir fédératif* de chaque société soient réellement distincts en eux-mêmes, ils se séparent néanmoins mal

aisément, et on ne les voit guère résider, en un même temps, dans des personnes différentes. Car l'un et l'autre requérant, pour être exercés, les forces de la société, il est presque impossible de remettre les forces d'un État à différentes personnes qui ne soient pas subordonnées les unes aux autres. Que si le *pouvoir exécutif*, et le *pouvoir fédératif*, sont remis entre les mains de personnes qui agissent séparément, les forces du corps politique seront sous de différents commandements ; ce qui ne pourrait qu'attirer, tôt ou tard, des malheurs et la ruine à un État.

CHAPITRE XIII

De la subordination des Pouvoirs de l'État

149. Dans un État formé, qui subsiste, et se soutient, en demeurant appuyé sur les fondements, et qui agit conformément à sa nature, c'est-à-dire, par rapport à la conservation de la société, il n'y a qu'un pouvoir suprême, qui est le *pouvoir législatif*, auquel tous les autres doivent être subordonnés ; mais cela n'empêche pas que le *pouvoir législatif* ayant été confié, afin que ceux qui l'administreraient agissent pour certaines *fins*, le peuple ne se réserve toujours le pouvoir souverain d'abolir le gouvernement ou de le changer, lorsqu'il voit que les conducteurs, en qui il avait mis tant de confiance, agissent d'une manière contraire à la *fin* pour laquelle ils avaient été revêtus d'autorité. Car tout le pouvoir qui est donné et confié en vue d'une *fin*, étant limité par cette *fin*-là, dès que cette *fin* vient à être négligée par les personnes qui ont reçu le pouvoir dont nous parlons, et qu'ils font des choses qui y sont directement opposées ; la confiance qu'on avait mise en eux doit nécessairement cesser et l'autorité qui leur avait été remise est dévolue au peuple, qui peut la

placer de nouveau où il jugera à propos, pour sa sûreté et pour son avantage. Ainsi, le peuple garde toujours le *pouvoir souverain* de se délivrer des entreprises de toutes sortes de personnes, même de ses *législateurs*, s'ils venaient à être assez fous ou assez méchants, pour former des desseins contre les *libertés* et les propriété des sujets. En effet, personne, ni aucune société d'hommes, ne pouvant remettre sa conservation, et conséquemment tous les moyens qui la procurent, à la volonté absolue et à la domination arbitraire de quelqu'un, quand même quelqu'un en aurait réduit d'autres à la triste condition de l'esclavage, ils seraient toujours en droit de maintenir et conserver ce dont ils n'auraient point droit de se départir ; et étant entrés en société dans la vue de pouvoir mieux conserver leurs personnes, et tout ce qui leur appartient en propre, ils auraient bien raison de se délivrer de ceux qui viole-raient, qui renverseraient la loi fondamentale, sacrée et inviolable, sur laquelle serait appuyée *la conservation de leur vie et de leurs biens*. De sorte que le peuple doit être considéré, à cet égard, comme ayant toujours le *pouvoir souverain*, mais non toutefois comme exerçant toujours ce pouvoir ; car, il ne l'exerce pas, tandis que la forme de gouvernement qu'il a établie subsiste ; c'est seule-ment lorsqu'elle est renversée par l'infraction des lois fondamentales sur lesquelles elle était appuyée.

150. Dans toutes les causes, et dans toutes les occa-sions qui se présentent, le *pouvoir législatif* est le *pouvoir souverain*. Car ceux qui peuvent proposer des lois à d'autres doivent nécessairement leur être supérieurs : et puisque l'autorité législative n'est l'autorité législa-tive de la société politique que par le droit qu'elle a de faire des lois pour toutes les parties et pour tous les membres de la société, de prescrire des règlements pour leurs actions, et de donner le pouvoir de punir exem-plairement ceux qui les auraient enfreints, il est néces-saire que le *pouvoir législatif* soit souverain, et que tous les autres pouvoirs des différents membres de l'État dérivent de lui et lui soient subordonnés.

151. Dans quelques États où l'assemblée de ceux qui

ont le *pouvoir législatif* n'est pas toujours sur pied, et où une seule personne est revêtue du pouvoir *exécutif*, et a aussi sa part au *législatif*, cette personne peut être considérée, en quelque manière, comme *souveraine*. Elle est *souveraine*, non en tant qu'en elle seule réside tout le *pouvoir souverain* de faire des lois, mais premièrement, en tant qu'elle a en soi le *pouvoir souverain* de faire exécuter les lois ; et que de ce pouvoir dérivent tous les différents pouvoirs subordonnés des magistrats, du moins la plupart ; et en second lieu, en tant qu'il n'y a aucun *supérieur législatif* au-dessus d'elle, ni égal à elle, et que l'on ne peut faire aucune loi sans son consentement. Cependant, il faut observer encore que, quoique les serments de fidélité soient prêtés, ils ne lui sont pas prêtés comme au *législateur suprême*, mais comme à celui qui a le *pouvoir souverain* de faire exécuter les lois faites par lui, conjointement avec d'autres. La fidélité à laquelle on s'engage par les serments, n'étant autre chose que l'*obéissance* que l'on promet de rendre conformément aux lois, il s'ensuit que, quand il vient à violer et à mépriser ces lois, il n'a plus droit d'exiger de l'*obéissance* et de rien commander, à cause qu'il ne peut prétendre à cela qu'en tant qu'il est une personne publique, revêtue du pouvoir des lois, et qui n'a droit d'agir que selon la volonté de la société, qui est manifestée par les lois qui y sont établies. Tellement que dès qu'il cesse d'agir selon ces lois et la volonté de l'État, et qu'il suit sa volonté particulière, il se dégrade par là lui-même, et devient une personne privée, sans pouvoir et sans autorité

152. Le *pouvoir exécutif* remis à une seule personne, qui a sa part aussi du *pouvoir législatif*, est visiblement subordonné, et doit rendre compte à ce *pouvoir législatif*, lequel peut le changer et l'établir ailleurs, comme il trouvera bon : en sorte que le *pouvoir suprême exécutif* ne consiste pas à être exempt de subordination, mais bien en ce que ceux qui en sont revêtus, ayant leur part du *pouvoir législatif*, n'ont point au-dessus d'eux un *supérieur législatif distinct*, auquel ils soient subordonnés et tenus de rendre compte, qu'autant qu'ils se joignent à

lui, et lui donnent leur consentement, c'est-à-dire, autant qu'ils le jugent à propos ; ce qui, certainement, est une subordination bien petite. Quant aux autres pouvoirs subordonnés d'un État, il n'est pas nécessaire que nous en parlions. Comme ils sont multipliés en une infinité de manières, selon les différentes coutumes et les différentes constitutions des différents États, il est impossible d'entrer dans le détail de tous ces pouvoirs. Nous nous contenterons de dire, par rapport à notre sujet et à notre dessein, qu'aucun d'eux n'a aucune autorité qui doive s'étendre au-delà des bornes qui lui ont été prescrites par ceux qui l'ont donnée, et qu'ils sont tous obligés de rendre compte à quelque pouvoir de l'État.

153. Il n'est pas nécessaire, ni à propos, que le *pouvoir législatif* soit toujours sur pied ; mais il est absolument nécessaire que le *pouvoir exécutif* le soit, à cause qu'il n'est pas toujours nécessaire de faire des lois, mais qu'il l'est toujours de faire exécuter celles qui ont été faites. Lorsque l'*autorité législative* a remis entre les mains de quelqu'un le pouvoir de faire exécuter les lois, elle a toujours le droit de le reprendre des mêmes mains, s'il y en a un juste sujet, et de punir celui qui l'a administré mal, et d'une manière contraire aux lois. Ce que nous disons, par rapport au *pouvoir exécutif*, se doit pareillement entendre du *pouvoir fédératif :* l'un et l'autre sont subordonnés au *pouvoir législatif*, lequel, ainsi qu'il a été montré, est la *puissance suprême* de l'État. Au reste, nous supposons que l'autorité législative réside dans une assemblée et dans plusieurs personnes : car, si elle ne résidait que dans une seule personne, cette autorité ne pourrait qu'être sur pied perpétuellement ; et le *pouvoir exécutif* et le *pouvoir législatif* se trouveraient toujours ensemble. Nous entendons donc parler de plusieurs personnes qui peuvent s'assembler et exercer le *pouvoir législatif*, dans de certains temps prescrits, ou par la constitution originaire de cette assemblée, ou par son ajournement, ou bien dans un temps que ceux qui en sont membres auront choisi et marqué, s'ils n'ont point été ajournés,

pour aucun temps, ou s'il n'y a point d'autre voie, par laquelle ils puissent s'assembler. Car le pouvoir souverain leur ayant été remis par le peuple, ce pouvoir réside toujours en eux ; et ils sont en droit de l'exercer lorsqu'il leur plaît, à moins que par la constitution originaire de leur assemblée, certains temps aient été limités et marqués pour cela, ou que par un acte de leur *puissance suprême*, elle ait été ajournée pour un certain temps, dans lequel, dès qu'il est échu, ils ont droit de s'assembler, de délibérer, et d'agir.

154. Si ceux qui exercent le *pouvoir législatif*, lequel représente le pouvoir du peuple, ou une partie d'eux, ont été élus par le peuple, pour s'assembler dans le temps qu'ils ont fait ; et qu'ensuite ils retournent dans l'état ordinaire des sujets, et ne puissent plus avoir de part à l'autorité législative qu'en vertu d'une nouvelle élection : le pouvoir d'élire, en cette rencontre, doit être exercé par le peuple, soit dans de certains temps précis et destinés à cela, ou lorsqu'il en est sollicité et averti. Et, en ce dernier cas, le pouvoir de convoquer l'assemblée réside ordinairement dans le *pouvoir exécutif*, qui a une de ces deux limitations à l'égard du temps ; l'une, que la constitution originaire de l'assemblée demande qu'elle soit sur pied, et agisse de temps en temps et dans de certains temps précis ; et alors le *pouvoir exécutif* n'a autre chose à faire qu'à publier des ordres, afin qu'on élise les membres de l'assemblée, selon les formes accoutumées ; l'autre, qu'on a laissée à la prudence de ceux qui ont le *pouvoir exécutif*, de convoquer l'*assemblée* par une nouvelle élection, lorsque les conjonctures et les affaires publiques le requièrent, et qu'il est nécessaire de changer, réformer, abolir quelque chose de ce qui s'était fait et observé auparavant, ou de remédier à quelques inconvénients fâcheux, et de prévenir des malheurs qui menacent le peuple.

155. On peut demander ici, qu'est-ce qu'on devrait faire, si ceux qui sont revêtus du *pouvoir exécutif*, ayant entre les mains toutes les forces de l'État, se servaient de ces forces pour empêcher que ceux à qui appartient

le *pouvoir législatif*, ne s'assemblassent et n'agissent, lorsque la constitution originaire de leur assemblée, ou les nécessités publiques le requéraient ? Je réponds que ceux qui ont le *pouvoir exécutif*, agissant, comme il vient d'être dit, sans en avoir reçu d'autorité, d'une manière contraire à la confiance qu'on a mise en eux, sont dans l'*état de guerre* avec le peuple, qui a droit de rétablir l'assemblée qui le représente, et de la remettre dans l'exercice du *pouvoir législatif*. Car, ayant établi cette assemblée, et l'ayant destinée à exercer le pouvoir de faire des lois, dans de certains temps marqués, ou lorsqu'il est nécessaire ; si elle vient à être empêchée par la force, de faire ce qui est si nécessaire à la société, et en quoi la sûreté et la conservation du peuple consiste, le peuple a droit de lever cet obstacle par la force. Dans toutes sortes d'états et de conditions, le véritable remède qu'on puisse employer contre la force sans autorité, c'est d'y opposer la force. Celui qui use de la force sans autorité, se met par là dans un état de guerre, comme étant l'agresseur, et s'expose à être traité de la manière qu'il voulait traiter les autres.

156. Le pouvoir de convoquer l'assemblée *législative*, lequel réside dans celui qui a le *pouvoir exécutif*, ne donne point de supériorité au *pouvoir exécutif* sur le *pouvoir législatif* : il n'est fondé que sur la confiance qu'on a mise en lui à l'égard du salut et de l'avantage du peuple ; l'incertitude et le changement ordinaire des affaires humaines empêchant qu'on n'ait pu prescrire, d'une manière utile, le temps des assemblées qui exercent le *pouvoir législatif*. En effet, il n'est pas possible que les premiers instituteurs des sociétés aient si bien prévu les choses et aient été si maîtres des événements futurs, qu'ils aient pu fixer un temps juste et précis pour les assemblées du pouvoir législatif, et pour leur durée, en sorte que ce temps répondît aux nécessités de l'État. Le meilleur remède qu'on ait pu trouver, en cette occasion, c'est sans doute de s'être remis à la prudence de quelqu'un qui fût toujours présent et en action, et dont l'emploi consistât à veiller sans cesse pour le bien public. Des assemblées du *pouvoir législatif*

perpétuelles, fréquentes, longues sans nécessité, ne pourraient qu'être à charge au peuple, et que produire avec le temps des inconvénients dangereux. Mais aussi des affaires soudaines, imprévues, urgentes, peuvent quelquefois exiger l'assistance prompte de ces sortes d'assemblées. Si les membres du corps législatif différaient à s'assembler, cela pourrait causer un extrême préjudice à l'État ; et même quelquefois les affaires qui sont sur le tapis, dans les séances de ce corps, se trouvent si importantes et si difficiles, que le temps qui aurait été limité pour la durée de l'assemblée serait trop court pour y pourvoir et y travailler comme il faudrait, et priverait la société de quelque avantage considérable qu'elle aurait pu retirer d'une mûre délibération. Que saurait-on faire donc de mieux, pour empêcher que l'État ne soit exposé, tôt ou tard, à d'éminents périls, d'un côté ou d'autre, à cause des intervalles et des périodes de temps fixés et réglés pour les assemblées du pouvoir législatif ? Que saurait-on, dis-je, faire de mieux, que de remettre la chose avec confiance à la prudence de quelqu'un qui, étant toujours en action, et instruit de l'état des affaires publiques, peut se servir de sa prérogative pour le bien public ? Et à qui pourrait-on se mieux confier, pour cela, qu'à celui à qui on a confié, pour la même fin, le pouvoir de faire exécuter les lois ? Ainsi, si nous supposons que l'assemblée *législative* n'a pas, par la constitution originaire, un temps fixe et arrêté, le pouvoir de la convoquer tombe naturellement entre les mains de celui qui a le *pouvoir exécutif*, ou comme ayant un pouvoir arbitraire, un pouvoir qu'il ait droit d'exercer selon son plaisir, mais comme tenant son pouvoir de gens qui le lui ont remis, dans l'assurance qu'il ne l'emploierait que pour le bien public, selon que les conjonctures et les affaires de l'État le demanderaient. Du reste, il n'est pas de mon sujet, ici, d'examiner si les périodes des temps fixés et réglés pour les assemblées *législatives*, ou la liberté laissée à un Prince de les convoquer, ou, peut-être le mélange de l'un et de l'autre, sont sujets à des inconvénients ; il suffit que je montre qu'encore que le *pouvoir exécutif* ait le privilège de convoquer et de dissoudre les conventions du *pouvoir législatif*, il ne s'ensuit point que le *pouvoir exécutif* soit supérieur au *pouvoir législatif*.

157. Les choses de ce monde sont exposées à tant de vicissitudes, que rien ne demeure longtemps dans un même état. Les peuples, les richesses, le commerce, le pouvoir sont sujets à de grands changements. Les plus puissantes et les plus florissantes villes tombent en ruine, et deviennent des lieux désolés et abandonnés de tout le monde; pendant que d'autres, qui auparavant étaient déserts et affreux, deviennent des pays considérables, remplis de richesses et d'habitants. Mais les choses ne changent pas toujours de la même manière. En effet, souvent les intérêts particuliers conservent les coutumes et les privilèges, lorsque les raisons qui les avaient établis ont cessé; il est arrivé souvent aussi que dans les gouvernements où une partie de l'autorité *législative* représente le peuple, et est choisie par le peuple, cette représentation, dans la suite du temps, ne s'est trouvée guère conforme aux raisons qui l'avaient établie du commencement. Il est aisé de voir combien grandes peuvent être les absurdités, dont serait suivie l'observation exacte des coutumes, qui ne se trouvent plus avoir de proportion avec les raisons qui les ont introduites : il est aisé de voir cela, si l'on considère que le simple nom d'une fameuse ville, dont il ne reste que quelques masures, au milieu desquelles il n'y a qu'une étable à moutons, et ne se trouve pour habitants qu'un berger, fait envoyer à la grande assemblée des législateurs, autant de députés représentatifs, que tout un comté infiniment peuplé, puissant et riche y en envoie. Les étrangers demeurent tous surpris de cela; et il n'y a personne qui ne confesse que la chose a besoin de remède. Cependant, il est très difficile d'y remédier, à cause que la constitution de l'autorité *législative étant l'acte originaire et suprême de la société politique*, lequel a précédé toutes les lois positives qui y ont été faites, et dépend entièrement du peuple, nul pouvoir inférieur n'a droit de l'altérer. D'ailleurs, le peuple, quand le *pouvoir législatif* est une fois établi, n'ayant point, dans

cette sorte de gouvernement dont il est question, le pouvoir d'agir pendant que le gouvernement subsiste, on ne saurait trouver de remède à cet inconvénient.

158. *Salus populi suprema lex.* C'est une maxime si juste et si fondamentale, que quiconque la suit ne peut jamais être en danger de s'égarer. C'est pourquoi, si le *pouvoir exécutif*, qui a le droit de convoquer l'assemblée législative observant plutôt la vraie proportion de l'assemblée représentative, que ce qui a coutume de se pratiquer lorsqu'il s'agit d'en faire élire les membres, règle, non suivant la coutume, mais suivant la droite raison, le nombre de ses membres, dans tous les lieux qui ont droit d'être distinctement représentés, et qu'il communique ce droit à une partie du peuple qui, quelque incorporée qu'elle fût, n'y avait nulle prétention, et qu'il le lui communique à cause des avantages que la société en peut retirer; on ne peut dire qu'un nouveau *pouvoir législatif* ait été établi, mais bien que l'ancien a été rétabli, et qu'on a remédié aux désordres que la succession des temps avait insensiblement et inévitablement introduits. En effet, l'intérêt, aussi bien que l'intention du peuple étant d'avoir des députés qui le représentent d'une manière utile et avantageuse, quiconque agit conformément à cet intérêt et à cette intention, doit être censé avoir le plus d'affection pour le peuple, et le plus de zèle pour le gouvernement établi; et ce qu'il fait ne saurait qu'être approuvé de tout le corps politique. La prérogative n'étant autre chose qu'un pouvoir qui a été remis entre les mains du Prince, afin qu'il pourvût au bien public dans des cas qui dépendent de conjonctures et de circonstances imprévues et incertaines; des lois fixes et inviolables ne sauraient sûrement servir de règle. Tout ce qui paraît manifestement être fait pour le bien du peuple et pour affermir le gouvernement sur ses fondements véritables, est, et sera toujours une prérogative juste. Le pouvoir d'ériger de nouvelles communautés, et, par conséquent, des communautés qui ont besoin d'être représentées par des députés, suppose nécessairement qu'avec le temps le nombre représentatif peut varier, et

que ceux qui auparavant n'avaient pas droit d'en être, y peuvent ensuite avoir droit ; et qu'au contraire, par les mêmes raisons et sur les mêmes fondements, ceux qui auparavant avaient droit d'être de ce nombre, peuvent n'y en avoir plus, étant devenus trop peu considérables pour y pouvoir prétendre. Ce n'est point le changement qu'on fait dans l'état présent des choses, que la corruption ou la décadence aura peut-être introduit, qui altère et détruit le gouvernement, mais bien ce qui tend à faire tort au peuple et à l'opprimer, et la distinction qu'on ferait des gens, et des différents partis ; en sorte qu'il y en eût un qui fût plus maltraité que l'autre, et réduit dans une plus grande sujétion. Certes, tout ce qu'on ne peut regarder que comme avantageux à la société et au peuple en général, et comme fondé sur des raisons justes qui doivent avoir toujours lieu, portera toujours avec soin, lorsqu'on viendra à le pratiquer, sa propre justification : et toutes les fois que le peuple élira ses députés sur des règles et des raisons justes, équitables, incontestables, conformes à la forme originaire du gouvernement, il agira, sans doute, d'une manière sage, judicieuse et conforme à l'intérêt et à la volonté de l'État, quel que soit celui qui leur aura permis ou proposé d'en user de la sorte.

CHAPITRE XIV

De la Prérogative

159. Lorsque le *pouvoir législatif* et le *pouvoir exécutif* sont en différentes mains, comme dans toutes les monarchies modérées, et dans tous les gouvernements bien réglés, le bien de la société demande qu'on laisse quantité de choses à la discrétion de celui qui a le *pouvoir exécutif*. Car, les législateurs n'étant pas capables de prévoir tout, ni de pourvoir, par des lois, à

tout ce qui peut être utile et nécessaire à la communauté, celui qui fait exécuter les lois, étant revêtu de pouvoir, a, par les *lois communes de la nature*, le droit d'employer son pouvoir pour le bien de la société, dans plusieurs cas, auxquels les lois de l'État n'ont point pourvu, jusqu'à ce que le *pouvoir législatif* puisse être dûment assemblé, et y pourvoir lui-même. Et, certainement, il y a plusieurs cas auxquels les législateurs ne sauraient pourvoir en aucune manière ; et ces cas-là doivent nécessairement être laissés à la discrétion de celui qui a le *pouvoir exécutif* entre les mains, pour être réglés par lui, selon que le bien public et l'avantage de la société le demandera. Cela fait que les lois mêmes, doivent, en certains cas, céder au *pouvoir exécutif*, ou plutôt à la loi fondamentale de la nature et du gouvernement, qui est, qu'autant qu'il est possible, tous les membres de la société doivent être conservés. En effet, plusieurs accidents peuvent arriver, dans lesquels une observation rigide et étroite des lois est capable de causer bien du préjudice, comme de ne pas abattre la maison d'un homme de bien pour arrêter le ravage d'un incendie ; et un homme, en s'attachant scrupuleusement aux lois, qui ne font point distinction des personnes, peut faire une action qui mérite une récompense, et qui, en même temps, ait besoin de pardon. C'est pourquoi, celui qui tient les rênes du gouvernement, doit avoir, en divers cas, le pouvoir d'adoucir la sévérité des lois, et de pardonner quelques crimes, vu que la fin du gouvernement étant de conserver tous les membres de la société, autant qu'il se peut, des coupables doivent être épargnés, et obtenir leur pardon, lorsqu'on voit manifestement qu'en leur faisant grâce, on ne cause aucun préjudice aux innocents.

160. Le pouvoir d'agir avec discrétion[a] pour le bien public, lorsque les lois n'ont rien prescrit sur de certains cas qui se présentent, ou quand même elles auraient prescrit ce qui doit se faire en ces sortes de cas, mais qu'on ne peut exécuter dans de certaines conjonc-

a. « *according to discretion* », *i.e.* de manière discrétionnaire.

tures sans nuire fort à l'État : ce pouvoir, dis-je, est ce qu'on appelle *prérogative*, et il est établi fort judicieusement. Car, puisque dans quelques gouvernements le *pouvoir législatif* n'est pas toujours sur pied ; que même l'assemblée de ce pouvoir est d'ordinaire trop nombreuse et trop lente à dépêcher les affaires qui demandent une prompte exécution ; et qu'il est impossible de prévoir tout, et de pourvoir, par les lois, à tous les accidents et à toutes les nécessités qui peuvent concerner le bien public, ou de faire des lois qui ne soient point capables de causer du préjudice dans certaines circonstances, quoiqu'on les exécute avec une rigueur inflexible dans toutes sortes d'occasions, et à l'égard de toutes sortes de personnes : c'est pour toutes ces raisons qu'on a donné une grande liberté au *pouvoir exécutif*, et qu'on a laissé à sa discrétion et à sa prudence bien des choses dont les lois ne disent rien.

161. Tant que ce pouvoir est employé pour l'avantage de l'État, et conformément à la confiance de la société et aux fins du gouvernement, c'est une *prérogative* incontestable, et on n'y trouve jamais à redire. Car le peuple n'est guère scrupuleux ou rigide sur le point de la *prérogative*, pendant que ceux qui l'ont s'en servent assez bien pour l'usage auquel elle a été destinée, c'est-à-dire, pour le bien public, et non pas ouvertement contre ce même bien. Que s'il vient à s'élever quelque contestation entre le *pouvoir exécutif* et le peuple, au sujet d'une chose traitée de *prérogative*, on peut aisément décider la question, en considérant si l'exercice de cette *prérogative* tend à l'avantage ou au désavantage du peuple.

162. Il est aisé de concevoir que dans l'enfance, pour ainsi dire, des gouvernements, lorsque les États différaient peu des familles, eu égard au nombre des membres, ils ne différaient non plus guère, eu égard au nombre des lois. Les gouverneurs de ces États, aussi bien que les pères de ces familles, veillant pour le bien de ceux dont la conduite leur avait été commise, le droit de gouverner et de conduire était alors presque toute la *prérogative*. Comme il n'y avait que peu de lois établies,

la plupart des choses étaient laissées à la discrétion, à la prudence et aux soins des conducteurs. Mais quand l'erreur ou la flatterie est venue à prévaloir dans l'esprit faible des Princes, et à les porter à se servir de leur puissance pour des fins particulières et pour leurs propres intérêts, non pour le bien public, le peuple a été obligé de déterminer par des lois la *prérogative*, de la régler dans les cas qu'il trouvait lui être désavantageux, et de faire des restrictions pour des cas où les ancêtres les avaient laissées, dans une extrême étendue de liberté, à la sagesse de ces Princes, qui faisaient un bon usage du pouvoir indéfini qu'on leur laissait, c'est-à-dire, un usage avantageux au peuple.

163. Ainsi, ceux-là ont une très mauvaise idée du gouvernement, qui disent que le peuple a empiété sur la *prérogative*, lorsqu'il a entrepris de la déterminer et de la borner par des lois positives. Car, en agissant de la sorte, il n'a point arraché au Prince une chose qui lui appartînt de droit; il n'a fait que déclarer que ce pouvoir, qui avait été laissé indéfini entre ses mains, ou entre les mains de ses ancêtres, afin qu'il fût exercé pour le bien public, n'était pas ce qu'il pensait, lorsqu'il en usait d'une manière contraire à ce bien-là. Car la fin du gouvernement n'étant autre chose que le bien-être de la communauté, tous les changements et toutes les restrictions qui tendent à cette fin, ne sont nullement une usurpation du droit de personne, puisque personne, dans le gouvernement, n'a droit de se proposer une autre fin. Cela seulement doit être regardé comme une usurpation qui est nuisible et contraire au bien public. Ceux qui parlent d'une autre manière raisonnent comme si le Prince pouvait avoir des intérêts distincts et séparés de ceux de la communauté, et que le Prince ne fût pas fait pour le peuple. C'est là la source de presque tous les malheurs, de toutes les misères, de tous les désordres qui arrivent dans les gouvernements monarchiques. Et, certes, s'il fallait que les choses allassent comme elles vont dans ces sortes de gouvernements, le peuple ne serait point une société de *créatures raisonnables*, qui composassent un corps pour leur

mutuel avantage, et qui eussent des conducteurs établis
sur elles pour être attentifs à procurer leur plus grand
bien ; mais plutôt un troupeau de créatures inférieures,
sous la domination d'un maître qui les ferait travailler,
et emploierait leur travail pour son plaisir et pour son
profit particulier. Si les hommes étaient assez destitués
de raison et assez abrutis pour entrer dans une société
sous de telles conditions, la *prérogative*, entre les mains
de qui que ce fût qu'elle se trouvât, pourrait être un
pouvoir arbitraire et un droit de faire des choses préju-
diciables au peuple.

164. Mais puisqu'on ne peut supposer qu'une *créature raisonnable*, lorsqu'elle est *libre*, se soumette à un
autre pour son propre désavantage (quoique si l'on
rencontre quelque bon et sage conducteur, on ne pense
peut-être pas qu'il soit nécessaire ou utile de limiter en
toutes choses son pouvoir), la *prérogative* ne saurait être
fondée que sur la permission, que le peuple a donnée à
ceux à qui il a remis le gouvernement, de faire diverses
choses, de leur propre et libre choix, quand les lois ne
prescrivent rien sur certains cas qui se présentent, et
d'agir même quelquefois d'une manière contraire à des
lois expresses de l'État, si le bien public le requiert, et
sur l'approbation que la société est obligée de donner à
cette conduite. Et, véritablement, comme un *bon
Prince*, qui a toujours devant les yeux la confiance
qu'on a mise en lui, et qui a à cœur le bien de son
peuple, ne saurait avoir une *prérogative* trop grande,
c'est-à-dire, un trop grand pouvoir de procurer le bien
public ; aussi un Prince faible ou méchant, qui peut
alléguer le pouvoir que ses prédécesseurs ont exercé,
sans la direction des lois, comme une *prérogative* qui lui
appartient de droit, et dont il peut se servir, selon son
plaisir, pour avancer des intérêts différents de ceux de
la société, donne sujet au peuple de reprendre son droit,
et de limiter le pouvoir d'un tel Prince, ce pouvoir qu'il
a été bien aise d'approuver et d'accorder tacitement,
tandis qu'il a été exercé en faveur du bien public.

165. Si nous voulons jeter les yeux sur l'histoire
d'*Angleterre*, nous trouverons que la *prérogative* a tou-

jours crû entre les mains des plus sages et des meilleurs Princes, parce que le peuple remarquait que toutes leurs actions ne tendaient qu'au bien public; ou si, par la fragilité humaine (car les Princes sont hommes, et faits comme les autres), ils se détournaient un peu de cette fin, il paraissait toujours qu'en général leur conduite tendait à cette fin-là, et que leurs principales vues avaient pour objet le bien du peuple. Ainsi, le peuple trouvant qu'il avait sujet d'être satisfait de ces Princes, toutes les fois qu'ils venaient à agir sans aucune loi écrite, ou d'une manière contraire à des lois formelles, il acquiesçait à ce qu'ils faisaient, et sans se plaindre, il leur laissait étendre et augmenter leur *prérogative*, comme ils voulaient, jugeant, avec raison, qu'ils ne pratiquaient rien en cela qui préjudiciât à ses lois, puisqu'ils agissaient conformément aux fondements et à la fin de toutes les lois, c'est-à-dire, conformément au bien public.

166. Certainement, ces Princes, semblables à Dieu, autant qu'il était possible, avaient quelque droit au pouvoir arbitraire, par la raison que la monarchie absolue est le meilleur de tous les gouvernements, lorsque les Princes participent à la sagesse et à la bonté de ce grand Dieu, qui gouverne, avec un pouvoir absolu, tout l'univers. Il ne laisse pourtant pas d'être vrai que les règnes des bons Princes ont été toujours très dangereux et très nuisibles aux libertés de leur peuple, parce que leurs successeurs n'ayant pas les mêmes sentiments qu'eux, ni les mêmes vues et les mêmes vertus, ont voulu tirer à conséquence et imiter les actions de ceux qui les avaient précédés, et se servir de la *prérogative* de ces bons Princes, pour autoriser tout ce qu'il leur plaisait faire de mal; comme si la *prérogative* accordée et permise seulement pour le bien du peuple, était devenue pour eux un droit de faire, selon leur plaisir, des choses nuisibles et désavantageuses à la société et à l'État. Aussi, cela a-t-il donné occasion à des murmures et à des mécontentements, et a causé quelquefois des désordres publics, parce que le peuple voulait recouvrer son droit originaire, et faire arrêter et

déclarer que jamais ces Princes n'avaient eu une *prérogative* semblable à celle que ceux qui n'avaient pas à
cœur les intérêts et le bien de la nation s'attribuaient
avec tant de hauteur. En effet, il est impossible que
personne, dans une société, ait jamais eu le droit de
causer du préjudice au peuple, et de le rendre malheureux, quoiqu'il ait été possible et fort raisonnable
que le peuple n'ait point limité la *prérogative* de ces Rois
ou de ces conducteurs, qui ne passaient point les bornes
que le bien public marquait et prescrivait. Après tout,
la *prérogative* n'est rien autre chose que le pouvoir *de
procurer le bien public, sans règlements et sans lois.*

167. Le pouvoir de convoquer les parlements en
Angleterre, et de leur marquer précisément le temps, le
lieu, et la durée de leurs assemblées, est certainement
une *prérogative* du Roi; mais on ne la lui a accordée, et
on ne la lui laisse que dans la persuasion qu'il s'en
servira pour le bien de la nation, selon que le temps et la
variété des conjonctures le requerra. Car, étant impossible de prévoir quel lieu sera le plus propre, et quelle
saison la plus utile pour l'assemblée, le choix en est
laissé au *pouvoir exécutif*, en tant qu'il peut agir à cet
égard d'une manière avantageuse au peuple, et
conforme aux fins des parlements.

168. On pourra proposer sur cette matière de la
prérogative, cette vieille question : *Qui jugera si le pouvoir exécutif a fait un bon usage de sa prérogative?* Je
réponds, qu'il ne peut y avoir de juge sur la terre entre
le *pouvoir exécutif*, qui, avec une semblable *prérogative*,
est sur pied, et le *pouvoir législatif*, qui dépend, par
rapport à sa convocation, de la volonté du *pouvoir
exécutif*; qu'il n'y en peut avoir non plus entre le *pouvoir
législatif* et le peuple : de sorte que, soit que le *pouvoir
exécutif*, ou le *pouvoir législatif*, lorsqu'il a la suprême
puissance entre les mains, ait dessein et entreprenne de
le rendre esclave et de le détruire, le peuple n'a d'autre
remède à employer, en cette sorte de cas, aussi bien que
dans tous les autres, dans lesquels il n'a point de juge
sur la terre, que d'en *appeler au Ciel*. D'un côté, les
conducteurs, par de telles entreprises, exercent un

pouvoir que le peuple n'a jamais remis entre leurs mains, et ne peut jamais y avoir remis, puisqu'il n'est pas possible qu'il ait jamais consenti qu'ils le gouvernassent, et qu'ils dominassent sur lui, à son désavantage et à son préjudice, et fissent ce qu'ils n'avaient point droit de faire ; de l'autre, le peuple n'a point de juge sur la terre à qui il puisse appeler contre les injustices de ses conducteurs ; ainsi, de tout cela, résulte *le droit d'appeler au Ciel*, s'il s'agit de quelque chose qui soit assez importante. C'est pourquoi, quoique le peuple, par la constitution du gouvernement, ne puisse être juge ni avoir de pouvoir supérieur, pour former des arrêts en cette rencontre : néanmoins, en vertu d'une loi qui précède toutes les lois positives des hommes, et qui est prédominante, il s'est réservé un droit qui appartient généralement à tous les hommes, lorsqu'il n'y a point d'appel sur la terre ; savoir, *le droit d'examiner s'il a juste sujet d'appeler au Ciel*. On ne peut, même légitimement, renoncer à un droit si essentiel et si considérable, parce que personne ne peut se soumettre à un autre, jusqu'à lui donner la liberté de le détruire et de le rendre malheureux. Dieu et la nature ne permettent jamais, à qui que ce soit, de s'abandonner tellement soi-même, que de négliger sa propre conservation ; comme nous ne sommes point en droit de nous ôter la vie, nous ne saurions, par conséquent, avoir droit de donner à d'autres le pouvoir de nous l'ôter. Et que personne ne s'imagine que ce droit et ce privilège des peuples soient une source de perpétuels désordres ; car on ne s'en sert jamais que lorsque les inconvénients sont devenus si grands, que le plus grand nombre des membres de l'État en souffre beaucoup, et sent qu'il est absolument nécessaire d'y remédier. Les Princes sages, qui gouvernent selon les lois, et qui ont à cœur le bien public, n'ont point à craindre cette sorte de dangers et de désordres qu'on fait sonner si haut ; il ne tient qu'aux conducteurs de les éviter, comme des choses auxquelles effectivement ils doivent prendre garde de n'être pas exposés.

CHAPITRE XV

Du Pouvoir paternel, du Pouvoir politique et du Pouvoir despotique, considérés ensemble

169. Quoique j'aie déjà eu occasion de parler séparément de ces trois sortes de pouvoirs, néanmoins les grandes et fâcheuses erreurs dans lesquelles on est tombé en dernier lieu, sur la matière du gouvernement, étant provenues, à mon avis, de ce qu'on a confondu ces différents pouvoirs, il ne sera peut-être pas hors de propos de les considérer ici ensemble.

170. Premièrement donc, le *pouvoir paternel*, ou le pouvoir des parents, n'est rien autre chose que le pouvoir que les pères et les mères ont sur leurs enfants, pour les gouverner d'une manière qui soit utile et avantageuse à ces créatures raisonnables, à qui ils ont donné le jour, jusqu'à ce qu'elles aient acquis l'usage de la *raison*, et soient parvenues à un état d'intelligence, dans lequel elles puissent être supposées capables d'entendre et d'observer les lois, que ces lois soient les *lois de la nature*, ou les lois positives de leur pays. Je dis, capables de les entendre aussi bien que tous les autres qui vivent, comme des hommes *libres*, sous ces lois. L'affection et la tendresse que Dieu a mises dans le cœur des pères et des mères pour leurs enfants, font voir, d'une manière évidente, qu'il n'a pas eu intention que leur pouvoir fût un pouvoir sévère, ni leur gouvernement un gouvernement arbitraire et sans bornes ; mais bien que ce gouvernement et ce pouvoir se terminassent aux soins, à l'instruction et à la conservation de leur lignée. Après tout, il n'y a nul sujet, ainsi que j'ai prouvé, de penser que le *pouvoir des pères et des mères* s'étende jamais sur la vie de leurs enfants, plus que sur la vie d'aucune autre personne, ou qu'il assujettisse les enfants, lorsqu'ils sont devenus des hommes faits, et qu'ils ont acquis l'usage de la *raison*, à la volonté de leurs pères et de leurs mères, plus que ne requiert la considération de la vie et de l'éducation qu'ils ont

reçues d'eux, et les oblige à d'autres choses qu'à ces devoirs de respect, d'honneur, de reconnaissance, de secours, de consolation, dont ils sont tenus de s'acquitter toute leur vie, tant envers leur père, qu'envers leur mère. Le pouvoir et le gouvernement des parents est donc un pouvoir et un *gouvernement naturel*; mais il ne s'étend nullement sur les droits, les fins, et la juridiction du pouvoir et du gouvernement qu'on appelle politique. Le pouvoir d'un père ne regarde point ce qui appartient en propre à ses enfants, qui ont droit seuls d'en disposer.

171. En second lieu, le *pouvoir politique* est ce pouvoir que chaque homme a dans l'*état de nature*, qu'on a réuni entre les mains d'une société, et que cette société a remis à des conducteurs qui ont été choisis, avec cette assurance et cette condition, soit expresse ou tacite, que ce pouvoir sera employé pour le bien du corps politique, et pour la conservation de ce qui appartient en propre à ses membres. Or, le pouvoir que chacun a dans l'*état de nature*, et dont on se dépouille entre les mains d'une société, consiste à user des moyens les plus propres, et que la *nature* permet, pour conserver ce qu'on possède en propre, et pour punir ceux qui violent les *lois de la nature*; en sorte qu'en cela on travaille le plus efficacement, et le plus raisonnablement qu'il est possible, à sa propre conservation, et à la conservation du reste des hommes. *La fin donc, et le grand objet de ce pouvoir*, lorsqu'il est entre les mains de chaque particulier, dans l'*état de nature*, n'étant autre chose que la conservation de tous ceux de la société, c'est-à-dire, de tous les hommes en général, lorsqu'il vient à passer et à résider entre les mains des magistrats et des Princes, il ne doit avoir d'autre fin, ni d'autre objet que la conservation des membres de la société sur laquelle ils sont établis, que la conservation de leurs vies, de leurs libertés, et de leurs possessions; et par une conséquence, dont la force et l'évidence ne peuvent que se faire sentir, ce pouvoir ne saurait légitimement être un pouvoir absolu et arbitraire à l'égard de leurs vies et de leurs biens, qui doivent être conservés le mieux qu'il est

possible. Tout ce à quoi le pouvoir, dont il s'agit, doit
être employé, c'est à *faire des lois*, et à y joindre des
peines; et dans la vue de la conservation du corps
politique, à en retrancher ces parties et ces membres
seuls qui sont si corrompus, qu'ils mettent en grand
danger ce qui est sain : si l'on infligeait des peines dans
d'autres vues, la sévérité ne serait point légitime. Du
reste, le *pouvoir politique tire son origine de la convention
et du consentement mutuel de ceux qui se sont joints pour
composer une société*.

172. En troisième lieu, le *pouvoir despotique* est un
pouvoir absolu et arbitraire qu'un homme a sur un
autre, et dont il peut user pour lui ôter la vie dès qu'il
lui plaira. La *nature* ne peut le donner, puisqu'elle n'a
fait nulle distinction entre une personne et une autre; et
il ne peut être cédé ou conféré par aucune convention;
car, personne n'ayant un tel pouvoir sur sa propre vie,
personne ne saurait le communiquer et le donner à un
autre. Il n'y a qu'un cas où l'on puisse avoir justement
un *pouvoir arbitraire et absolu*, c'est lorsqu'on a été
attaqué injustement par des gens qui se sont mis en *état
de guerre*, et ont exposé leur vie et leurs biens au pouvoir
de ceux qu'ils ont ainsi attaqués. En effet, puisque ces
sortes d'agresseurs ont abandonné la *raison* que Dieu a
donnée pour régler les différends, qu'ils n'ont pas
voulu employer les voies douces et paisibles, et qu'ils
ont usé de force et de violence pour parvenir à leurs fins
injustes, par rapport à ce sur quoi ils n'ont nul droit; ils
se sont exposés aux mêmes traitements qu'ils avaient
résolu de faire aux autres, et méritent d'être détruits,
dès que l'occasion s'en présentera, par ceux qu'ils
avaient dessein de détruire; ils doivent être traités
comme des créatures nuisibles et brutes, qui ne manqueraient point de faire périr, si on ne les faisait périr
elles-mêmes. Ainsi, les prisonniers pris dans une guerre
juste et légitime, et *ceux-là seuls*, sont sujets au *pouvoir
despotique*, qui, comme il ne tire son origine d'aucune
convention, aussi n'est-il capable d'en produire
aucune, mais est l'*état de guerre continué*. En effet, quel
accord peut-on faire avec un homme qui n'est pas le

maître de sa propre vie ? Si on l'en rend une fois le maître, le *pouvoir despotique et arbitraire cesse :* car, celui qui est devenu le maître de sa personne et de sa vie, a droit sur les moyens qui peuvent la conserver. De sorte que, dès qu'un accord intervient entre un prisonnier de guerre et celui qui l'a en son pouvoir, l'esclavage, le pouvoir absolu, et l'état de guerre finissent.

173. La nature donne le premier des trois pouvoirs dont nous parlons ; savoir, le *pouvoir des parents,* aux pères et aux mères, pour l'avantage de leurs enfants durant la minorité, pendant laquelle ils ne sont point capables de connaître et de gouverner ce qui leur appartient en propre ; et, par ce qui appartient en propre, il faut entendre ici, aussi bien que dans tous les autres endroits de cet ouvrage, *le droit de propriété qu'on a sur sa personne et sur ses biens.* Un *accord volontaire* donne le second ; savoir, le *pouvoir politique,* aux conducteurs et aux Princes, pour l'avantage de leurs sujets, en sorte que ces sujets puissent posséder en sûreté ce qui leur appartient en propre. Enfin, l'*état de guerre* donne le troisième, c'est-à-dire, le *pouvoir despotique,* aux Souverains qui se sont rendus maîtres des personnes et des biens de ceux qui avaient eu dessein de se rendre maîtres des leurs, et qui par là ont perdu le droit qu'ils avaient auparavant à ce qui leur appartenait en propre.

174. Si l'on considère la différente origine, la différente étendue, et les différentes fins de ces divers pouvoirs, on verra clairement que le *pouvoir des pères et des mères* est autant au-dessous du *pouvoir des Princes et des Magistrats,* que le *pouvoir despotique* excède ce dernier ; et que la *domination absolue* est tellement éloignée d'être une espèce de société civile, qu'elle n'est pas moins incompatible avec une société civile, que l'esclavage l'est avec des biens qui appartiennent en propre. Le *pouvoir des parents* subsiste, lorsque la minorité rend des enfants incapables de se conduire et de gouverner leurs biens propres ; le *pouvoir politique,* lorsque les gens peuvent disposer de leurs biens propres ; et le *pouvoir despotique,* lorsque les gens n'ont nuls biens propres.

CHAPITRE XVI

Des Conquêtes[a]

175. Les gouvernements n'ont pu avoir d'autre origine que celle dont nous avons parlé, ni les *sociétés politiques* n'ont été fondées sur autre chose que sur le *consentement du peuple*. Cependant, comme l'ambition a rempli le monde de tant de désordres, et a excité tant de guerres, qui font une si grande partie de l'histoire, on n'a guère fait réflexion à ce consentement, et plusieurs ont pris la force des armes pour le *consentement du peuple*, et ont considéré les *conquêtes* comme la source et l'origine des gouvernements. Mais les *conquêtes* sont aussi éloignées d'être l'origine et le fondement des États, que la démolition d'une maison est éloignée d'être la vraie cause de la construction d'une autre en la même place. A la vérité, la destruction de la forme d'un État prépare souvent la voie à une nouvelle ; mais il est toujours certain, que *sans le consentement du peuple*, on ne peut jamais ériger aucune nouvelle forme de gouvernement.

176. Il n'y a personne qui demeurera d'accord qu'un agresseur, qui se met dans l'*état de guerre* avec un autre, et envahit ses droits, puisse jamais, par une injuste guerre, avoir droit sur ce qu'il aura conquis. Peut-on soutenir, avec raison, que des voleurs et des pirates aient droit de domination sur tout ce dont ils peuvent se rendre maîtres, ou sur ce qu'on aura été contraint de leur accorder par des promesses que la violence aura extorquées. Si un voleur enfonce la porte de ma maison, et que, le poignard à la main, il me contraigne de lui faire, par écrit, donation de mes biens, y aura-t-il droit pour cela ? Un injuste conquérant, qui me soumet à lui par la force et par son épée, n'en a pas davantage. L'injure est la même, le crime est égal, soit qu'il soit commis par un homme qui porte une couronne, ou par

---

a. Le texte anglais est un singulier : *Of Conquest*.

un homme de néant. La qualité de celui qui fait tort, ou le nombre de ceux qui le suivent, ne change point le tort et l'offense, ou s'il le change, ce n'est que pour l'aggraver. Toute la différence qu'il y a, c'est que les grands voleurs punissent les petits pour tenir les gens dans l'obéissance ; et que ces grands voleurs sont récompensés de lauriers et de triomphes, parce qu'ils sont trop puissants, en ce monde, pour les faibles mains de la justice, et qu'ils sont maîtres du pouvoir nécessaire pour punir les coupables. Quel remède puis-je employer contre un voleur qui aura percé ma maison ? Appellerai-je aux lois pour avoir justice ? Mais peut-être qu'on ne rend point justice, ou que je suis impotent et incapable de marcher. Si Dieu m'a privé de tout moyen de chercher du remède, il ne me reste que le parti de la patience. Mais, mon fils, quand il sera en état de se faire faire raison, pourra avoir recours aux lois ; lui, ou son fils, peut relever appel, jusqu'à ce qu'il ait recouvré son droit. Mais ceux qui ont été *conquis*, ou leurs enfants, n'ont nul juge, ni nul arbitre sur la terre auquel ils puissent appeler. Alors ils doivent appeler au Ciel, comme fit *Jephté*, interjeter appel jusqu'à ce qu'ils aient recouvré le droit de leurs ancêtres, qui était d'avoir un *pouvoir législatif* établi sur eux, aux décisions duquel ils acquiesçaient, quand le plus grand nombre des personnes qui étaient revêtues de ce pouvoir les avait formées. Si l'on objecte que cela est capable de causer des troubles perpétuels, je réponds que cela n'en causera pas plus que peut faire la justice, lorsqu'elle tend les bras à tous ceux qui veulent avoir recours à elle. Celui qui trouble son voisin, sans sujet, est puni, à cause de cela, par la justice de la cour devant laquelle on a comparu. Et quant à celui qui appelle au Ciel, il doit être bien assuré qu'il a droit, mais un droit tel qu'il peut être hardiment porté à un tribunal qui ne saurait être trompé, et qui, certainement, rendra à chacun selon le mal qu'il aura fait à ses concitoyens, c'est-à-dire, à quelque partie du genre humain. Tout ceci fait voir clairement qu'un homme qui fait des conquêtes, dans une injuste guerre, ne peut avoir droit sur ce qu'il a conquis, et que les personnes qui sont tombées sous sa domination, ne lui doivent aucune soumission ni aucune obéissance.

177. Mais supposons que la victoire favorise la cause juste, et considérons un conquérant dans une juste guerre, pour voir quel pouvoir il acquiert et sur qui.

Premièrement, il est visible qu'*il n'acquiert aucun pouvoir sur ceux qui ont été les compagnons de ses conquêtes*. Ceux qui ont combattu pour lui, ne doivent point souffrir parce qu'il a remporté des victoires ; ils sont, sans doute, aussi libres qu'ils l'étaient auparavant. Ils servent, d'ordinaire, sous cette condition, qu'ils auront part au butin et aux autres avantages dont les victoires sont suivies : et un peuple victorieux ne devient point esclave par des conquêtes, et n'est pas couvert de lauriers, pour faire voir qu'il est destiné au sacrifice, pour le jour de triomphe de son général. Ceux qui croient que l'épée établit des monarchies absolues élèvent infiniment les héros qui sont les fondateurs de ces sortes de monarchies, et leur donnent des titres superbes et magnifiques. Ils ne songent point aux officiers ni aux soldats, qui ont combattu sous les enseignes de ces héros, dans les batailles qu'ils ont gagnées, qui les ont assistés à subjuguer les pays dont ils se sont rendus maîtres, et qui ont demandé part, et à la gloire et à la possession de ce qui a été conquis. Quelques-uns ont dit que la monarchie *anglaise* est fondée sur la conquête des *Normands*, et que par cette conquête fameuse, les Rois d'*Angleterre* ont le droit de *domination absolue*. Mais, quand cela serait aussi vrai qu'il paraît faux par l'histoire, et que *Guillaume* aurait eu droit de faire la guerre à l'*Angleterre*, la *domination* acquise par sa conquête n'aurait pu s'étendre que sur les *Saxons* et les *Bretons*, qui habitaient alors cette île. Les *Normands* qui vinrent avec ce héros, dans l'espérance de la conquérir, et tous ceux qui sont ensuite descendus d'eux, ont été des gens libres, et n'ont point été subjugués par la conquête, quelque domination qu'on prétende qu'elle ait procurée. Que si quelqu'un allègue qu'il est homme libre, par la raison qu'il est descendu de ces *Normands*, il sera fort difficile de prouver le contraire : et ainsi, il est visible que les lois, qui n'ont point fait de distinction entre les personnes, n'ont établi entre elles aucune différence à l'égard de la liberté et des privilèges.

178. Mais supposant ici, ce qu'on voit arriver rarement, que les conquérants et les conquis ne viennent point à se joindre en société, à composer un corps politique, et à vivre sous les mêmes lois et avec la même liberté : voyons *quelle sorte de pouvoir un légitime conquérant acquiert sur ceux qu'il a subjugués*, et si c'est un *pouvoir* purement *despotique*. Certainement, il a un pouvoir absolu sur la vie de ceux qui, par une injuste guerre, ont perdu le droit qu'ils y avaient ; mais non sur la vie ou sur les biens de ceux qui n'ont point été engagés dans la guerre, ni même sur les possessions de ceux qui ont été actuellement engagés.

179. En second lieu, je dis qu'un conquérant n'acquiert du pouvoir que sur ceux qui ont actuellement assisté ses ennemis dans une guerre injuste, et ont effectivement concouru et consenti à l'injuste violence dont on a usé envers lui. En effet, le peuple n'ayant point donné à ses conducteurs le pouvoir de rien faire d'injuste, par exemple, d'entreprendre une injuste guerre (hé ! comment pourrait-il leur donner un pouvoir et un droit qu'il n'a point ?), il ne doit pas être chargé et regardé comme coupable de la violence qu'on a employée dans une guerre injuste, qu'autant qu'il paraît l'avoir excitée ou fomentée, il ne doit pas être censé plus coupable d'une guerre de cette nature, qu'il doit l'être de la violence et de l'oppression dont auraient usé ses conducteurs envers lui-même, ou envers une partie de leurs sujets, ne les ayant pas plus autorisés à un égard qu'à l'autre. Les conquérants, à la vérité, ne se mettent guère en peine de faire ces sortes de distinctions ; au contraire, ils ne se plaisent qu'à confondre tout dans la guerre, afin d'envahir et d'emporter tout ; mais cela ne change ni ne diminue point le droit ; car un conquérant n'ayant de droit et de pouvoir sur ceux qu'il a subjugués, qu'en tant qu'ils ont employé la force

278 TRAITÉ DU GOUVERNEMENT CIVIL

contre lui pour faire ou soutenir des injustices, il peut
avoir un pouvoir légitime sur ceux qui ont concouru et
consenti à ces injustices et à cette violence, mais tout le
reste est innocent ; et il n'a pas plus de droit sur un
peuple conquis, qui ne lui a fait nul tort, et qui, par
cette raison, n'a point perdu son droit à la vie, qu'il en a
sur aucun autre peuple, qui, sans lui faire tort et sans le
provoquer, aura vécu honnêtement avec lui.

180. En troisième lieu, le *pouvoir qu'un conquérant
acquiert sur ceux qu'il subjugue dans une juste guerre est
entièrement despotique*. Par ce pouvoir, il a droit de
disposer absolument, et comme il lui plaît, de la vie de
ceux qui, s'étant mis dans l'*état de guerre*, ont perdu le
droit propre qu'ils avaient sur leurs personnes ; mais il
n'a pas un semblable droit à l'égard de leurs possessions. Je ne doute point que d'abord cette doctrine ne
paraisse étrange : elle est trop opposée à la pratique
ordinaire, pour n'être pas regardée comme un para-
doxe. Quand on parle des pays qui sont tombés sous la
domination d'un Prince, on n'a guère accoutumé d'en
parler autrement que comme de *pays conquis*. Il semble
que les conquêtes seules portent avec elles, et confèrent
infailliblement le droit de possession ; que ce que pratique le plus fort et le plus puissant doit être la règle du
droit ; et que, parce qu'une partie de la condition triste
des gens subjugués consiste à ne contester point à leurs
vainqueurs leurs prétentions, et à subir les conditions
qu'ils prescrivent, l'épée à la main, ces prétentions et
ces conditions deviennent par-là justes et bien fondées.

181. Quand un homme emploie la force contre un
autre, il se met par-là en *état de guerre* avec lui. Or, soit
qu'il commence l'injure par une force ouverte, ou que
l'ayant faite sourdement et par fraude, il refuse de la
réparer et la soutienne par la force, c'est la même chose,
et l'un et l'autre est guerre. En effet, qu'un homme
enfonce la porte de ma maison tout ouvertement, me
jette dehors avec violence ; ou qu'après s'y être glissé
sans bruit, il la garde et m'empêche, par force, d'y
entrer, ce n'est qu'une seule et même chose. Au reste,
nous supposons ici, que ceux dont nous parlons se

trouvent dans cette sorte d'état où l'on n'a point de commun juge sur la terre auquel on puisse appeler. C'est donc l'injuste usage de la violence qui met un homme dans l'*état de guerre* avec un autre ; et par-là, celui qui en est coupable perd le droit qu'il avait à la vie ; car abandonnant la *raison*, qui est la règle établie pour terminer les différends et décider des droits de chacun, et employant la force et la violence, c'est-à-dire, la voie des bêtes, il mérite d'être détruit par celui qu'il avait dessein de détruire, et d'être regardé et traité comme une bête féroce, qui ne cherche qu'à dévorer et à engloutir.

182. Mais parce que les fautes d'un père ne sont pas les fautes de ses enfants, qui peuvent être raisonnables et paisibles, quoiqu'il ait été brutal et injuste : un père, par sa mauvaise conduite et par ses violences peut perdre le droit qu'il avait sur sa personne et sur sa propre vie ; mais ses enfants ne doivent point être enveloppés dans ses crimes, ni dans sa destruction. Ses biens, que la *nature*, qui veut la conservation de tous les hommes autant qu'elle est possible, a fait appartenir à ses enfants pour les empêcher de périr, continuent toujours à leur appartenir. Car, supposons qu'ils ne se soient point joints à leur père dans une *guerre injuste*, soit parce qu'ils étaient trop jeunes et dans l'enfance, soit parce que, par leur propre choix, ils n'ont pas voulu se joindre à lui, il est manifeste qu'ils n'ont rien fait qui doive leur faire perdre le droit qu'ils ont naturellement sur les biens dont il s'agit ; et un conquérant n'a pas sujet de les leur prendre, par le simple droit de conquête, faite sur un homme qui avait résolu et tâché de le perdre par la force ; tout le droit qu'il peut avoir sur ses biens, n'est fondé que sur les dommages qu'il a soufferts par la guerre, et pour défendre ses droits, et dont il peut demander la réparation. Or, jusqu'à quel point s'étend ce droit sur les possessions des subjugués ? c'est ce que nous verrons dans l'instant. Concluons seulement ici, qu'un vainqueur, qui par ses conquêtes a droit sur la vie de ses ennemis et peut la leur ôter, quand il lui plaît, n'a point droit sur leurs

biens, pour en jouir et les posséder. Car, c'est la violence brutale dont un agresseur a usé, qui a donné à celui à qui il a fait la guerre, le droit de lui ôter la vie et de le détruire, s'il le trouve à propos, comme une créature nuisible et dangereuse ; mais c'est seulement le dommage souffert qui peut donner quelque droit sur les biens des vaincus. Je puis tuer un voleur qui se jette sur moi dans un grand chemin ; *je ne puis pas pourtant*, ce qui semble être quelque chose de moins, *lui ôter son argent, en épargnant sa vie et le laisser aller ;* si je le faisais, je commettrais, sans doute, un larcin. La violence de ce voleur, et l'*état de guerre* dans lequel il s'est mis, lui ont fait perdre le droit qu'il avait sur sa vie, mais ils n'ont point donné droit sur ses biens. De même, le droit des *conquêtes* s'étend seulement sur la vie de ceux qui se sont joints dans une guerre, mais non sur leurs biens, sinon autant qu'il est juste de se dédommager, et de réparer les pertes et les frais qu'on a faits dans la guerre ; avec cette restriction et cette considération, que les droits des femmes et des enfants innocents soient conservés.

183. Qu'un conquérant, de son côté, tant de justice et de raison qu'on voudra, il n'a point droit néanmoins de se saisir de plus de choses, que ceux qui ont été subjugués n'ont mérité d'en perdre. Leur vie est à la merci du vainqueur ; leur service et leurs biens sont devenus son bien propre, et il peut les employer pour réparer le dommage qui lui a été causé : mais il ne peut prendre ce qui appartient aux femmes et aux enfants, qui ont leur droit et leur part aux biens et aux effets dont leurs maris ou leurs pères ont joui. Par exemple, dans l'*état de nature* (tous les États sont dans l'*état de nature*, les uns au regard des autres), j'ai fait tort à un homme ; et ayant refusé de lui donner satisfaction, nous en sommes venus à l'*état de guerre*, dans lequel, quand même je ne ferais que me défendre, je dois être regardé comme l'agresseur. Je suis vaincu et subjugué. Ma vie est certainement à la merci de mon vainqueur, mais non ma femme et mes enfants, qui ne se sont point mêlés de cette guerre : je ne puis point leur faire perdre le droit

qu'ils ont sur leur vie, comme ils ne peuvent me faire
perdre celui que j'ai sur la mienne. Ma femme a sa dot,
ou sa part à mes biens; et elle ne doit pas la perdre par
ma faute. Mes enfants doivent être nourris et entretenus
de mon travail et de ma subsistance; or, c'est ici le
même cas. Un conquérant a droit de demander la
réparation du dommage qu'il a reçu; et les enfants ont
droit de jouir des biens de leurs pères, pour leur
subsistance : et quant à la dot, ou à la part des femmes,
soit que le travail, ou leur contrat la leur ait procurée ou
assurée, il est visible que leurs maris ne peuvent la leur
faire perdre. Que faut-il donc pratiquer en cette rencontre ? Je réponds, que la *loi fondamentale de la nature*
voulant que tout, autant qu'il est possible, soit
conservé, il s'ensuit que s'il n'y a pas assez de bien pour
satisfaire les prétendants, c'est-à-dire, pour réparer les
pertes du vainqueur, et pour faire subsister les enfants,
le vainqueur doit relâcher de son droit et ne pas exiger
une entière satisfaction, mais laisser agir le droit seul de
ceux qui sont en état de périr, s'ils sont privés de ce qui
leur appartient.

184. Mais supposons que les dommages et les frais
de la guerre ont été si grands pour le vainqueur, qu'il a
été entièrement ruiné, et qu'il ne lui est pas resté un sol ;
et que les enfants des subjugués soient dépouillés de
tous les biens de leurs pères, et en état de périr et d'être
précipités dans le tombeau, la satisfaction néanmoins
qui sera due à ce conquérant, ne lui donnera qui
rarement droit sur le pays qu'il a conquis. Car les
dommages et les frais de la guerre montent rarement à
la valeur d'une étendue considérable de pays, du moins
dans les endroits de la terre qui sont possédés, et où rien
ne demeure désert. La perte des revenus d'un ou de
deux ans (il n'arrive guère qu'elle s'étende jusqu'à
quatre ou jusqu'à cinq ans) est la perte qu'on fait
d'ordinaire. Et quant à l'argent monnayé et à d'autres
semblables richesses, qui auront été consumées, ou qui
auront été enlevées, elles ne sont pas des biens de la
nature, elles n'ont qu'une valeur imaginaire ; la nature
ne leur a pas donné celles qu'elles ont aujourd'hui :

elles ne sont pas plus considérables en elles-mêmes que paraîtraient être, à des Princes de l'*Europe*, certaines choses de l'*Amérique*, que les habitants y estiment fort, ou que ne paraissait être du commencement, aux *Américains*, notre argent monnayé. Or, les revenus de cinq années ne peuvent pas balancer la valeur de la jouissance perpétuelle d'un pays, qui est habité et cultivé partout. On en tombera sur tout facilement d'accord, si l'on fait abstraction de la valeur imaginaire de l'argent monnayé ; et l'on verra que la disproportion est plus grande que n'est celle qu'il y a entre cinq et cinq mille. Après tout, les dommages que les hommes reçoivent les uns des autres dans l'*état de nature* (tous les Princes et tous les gouvernements sont dans l'*état de nature*, les uns à l'égard des autres), ne donnent jamais à un conquérant le droit de déposséder la postérité de ceux qu'il aura subjugués, et de la priver de la jouissance de ce qui devait être son héritage et l'héritage de tous ses descendants, jusqu'à la dernière génération. Les conquérants, à la vérité, sont fort disposés à croire qu'ils sont maîtres légitimes et perpétuels de tout : et telle est la condition de ceux qui sont subjugués, qu'il ne leur est pas permis de soutenir et de défendre leur droit. Il ne laisse pourtant pas d'être certain qu'en ces rencontres, les conquérants n'ont d'autre droit que celui qu'a le plus fort sur le faible : celui qui est le plus fort, est censé avoir droit de se saisir de tout ce qu'il lui plaît.

185. Donc un conquérant, même dans une juste guerre, n'a, en vertu de ses *conquêtes*, aucun droit de domination[1] sur ceux qui se sont joints à lui, et ont été les compagnons de ses combats, de ses victoires, ni sur les gens d'un pays subjugué qui ne se sont pas opposés à lui, ni sur la postérité de ceux mêmes qui se sont opposés à lui, et lui ont fait actuellement la guerre. Ils doivent tous être exempts de toute sorte de sujétion, au regard de ce conquérant ; et si leur gouvernement précédent est dissous, ils sont en droit, et doivent avoir

---

1. L'expression anglaise est « *right of dominion* ».

la liberté d'en former et d'en ériger un autre, comme ils jugeront à propos.

186. A la vérité, les conquérants obligent d'ordinaire, par force et l'épée à la main, ceux qu'ils ont subjugués, à subir les conditions qu'il leur plaît imposer, et à se soumettre au gouvernement qu'ils veulent établir. Mais la question est de savoir quel droit ils ont d'en user de la sorte. Si l'on dit que les gens subjugués se soumettent de leur propre consentement, alors on reconnaît que leur *consentement est nécessaire*, afin qu'un conquérant ait droit de les gouverner. Il ne reste qu'à considérer si des promesses extorquées, si des promesses arrachées de force et sans droit, peuvent être regardées comme un consentement, et jusqu'où elles obligent. Je dis, sans crainte, qu'elles n'obligent en aucune façon, parce que nous conservons toujours notre droit sur ce qu'on nous arrache de force, et que ceux qui extorquent ainsi quelque chose, sont obligés de la restituer incessamment. Si un homme prend par force mon cheval, il est d'abord obligé de me le rendre ; et j'ai toujours le droit de le reprendre, si je puis. Par la même raison, celui qui m'arrache de force une promesse, est tenu de me la rendre incessamment, c'est-à-dire, de m'en tenir quitte ; ou je puis la reprendre moi-même et la rétracter, c'est-à-dire, qu'il m'est permis de la tenir ou de ne la pas tenir. En effet, les *lois de la nature* m'imposant des obligations, seulement par leurs règlements et par les choses qu'elles prescrivent, ne peuvent m'obliger à rien, par la violation de leurs propres règlements ; telle est l'action de ceux qui m'extorquent et m'arrachent de force quelque chose. Et il ne sert de rien de dire que j'ai promis ; car il est aussi vrai que ma promesse, en cette occasion, ne m'engage et ne m'oblige à rien, qu'il l'est que je ne rends point juste et légitime la violence d'un voleur, lorsque je mets la main dans mon gousset, et que j'en tire ma bourse, et la remets moi-même entre les mains du voleur qui me la demande le pistolet à la main.

187. De tout cela, il s'ensuit que le gouvernement d'un conquérant, établi par force sur ceux qui ont été

subjugués, et auxquels il n'avait pas droit de faire la guerre, ou qui ne se sont pas joints à ceux qui ont agi et combattu dans une guerre juste qu'il leur a faite, est un gouvernement injuste et illégitime.

188. Mais supposons que tous les membres d'un corps politique qui a été subjugué, se soient joints ensemble pour faire une guerre injuste, et que leur vie soit à la merci et en la disposition du vainqueur.

189. Je dis que cela ne concerne point leurs enfants, qui sont mineurs. Car, puisqu'un père n'a point de pouvoir sur la vie et sur la liberté de ses enfants, aucune de ses actions et de ses démarches ne les leur peut faire perdre. Ainsi, les enfants, quelque chose qui arrive à leur père, sont toujours des personnes libres; et le pouvoir absolu d'un conquérant ne s'étend que sur la personne de ceux qu'il a subjugués : et quoiqu'il ait droit de les gouverner comme des *esclaves*, comme des gens assujettis à son pouvoir absolu et arbitraire, il n'a point un tel droit de domination sur leurs enfants. Il ne peut avoir de pouvoir sur eux que par leur consentement; et son autorité ne saurait être légitime[a], tandis que la force, non le choix, les oblige de se soumettre.

190. Chacun est né avec deux sortes de droits. Le premier droit est celui qu'il a en sa personne, de laquelle il peut seul disposer. Le second est le droit qu'il a, avant tout autre homme, d'hériter des biens de ses frères ou de son père.

191. Par le premier de ces droits, on n'est naturellement sujet à aucun gouvernement, encore qu'on soit né dans un lieu où il y en ait un établi. Mais aussi, si l'on ne veut pas se soumettre au gouvernement légitime, sous la juridiction duquel on est né, il faut abandonner le droit qui est une dépendance de ce gouvernement-là, et renoncer aux possessions de ses ancêtres, si la société où elles se trouvent a été formée par leur consentement.

192. Par le second, les habitants d'un pays, qui sont descendus des vaincus, et tirent le droit qu'ils ont sur leurs biens de gens qui ont été subjugués : ces sortes

a. *Lawful*.

d'habitants, qui sont soumis par force et *contre leur consentement libre*, à un gouvernement fâcheux, retiennent leur droit aux possessions de leurs ancêtres, quoiqu'ils ne consentent pas librement au gouvernement sous lequel elles se trouvent, et dont les rudes conditions ont été imposées par force. Car le conquérant n'ayant jamais eu de droit sur ce pays dont il s'agit, le peuple, c'est-à-dire les descendants et les héritiers de ceux qui ont été forcés de subir le joug ont toujours droit de le secouer, et de se délivrer de l'usurpation ou de la tyrannie que l'épée et la violence ont introduite, jusqu'à ce que leurs conducteurs les aient mis sous une forme de gouvernement à laquelle ils consentent volontairement et de bon cœur, ce qu'ils ne peuvent jamais être supposés faire, jusqu'à ce qu'ils aient été mis dans l'état d'une pleine liberté, dans lequel ils puissent choisir et le gouvernement et les gouverneurs, ou du moins jusqu'à ce qu'ils aient des lois stables, auxquelles ils aient, ou immédiatement, ou par ceux qui les représentent, donné *leur consentement libre*, et ainsi, jusqu'à ce qu'ils aient mis en sûreté tout ce qui leur appartient en propre, en sorte que personne ne puisse jamais leur en prendre rien contre leur consentement, sans quoi ils ne sauraient, sous aucun gouvernement, être dans l'état d'hommes *libres*, mais seraient plutôt de véritables *esclaves*, et des gens exposés aux fureurs et aux calamités de la guerre. Et qui doute que les Chrétiens de la *Grèce*, qui sont descendus des anciens possesseurs de ce pays, qui est aujourd'hui sous la domination du Grand Seigneur, ne pussent justement, s'ils avaient assez de force pour cela, secouer le joug des *Turcs*, sous lequel ils gémissent depuis si longtemps ?

193. Mais accordons qu'un conquérant, dans une juste guerre, a droit sur les biens, tout de même que sur les personnes de ceux qui sont subjugués ; il est pourtant clair que cela n'est point ; il ne s'ensuivrait pas, sans doute, que dans la suite de son gouvernement, il dût avoir un pouvoir absolu. Car les descendants de ces gens-là étant tous hommes libres, s'il leur donne des biens et des possessions afin qu'ils habitent et peuplent

son pays, sans quoi il ne serait de nul prix et de nulle considération, ils ont un droit de propriété sur ces possessions et sur ces biens : or, la nature de la propriété consiste à posséder quelque chose, en sorte que personne n'en puisse légitimement prendre rien, *sans le consentement du propriétaire.*

194. Leurs personnes sont libres, par un droit naturel : et quant aux biens qui leur appartiennent en propre, qu'ils soient grands ou petits, eux seuls en peuvent disposer ; autrement, ce ne seraient point des biens propres. Supposons qu'un conquérant donne à un homme mille arpents de terre, pour lui et pour ses héritiers, à perpétuité, et qu'il laisse à un autre mille arpents, à vie, moyennant la somme de 50 ou 500 livres par an ; l'un d'eux n'a-t-il pas droit sur mille arpents de terre, à perpétuité, et l'autre sur autant pendant sa vie, en payant la rente que nous avons marquée ? De plus, celui qui tient la terre de mille arpents, n'a-t-il pas un droit de propriété sur tout ce que durant le temps prescrit, il gagne et acquiert, par son travail et son industrie, au-delà de la rente qu'il est obligé de payer, quand même il aurait acquis et gagné le double de la rente ? A-t-on raison de dire qu'un Roi ou un conquérant, après avoir accordé et stipulé ce qu'on vient de voir, peut, par son droit de conquête, prendre toute la terre, ou une partie, aux héritiers de l'un, ou à l'autre, durant sa vie, et pendant qu'il paie exactement la rente qui a été constituée ? Ou, peut-il prendre à l'un ou à l'autre, selon son bon plaisir, les biens ou l'argent qu'il aura acquis ou gagné sur les arpents de terre mentionnés ? S'il le peut, alors il faut que tous les contrats, que tous les traités, que toutes les conventions cessent dans le monde, comme des choses vaines et frivoles ; tout ce que les grands accorderont, ne sera qu'une chimère ; les promesses de ceux qui ont la suprême puissance ne seront que moquerie et qu'illusion. Et peut-il y avoir rien de plus ridicule que de dire solennellement, et de la manière du monde la plus propre à donner de la confiance et à assurer une possession : *Je vous donne cela pour vous et pour les vôtres, à perpétuité*, et que cependant il faille entendre que celui qui parle de la

sorte a droit de reprendre le lendemain, s'il lui plaît, ce qu'il donne ?

195. Je ne veux point examiner à présent la question, *si les Princes sont exempts d'observer les lois de leur pays*; mais je suis sûr qu'ils sont obligés, et même bien étroitement, d'observer les *lois de Dieu et de la nature*. Nul pouvoir ne saurait jamais exempter de l'observation de ces lois éternelles. L'obligation qu'elles imposent est si grande et si forte, que le Tout-Puissant lui-même ne peut en dispenser. Les accords, les traités, les alliances, les promesses, les serments sont des liens indissolubles pour le Très-Haut. Ne seront-ils donc pas aussi (malgré tout ce que disent les flatteurs aux Princes du monde), des liens indissolubles, et des choses d'une obligation indispensable pour des potentats qui, joints tous ensemble avec tous leurs peuples, ne sont en comparaison du grand Dieu, que comme une *goutte qui tombe d'un seau, ou comme la poussière d'une balance* ?

196. Donc, pour revenir aux conquêtes, un conquérant, si sa cause est juste, a un droit despotique sur la personne de chacun de ceux qui sont entrés en guerre contre lui, ou ont concouru à la guerre qu'on lui a faite ; et peut, par le travail et les biens des vaincus, réparer le dommage qu'il a reçu, et les frais qu'il a faits, en sorte pourtant qu'il ne nuise point aux droits de personne. Pour ce qui regarde le reste des gens, savoir ceux qui n'ont point consenti et concouru à la guerre, et même les enfants des prisonniers ; et pour ce qui regarde aussi les possessions des uns et des autres, il n'a nul droit sur ces personnes, ni sur ces biens ; et, par conséquent, il ne saurait, par voie et en vertu de sa conquête, avoir aucun droit de domination sur ces gens-là, ni le communiquer à sa postérité. S'il use de domination sur eux, et prend leurs biens, tout ce qui leur appartient, ou seulement quelque partie, il doit être considéré comme un agresseur et comme un homme qui s'est mis en *état de guerre* avec eux, et n'a pas un droit meilleur et mieux fondé que celui que *Hingar et Hubba*[a], Danois, ont eu sur

a. P. Laslett rappelle, p. 414 de son édition critique, que Hingar et Hubba furent, en 860, les chefs de l'expédition danoise en Angleterre.

l'*Angleterre*, ou que celui de *Spartacus*[a], qui conquit
l'*Italie*. Aussi les peuples subjugués de la sorte
n'attendent-ils jamais qu'une occasion favorable et le
secours du Ciel, pour secouer le joug. Ainsi, malgré
tout le droit que le Roi d'Assyrie prétendait avoir sur la
Judée, par la voie de son épée victorieuse, Dieu secou-
rut puissamment *Ezéchias*, afin qu'il se délivrât de la
domination du victorieux et du superbe empire de ce
Monarque. *Et le Seigneur fut avec Ezéchias, qui réussit
partout où il alla*[*]. *Il se rebella contre le Roi des Asssyriens,
et il ne lui fut point assujetti*. Il paraît évidemment par là
qu'en secouant un pouvoir par la force et la violence, et
non par le droit et la justice établis, quoique ceux qui en
usent de la sorte soient traités de rebelles, on n'offense
point Dieu. En cela, on ne fait que pratiquer ce que ce
grand Dieu permet, approuve, autorise, quand même
seraient intervenues des promesses et des conventions
extorquées et arrachées de force. Si on lit attentivement
l'histoire d'*Achaz* et d'*Ezéchias*, on pourra voir un
exemple bien juste sur ce sujet, et autorisé par le
Seigneur. Car, il est probable que les *Assyriens* sub-
juguèrent *Achaz* et le déposèrent et établirent Roi
Ezéchias, du temps durant la vie de son père ; et
qu'*Ezéchias* fut obligé de consentir à un traité, par
lequel il s'engageait à faire hommage au Roi d'*Assyrie*,
et à lui payer tribut[b].

CHAPITRE XVII

De l'Usurpation

197. Comme une conquête peut être appelée une
usurpation du dehors et étrangère, de même l'*usurpation*
peut être nommée une *conquête domestique* ; avec cette

a. Spartacus prit la tête de la révolte des esclaves contre Rome en
73 av. J.-C.
* II. Rois XVIII, 17.
b. Cf. Liv. des *Rois*, II, chap. 16 et 18.

différence qu'une *usurpation* ne saurait jamais avoir le droit de son côté, au lieu qu'un conquérant peut l'avoir, pourvu qu'il se contienne dans les bornes que la justice lui prescrit, et qu'il ne se saisisse pas des possessions et des biens auxquels d'autres ont droit. Quand les règles de l'équité sont observées, il peut bien y avoir changement de personnes et de conducteurs, mais non changement de forme et de lois dans le gouvernement ; car, si l'on étendait son pouvoir au-delà du droit et de la justice, ce serait joindre la tyrannie à l'*usurpation*.

198. Dans tous les gouvernements légitimes, une partie considérable de la forme du gouvernement et des privilèges naturels et essentiels des peuples, c'est de désigner les personnes qui doivent gouverner. L'*anarchie* ne consiste pas seulement à n'avoir nulle forme de gouvernement et d'État, ou à être convenu qu'il serait *monarchique*, mais à n'avoir établi aucun moyen pour désigner les personnes qui doivent être revêtues du pouvoir *monarchique*, ou de quelque autre. Ainsi, tous les véritables États ont, non seulement une forme de gouvernement établie, mais encore des lois et règlements pour désigner certaines personnes, et les revêtir de l'autorité publique ; et quiconque entre dans l'exercice de quelque partie du pouvoir d'une société, par d'autres voies que celles que les lois prescrivent, ne peut prétendre d'être obéi, quoique la forme de gouvernement soit toujours conservée ; puisqu'en ce cas, la personne qui gouverne n'a pas été désignée et nommée par les lois, et par conséquent par le peuple. Ni un tel usurpateur, ni aucun descendu de lui, ne saurait avoir une domination juste et légitime, jusqu'à ce que le peuple ait eu la liberté de donner son consentement et l'ait actuellement donné, en sorte qu'il ait approuvé et confirmé l'autorité et l'exercice du pouvoir d'un tel homme, dont, sans cela, le pouvoir sera toujours un pouvoir usurpé et illégitime.

CHAPITRE XVIII

De la Tyrannie

199. Comme l'usurpation est l'exercice d'un pouvoir auquel d'autres ont droit, *la tyrannie est l'exercice d'un pouvoir outré, auquel qui que ce soit n'a droit assurément* : ou bien, la tyrannie est l'usage d'un pouvoir dont on est revêtu, mais qu'on exerce, non pour le bien et l'avantage de ceux qui y sont soumis, mais pour son avantage propre et particulier ; et celui-là, quelque titre qu'on lui donne, et quelques belles raisons qu'on allègue, est véritablement *tyran*, qui propose, non les lois, mais sa volonté pour règle, et dont les ordres et les actions ne tendent pas à conserver ce qui appartient en propre à ceux qui sont sous sa domination, mais à satisfaire son ambition particulière, sa vengeance, son avarice, ou quelque autre passion déréglée.

200. Si quelqu'un croit pouvoir douter de la vérité et de la certitude de ce que j'avance, parce que celui qui le propose est un sujet et un sujet inconnu, et sur l'autorité duquel on ne voudrait pas s'appuyer ; j'espère que l'autorité d'un célèbre Roi l'engagera à en tomber d'accord : c'est du Roi Jacques[a] dont j'entends parler. Voici de quelle manière il s'expliqua dans le discours qu'il fit au Parlement en 1603 : *Je préférerai toujours, en faisant de bonnes lois et des constitutions utiles, le bien public et l'avantage de tout l'État, à mes avantages propres et à mes intérêts particuliers ; persuadé que je suis que l'avantage et le bien de l'État est mon plus grand avantage et ma félicité temporelle, et que c'est en ce point qu'un Roi légitime diffère entièrement d'un tyran. En effet, il est certain que le principal et le plus grand point de différence qu'il y a entre un Roi juste, et un tyran et un usurpateur, consiste en ce qu'au lieu qu'un tyran, superbe et ambitieux, s'imagine que son royaume et son peuple sont uniquement*

a. Il s'agit de Jacques Ier Stuart, qui succéda à la reine Elisabeth en 1603.

faits pour satisfaire ses désirs et ses appétits déréglés, un Roi juste et équitable se regarde, au contraire, comme établi pour faire en sorte que son peuple jouisse tranquillement de ses biens, et de ce qui lui appartient en propre. Et encore, dans le discours que ce sage Prince fit au Parlement en 1609, il s'exprima de cette sorte : *Le Roi s'oblige lui-même, par un double serment, à observer les lois fondamentales de son royaume : l'un est un serment tacite, qu'il fait en qualité de Roi, et par la nature de sa dignité, qui l'engage, et bien étroitement, à protéger et son peuple et les lois du royaume, l'autre est un serment exprès qu'il prête, le jour de son couronnement. De sorte que tout Roi juste, dans un royaume fondé, est obligé d'observer la paction[a] qu'il a faite avec son peuple, de conformer son gouvernement aux lois, et d'agir suivant cette paction que Dieu fit avec Noé après le déluge. Désormais, le temps de semer et le temps de moissonner, le froid et le chaud, l'été et l'hiver, le jour et la nuit, ne cesseront point, pendant que la terre demeurera. Un Roi donc qui tient les rênes du gouvernement dans un royaume formé, cesse d'être Roi, et devient tyran dès qu'il cesse, dans son gouvernement, d'agir conformément aux lois.* Et un peu après : *Ainsi, tous les Rois qui ne sont pas tyrans ou parjures, seront bien aises de se contenir dans les limites de leurs lois ; et ceux qui leur persuadent le contraire, sont des vipères et une peste fatale, tant au regard des Rois eux-mêmes, qu'au regard de l'État.* Voilà la différence qu'un savant Roi[b], qui avait l'esprit droit et de vraies notions des choses, met entre un Roi et un tyran, laquelle consiste en ce que l'un fait des lois et met des bornes à son pouvoir, et considère le bien public comme la fin de son gouvernement, l'autre, au contraire, suit entièrement sa volonté particulière et ses passions déréglées.

201. C'est une erreur que de croire que ce désordre et ces défauts, qui viennent d'être marqués, ne se

---

a. Le pacte ou convention.

b. Jacques Ier est l'auteur de divers traités : le *Basilicon Doron; Trew Law of Free Monarchies,* 1598 ; *Apologia pro Juramento Fidelitatis,* 1608. Écrits et discours de Jacques Ier sont rassemblés sous le titre *Political Works of James I[st],* Harvard, 1918.

trouvent que dans les monarchies ; les autres formes de
gouvernement n'y sont pas moins sujettes. Car, enfin,
partout où les personnes qui sont élevées à la suprême
puissance, pour la conduite d'un peuple et pour la
conservation de ce qui lui appartient en propre,
emploient leur pouvoir pour d'autres fins, appau-
vrissent, foulent, assujettissent à des commandements
arbitraires et irréguliers des gens qu'ils sont obligés de
traiter d'une tout autre manière ; là, certainement, il y a
tyrannie, soit qu'un seul homme soit revêtu du pouvoir,
et agisse de la sorte, soit qu'il y en ait plusieurs. Ainsi,
l'histoire nous parle de trente tyrans d'*Athènes*, aussi
bien que d'un de *Syracuse ;* et chacun sait que la
domination des *Décemvirs de Rome* ne valait pas mieux,
et était une véritable *tyrannie*.

202. Partout où les lois cessent, ou sont violées au
préjudice d'autrui, la *tyrannie* commence et a lieu.
Quiconque, revêtu d'autorité, excède le pouvoir qui lui
a été donné par les lois, et emploie la force qui est en sa
disposition à faire, à l'égard de ses sujets, des choses
que les lois ne permettent point, est, sans doute, un
véritable tyran ; et comme il agit alors sans autorité, on
peut s'opposer à lui tout de même qu'à tout autre qui
envahirait de force le droit d'autrui. Il n'y a personne
qui ne reconnaisse qu'il est permis de s'opposer de la
même manière à des magistrats subordonnés. Si un
homme qui a eu commission de se saisir de ma personne dans les rues, entre de force dans ma maison et
enfonce ma porte, j'ai droit de m'opposer à lui comme à
un voleur, quoique je reconnaisse qu'il a pouvoir et
reçu ordre de m'arrêter dehors. Or, je voudrais qu'on
m'apprît pourquoi on n'en peut pas user de même à
l'égard des Magistrats supérieurs et souverains, aussi
bien qu'à l'égard de ceux qui leur sont inférieurs ? Est-il
raisonnable que l'aîné d'une famille, parce qu'il a la
plus grande partie des biens de son père, ait droit par là
de ravir à ses frères leur portion ; ou qu'un homme
riche, qui possède tout un pays, ait droit de se saisir,
lorsqu'il lui plaira, de la chaumière ou du jardin de son
pauvre prochain ? Bien loin qu'un pouvoir et des

richesses immenses, et infiniment plus considérables que le pouvoir et les richesses de la plus grande partie des enfants d'*Adam*, puissent servir d'excuse, et surtout de fondement légitime pour justifier les rapines et l'oppression, qui consistent à préjudicier à autrui sans autorité : au contraire, ils ne font qu'aggraver la cruauté et l'injustice. Car enfin, agir sans autorité, au-delà des bornes marquées, n'est pas un droit d'un grand plutôt que d'un petit officier, et ne paraît pas plus excusable dans un Roi que dans un Commissaire de quartier, ou dans un sergent : cela est même moins pardonnable dans ceux qui ont été revêtus d'un grand pouvoir, parce qu'on a pris en eux plus de confiance, qu'on a supposé que l'avantage de leur éducation, les soins de leurs gouverneurs, les lumières et l'habileté de leurs conseillers, leur donneraient plus d'intelligence et de capacité ; et qu'ayant reçu une beaucoup plus grande part que n'ont fait le reste de leurs frères, ils seraient plus en état de faire du bien.

203. Quoi, dira-t-on, on peut donc s'opposer aux commandements et aux ordres d'un Prince ? On peut lui résister toutes les fois qu'on se croira maltraité, et qu'on s'imaginera qu'il n'a pas droit de faire ce qu'il fait ? S'il était permis d'en user de la sorte, toutes les sociétés seraient bientôt renversées et détruites ; et, au lieu de voir quelque gouvernement et quelque ordre, on ne verrait qu'anarchie et que confusion.

204. Je réponds qu'on ne doit opposer la force qu'à la force *injuste et illégitime*, et à la *violence* ; que quiconque résiste dans quelque autre cas, s'attire une juste condamnation, tant de la part de Dieu que de la part des hommes ; et qu'il ne s'ensuit point que toutes les fois qu'on s'opposera aux entreprises d'un Souverain, il en doive résulter des malheurs et de la confusion.

205. Car, premièrement, comme dans quelque pays, la personne du Prince est sacrée par les lois, il n'y a jamais à craindre pour elle aucune plainte, ni aucune violence, quelque chose qu'il commande ou qu'il fasse, et elle n'est sujette à nulle censure, ni à nulle condamnation : on peut seulement former des oppositions

contre des actes illégitimes et illicites de quelque officier inférieur, ou de quelque autre qui aura été commis par le Prince ; on peut, dis-je, en user de la sorte, et le Prince ne doit pas trouver mauvais qu'on le fasse, à moins qu'il n'ait dessein, en se mettant actuellement en *état de guerre* avec son peuple, de dissoudre le gouvernement, et ne l'oblige d'avoir recours à cette défense, qui appartient à tous ceux qui sont dans l'*état de nature*. Or, qui est capable de dire ce qui peut en arriver ? Un Royaume voisin a fourni au monde, il y a longtemps, un fameux exemple sur ce sujet. Dans tous les autres cas, la personne sacrée du Prince est à l'abri de toutes sortes d'inconvénients ; et tandis que le gouvernement subsiste, il n'a à craindre aucune violence, aucun mal ; et, certes, il ne peut y avoir une constitution et une pratique plus sage ; car le mal que peut faire un Prince par sa seule personne et par sa force particulière, ne saurait vraisemblablement arriver souvent, ni s'étendre fort loin et renverser les lois, ou opprimer le corps du peuple ; à moins qu'un Prince ne fût extrêmement faible, ou extrêmement méchant. Et pour ce qui regarde quelques malheurs particuliers qui peuvent arriver, lorsqu'un Prince têtu et fâcheux est monté sur le trône, ils sont fort réparés et compensés par la paix publique et la sûreté du gouvernement, quand la personne du principal Magistrat est à couvert de tout danger : étant beaucoup plus avantageux et plus salutaire à tout le corps, que quelques particuliers soient quelquefois en danger de souffrir, que si le chef de la république était exposé facilement et sur le moindre sujet.

206. En second lieu, le privilège dont nous parlons ne regarde que la personne du Roi, et n'empêche point qu'on ne puisse se plaindre de ceux qui usent d'une force injuste, s'opposer à eux et leur résister, quoiqu'ils disent avoir reçu de lui leur commission. En effet, si quelqu'un a reçu ordre du Roi d'arrêter un homme, il ne s'ensuit point qu'il ait droit d'enfoncer la porte de sa maison pour se saisir de lui, ni d'exécuter sa commission dans de certains jours, ni dans de certains lieux,

bien que cette exception-là ne soit pas mentionnée dans la commission : il suffit que les lois la fassent, pour qu'on soit obligé de s'y conformer exactement ; et rien ne peut excuser ceux qui vont au-delà des bornes qu'elles ont marquées. En effet le Roi, tenant des lois toute son autorité, ne peut autoriser aucun acte qui soit contraire à ces lois, ni justifier, par sa commission, ceux qui les violent. La commission ou l'ordre d'un Magistrat qui entreprend au-delà du pouvoir qui lui a été commis n'est pas plus considérable que celle d'un particulier. La seule différence qui se trouve entre l'une et l'autre, consiste en ce que le Magistrat a quelque autorité, a une certaine étendue pour certaines fins, et qu'un particulier n'en a point du tout. Après tout, ce n'est point la commission, mais l'autorité qui donne droit d'agir ; et il ne saurait y avoir d'autorité contre les lois. Du reste, nonobstant cette résistance qu'on peut faire dans le cas proposé, la personne et l'autorité du Roi sont toujours toutes deux en sûreté et à couvert ; et, par ce moyen, ni celui qui gouverne, ni le gouvernement ne sont exposés à quelques dangers.

207. En troisième lieu, supposons un gouvernement où la personne du principal Magistrat ne soit pas sacrée de la manière que nous venons de dire ; il ne s'ensuit pas que, quoiqu'on puisse légitimement résister à l'exercice illégitime du pouvoir de ce Magistrat, on doive, sur le moindre sujet, mettre sa personne en danger, et brouiller le gouvernement. Car, lorsque la partie offensée peut, en appelant aux lois, être rétablie, et faire réparer le dommage qu'elle a reçu, il n'y a rien alors qui puisse servir de prétexte à la force, laquelle on n'a droit d'employer que quand on est empêché d'appeler aux lois ; et rien ne doit être regardé comme une violence et une hostilité, que ce qui ne permet pas un tel appel. C'est cela précisément qui met dans l'*état de guerre* celui qui empêche d'appeler aux lois ; et c'est ce qui rend aussi justes et légitimes les actions de ceux qui lui résistent. Un homme, l'épée à la main, me demande la bourse sur un grand chemin, dans le temps que je n'ai peut-être pas un sol dans ma bourse ; je puis, sans

doute, légitimement tuer un tel homme. Je remets, entre les mains d'un autre, cent livres, afin qu'il me les garde, tandis que je mets pied à terre. Quand ensuite je les lui redemande, il refuse de me les rendre, et met l'épée à la main pour défendre, par la force, ce dont il est en possession, et que je tâche de recouvrer. Le préjudice que ce dernier me cause est cent fois, ou peut-être mille fois plus grand que celui qu'a eu dessein de me causer le premier, c'est-à-dire, ce voleur que j'ai tué avant qu'il m'eût fait aucun mal réel. Cependant, je puis, avec justice, tuer l'un, et je ne saurais légitimement blesser l'autre. La raison de cela est palpable : c'est que l'un usant d'une violence qui menace ma vie, je ne puis avoir le temps d'appeler aux lois pour la mettre en sûreté ; et quand la vie m'aurait été ôtée, il serait trop tard pour recourir aux lois, lesquelles ne sauraient me rendre ce que j'aurais perdu, et ranimer mon cadavre. Ce serait une perte irréparable, que les *lois de la nature* m'ont donné droit de prévenir, en détruisant celui qui s'est mis avec moi dans un *état de guerre*, et qui me menace de destruction. Mais dans l'autre cas, ma vie n'étant pas en danger, je puis appeler aux lois, et recevoir satisfaction au sujet de mes cent livres.

208. En quatrième lieu, si un Magistrat appuyait de son pouvoir des actes illicites, et qu'il se servît de son autorité pour rendre inutile le remède permis et ordonné par les lois, il ne faudrait pourtant point user du droit qu'on a de résister ; il ne faudrait point, dis-je, à l'égard même d'actes manifestes de tyrannie, user d'abord de ce droit, et troubler le gouvernement pour des sujets de peu d'importance. Car, si ce dont il est question ne regarde que quelques particuliers, bien qu'ils aient droit de se défendre, et de tâcher de recouvrer par force ce qui, par une force injuste, leur a été ravi, néanmoins le droit qu'ils ont de pratiquer cela, ne doit pas facilement les engager dans une contestation, dans laquelle ils ne pourraient que périr ; étant aussi impossible à une personne, ou à peu de personnes, de troubler et renverser le gouvernement,

lorsque le corps du peuple ne s'y croit pas intéressé, qu'il l'est à un fou et à un homme furieux, ou à un homme opiniâtre et mécontent, de renverser un État bien affermi ; le peuple est aussi peu disposé à suivre les uns que les autres.

209. Mais si le procédé injuste du Prince ou du Magistrat s'est étendu jusqu'au plus grand nombre des membres de la société, et a attaqué le corps du peuple ; ou si l'injustice et l'oppression ne sont tombées que sur peu de personnes, mais à l'égard de certaines choses qui sont de la dernière conséquence, en sorte que tous soient persuadés, en leur conscience, que leurs lois, leurs biens, leurs libertés, leurs vies sont en danger, et peut-être même leur religion, je ne saurais dire que ces sortes de gens ne doivent pas résister à une force si illicite dont on use contre eux. C'est un inconvénient, je l'avoue, qui regarde tous les gouvernements, dans lesquels les conducteurs sont devenus généralement suspects à leur peuple, et il ne saurait y avoir d'état plus dangereux pour ceux qui tiennent les rênes du gouvernement, mais où ils soient moins à plaindre, parce qu'il leur était facile d'éviter un tel état ; car, il est impossible qu'un Prince ou un Magistrat, s'il n'a en vue que le bien de son peuple et la conservation de ses sujets et de leurs lois, ne le fasse connaître et sentir ; tout de même qu'il est impossible qu'un père de famille ne fasse remarquer à ses enfants, par sa conduite, qu'il les aime et prend soin d'eux.

210. Si tout le monde observe que les prétextes qu'on allègue pour justifier une conduite, sont entièrement opposés aux actions et aux démarches de ceux qui les allèguent ; qu'on emploie tout ce que l'adresse, l'artifice et la subtilité ont de plus fort, pour éluder les lois ; qu'on se sert du crédit et de l'avantage de la *prérogative** d'une manière contraire à la fin pour laquelle elle a été accordée ; qu'on choisit des Ministres et des Magistrats subordonnés, qui sont propres à

---

* On a expliqué ci-devant, Ch. xiv, § 159 sq., p. 262 sq., ce qu'on entend par *prérogative*.

conduire les choses à un point funeste et infiniment
nuisible à la nation; et qu'ils sont en faveur plus ou
moins, à proportion des soins qu'ils prennent et du zèle
qu'ils témoignent, à l'égard de cette fin que le Prince se
propose; que déjà le pouvoir arbitraire a produit des
effets très fâcheux; qu'on favorise sous-main une religion que les lois proscrivent; qu'on est tout prêt à
l'introduire et à l'établir solennellement partout; que
ceux qui travaillent à cela sont appuyés, autant qu'il est
possible; qu'on exalte cette religion, et qu'on la propose
comme la meilleure; qu'une longue suite d'actions
montre que toutes les délibérations du conseil tendent
là; qui est-ce alors qui peut s'empêcher d'être
convaincu, en sa conscience, que la nation est exposée à
de grands périls, et qu'on doit penser tout de bon à sa
sûreté et à son salut? En cette occasion, on est aussi
bien fondé que le seraient des gens qui, se trouvant
dans un vaisseau, croiraient que le capitaine a dessein
de les mener à *Alger*, parce qu'ils remarqueraient qu'il
en tiendrait toujours la route, quoique les vents
contraires, le besoin que son vaisseau aurait d'être
radoubé, le défaut d'hommes, et la disette de provisions
le contraignissent souvent de changer de route pour
quelque temps; et que dès que les vents, l'eau, et les
autres choses le lui permettraient, il reprendrait sa
première route, et ferait voile vers cette malheureuse
terre où règne l'esclavage.

CHAPITRE XIX

De la dissolution des Gouvernements

211. Si l'on veut parler, avec quelque clarté, de la
dissolution des gouvernements, il faut, avant toutes
choses, distinguer entre la dissolution de la société, et la
dissolution du gouvernement. Ce qui forme une

communauté, et tire les gens de la liberté de l'*état de nature*, afin qu'ils composent une société politique, c'est le consentement que chacun donne pour s'incorporer et agir avec les autres comme un seul et même corps, et former un État distinct et séparé. La voie ordinaire, qui est presque la seule voie par laquelle cette union se dissout, c'est l'invasion d'une force étrangère qui subjugue ceux qui se trouvent unis en société. Car, en cette rencontre, ces gens unis n'étant pas capables de se défendre, de se soutenir, de demeurer un corps entier et indépendant, l'union de ce corps doit nécessairement cesser, et chacun est contraint de retourner dans l'état où il était auparavant, de reprendre la *liberté* qu'il avait, et de songer désormais et pourvoir à sa sûreté particulière, comme il juge à propos, en entrant dans quelque autre société. Quand une société est dissoute, il est certain que le gouvernement de cette société ne subsiste pas davantage. Ainsi, l'épée d'un conquérant détruit souvent, renverse, confond toutes choses et, par elle, le gouvernement et la société sont mis en pièces, parce que ceux qui sont subjugués sont privés de la protection de cette société dont ils dépendaient, et qui était destinée à les conserver et à les défendre contre la violence. Tout le monde n'est que trop instruit sur cette matière, et l'on est trop éloigné d'approuver une telle voie de dissoudre les gouvernements, pour qu'il soit nécessaire de s'étendre sur ce sujet. Il ne manque pas d'arguments et de preuves pour faire voir que lorsque la société est dissoute, le gouvernement ne saurait subsister ; cela étant aussi impossible qu'il l'est que la structure d'une maison subsiste, après que les matériaux, dont elle avait été construite, ont été séparés les uns des autres, et mis en désordre par un tourbillon, ou ont été mêlés et confondus les uns avec les autres en un monceau par un tremblement de terre.

212. Outre ce renversement causé par les gens de dehors, *les gouvernements peuvent être dissous par des désordres arrivés au-dedans*.

Premièrement, cette dissolution peut arriver lorsque la *puissance législative* est altérée. Car la société civile est un état de paix pour ceux qui en sont membres ; on en a entièrement exclu l'*état de guerre* ; on a pourvu, par l'établissement de la *puissance législative*, à tous les désordres intérieurs, à tous les différends, et à tous les procès qui pourraient s'élever entre ceux qui composent une même communauté. Il a été arrêté, par le moyen du *pouvoir législatif*, que les membres de l'État seraient unis, composeraient un même corps, et vivraient dans la possession paisible de ce qui leur appartient. *La puissance législative est donc l'âme du corps politique ; c'est d'elle que tous les membres de l'État tirent tout ce qui leur est nécessaire pour leur conservation, pour leur union, et pour leur bonheur.* Tellement que quand le *pouvoir législatif* est ruiné ou dissous, la dissolution, la mort de tout le corps politique s'ensuit. En effet, l'*essence et l'union d'une société* consistant à n'avoir qu'une même volonté et qu'un même esprit, le *pouvoir législatif* a été établi par le plus grand nombre, pour être l'interprète et comme le gardien de cette volonté et de cet esprit. L'établissement du *pouvoir législatif* est le premier et fondamental acte de la société, par lequel on a pourvu à la continuation de l'union de tous les membres, sous la direction de certaines personnes, et des lois faites par ces personnes que le peuple a revêtues d'autorité, mais de cette autorité, sans laquelle qui que ce soit n'a droit de faire des lois et de les proposer à observer. Quand un homme ou plusieurs entreprennent de faire des lois, quoiqu'ils n'aient reçu du peuple aucune commission pour cela, ils font des lois sans autorité, des lois par conséquent auxquelles le peuple n'est point tenu d'obéir ; au contraire, une semblable entreprise rompt tous les liens de la sujétion et de la dépendance, s'il y en avait auparavant, et fait qu'on est en droit d'établir une nouvelle *puissance législative*, comme on trouve à propos ; et qu'on peut, avec une liberté entière, résister à ceux qui, sans autorité, veulent imposer un joug fâcheux, et assujettir à des choses contraires aux lois et à l'avantage de l'État. Chacun est maître, sans doute, et peut disposer de sa volonté particulière, lorsque ceux qui, par le désir et le consentement de la société ont été établis pour être les interprètes et les gardiens de la volonté publique, n'ont pas la liberté d'agir comme ils souhaiteraient, et conformément à leur commission; et que d'autres usurpent leur autorité, et se portent à faire des lois et des règlements, sans en avoir reçu le pouvoir.

213. Voilà comme les choses arrivent d'ordinaire dans les États, quand ceux qui ont été revêtus d'autorité abusent de leur pouvoir. Du reste, il n'est pas aisé de considérer ces sortes de cas comme il faut et sans se tromper, à moins qu'on n'ait une idée distincte de la forme de gouvernement dont il est question. Supposons donc un État où,

1º Une seule personne ait toujours le pouvoir suprême et le droit héréditaire de faire exécuter les lois, de convoquer et de dissoudre, en certains temps, l'assemblée qui a l'*autorité législative*;

2º Où il y ait de la noblesse, à qui sa naissance donne droit d'assister à cette assemblée et d'en être membre;

3º Où il y ait des gens assemblés qui représentent le peuple, pour un certain temps.

214. Cela étant supposé, il est évident, premièrement, que lorsque cette seule personne, ou ce Prince, dont il vient d'être fait mention, met sa volonté arbitraire en la place des lois, qui sont la volonté de la société, déclarée par le *pouvoir législatif*, le *pouvoir législatif est changé*; car cette assemblée, dont les règlements et les lois doivent être exécutés, étant véritablement le *pouvoir législatif*, si l'on substitue et appuie d'autres lois et d'autres règlements que ceux qui ont été faits par ce *pouvoir législatif*, que la société a établi, il est manifeste que le *pouvoir législatif est changé*. Quiconque introduit de nouvelles lois, n'ayant point reçu de pouvoir pour cela, par la constitution fondamentale de la société, ou qu'il renverse les lois anciennes, il méprise et renverse en même temps le pouvoir par lequel elles avaient été faites, et substitue *une nouvelle puissance législative*.

215. En second lieu, lorsque le Prince empêche que les membres du *corps législatif* ne s'assemblent dans le temps qu'il faut, ou que l'assemblée *législative* n'agisse avec *liberté*, et conformément aux fins pour lesquelles elle a été établie, le *pouvoir législatif est altéré*. Car afin que le *pouvoir législatif* soit en son entier, il ne suffit pas qu'il y ait un certain nombre d'hommes convoqués et assemblés ; il faut de plus que ces personnes assemblées aient la *liberté* et le loisir d'examiner et de finir ce qui concerne le bien de l'État : autrement, si on les empêche d'exercer dûment leur pouvoir, il est très vrai que le *pouvoir législatif* est altéré. Ce n'est point un nom qui constitue un gouvernement, mais bien l'usage et l'exercice de ces *pouvoirs* qui ont été établis : de sorte que celui qui ôte la *liberté*, ou ne permet pas que l'assemblée *législative* agisse dans le temps qu'il faudrait, *détruit effectivement l'autorité législative* et met fin au *gouvernement*.

216. En troisième lieu, lorsque le Prince, par son *pouvoir arbitraire*, sans le *consentement du peuple* et contre les intérêts de l'État, change ceux qui élisent les membres de l'assemblée *législative*, ou la manière de procéder à cette élection, le *pouvoir législatif est aussi changé*. En effet, si le Prince fait choisir d'autres que ceux qui sont autorisés par la société, ou si l'on procède à l'élection d'une manière différente de celle que la société a prescrite, certainement ceux qui sont élus et assemblés de la sorte ne sont point cette assemblée *législative* qui a été désignée, établie par le peuple.

217. En quatrième lieu, lorsque le peuple est livré et assujetti à une puissance étrangère, soit par le Prince, soit par l'assemblée *législative*, le *pouvoir législatif est assurément changé et le gouvernement est dissous*. Car la fin pour laquelle le peuple est entré en société, étant de composer une société entière, *libre*, *indépendante*, gouvernée par ses propres lois, rien de tout cela ne subsiste, dès que ce peuple est livré à un autre pouvoir, à un *pouvoir étranger*.

218. Or, il est évident que dans un État constitué de la manière que nous avons dite, *la dissolution du gouvernement*, dans les cas que nous venons de marquer, doit être imputée au Prince ; car le Prince ayant à sa disposition les forces, les trésors, et les charges de l'État, et se persuadant lui-même, ou se laissant persuader par ses flatteurs, qu'un Souverain ne doit être sujet à aucun examen, et qu'il n'est permis à personne, quelque spécieuses raisons qu'il puisse alléguer, de trouver à redire à sa conduite ; lui seul est capable de donner lieu à ces sortes de changements, dont il a été parlé, et de les produire sous le prétexte d'une autorité légitime, et par le moyen de ce pouvoir qu'il a entre les mains, et avec lequel il peut épouvanter ou accabler ceux qui s'opposent à lui, et les détruire comme des factieux, des séditieux, et des ennemis du gouvernement ; pour ce qui regarde les autres parties de l'*autorité législative* et le peuple, il n'y a pas grand-chose à craindre d'eux, puisqu'ils ne sauraient entreprendre de changer la *puissance législative* sans une rébellion visible, ouverte et éclatante. D'ailleurs, le Prince ayant le pouvoir de dissoudre les autres parties de la *puissance législative*, et de rendre ainsi ceux qui sont membres de l'assemblée, de *législateurs*, des personnes privées ; ils ne sauraient jamais, en s'opposant à lui, ou sans son secours et son approbation, altérer par des lois, le *pouvoir législatif*, le consentement du Prince étant nécessaire, afin que les décrets et les actes de leur assemblée soient valables. Après tout, autant que les autres parties du *pouvoir législatif* contribuent, en quelque façon, aux changements qu'on veut introduire dans le gouvernement établi, et favorisent le dessein de ceux qui entreprennent de faire ces changements-là, autant participent-ils à leur injustice et se rendent-ils coupables du plus grand crime que des gens puissent commettre contre d'autres.

219. Il y a encore une voie par laquelle le gouvernement, que nous avons posé, peut se dissoudre ; c'est celle qui paraît manifestement, lorsque celui qui

a le *pouvoir suprême et exécutif* néglige ou abandonne son emploi, en sorte que les lois déjà faites ne puissent plus être mises en exécution : c'est visiblement réduire tout à l'*anarchie* et dissoudre le gouvernement. Car enfin, les lois ne sont pas faites pour elles-mêmes ; elles n'ont été faites que pour être exécutées, et être les liens de la société, dont elles contiennent chaque partie dans sa place et dans sa fonction. Tellement que dès que tout cela vient à cesser, le gouvernement cesse aussi en même temps, et le peuple devient une multitude confuse, sans ordre et sans liaison. Quand la justice n'est plus administrée, que, par conséquent, les droits de chacun ne sont plus en sûreté et qu'il ne reste aucun pouvoir dans la communauté qui ait soin des forces de l'État, ou qui soit en état de pourvoir aux besoins du peuple, alors, il ne reste plus de gouvernement. Si les lois ne peuvent être exécutées, c'est comme s'il n'y en avait point ; et un gouvernement sans lois est, à mon avis, un mystère dans la politique, inconcevable à l'esprit de l'homme, et incompatible avec la société humaine.

220. Dans ces cas, et dans d'autres semblables, lorsque le *gouvernement est dissous*, le peuple est rentré dans la liberté et dans le plein droit de pourvoir à ses besoins, en érigeant une nouvelle *autorité législative*, par le changement des personnes, ou de la forme, ou des personnes et de la forme tout ensemble, selon que la société le jugera nécessaire pour sa sûreté et pour son avantage. En effet, il n'est point juste que la société perde, par la *faute d'autrui*, le droit originaire qu'elle a de se conserver : or, elle ne saurait se conserver que par le moyen du *pouvoir législatif* établi, et par une libre et juste exécution des lois faites par ce pouvoir. Et dire que le *peuple doit songer à sa conservation*, et ériger une nouvelle *puissance législative*, lorsque, par oppression, ou par artifice, ou parce qu'il est livré à une puissance étrangère, son ancienne *puissance législative* est perdue et subjuguée ; c'est tout de même que si l'on disait que le peuple doit attendre

sa délivrance et son rétablissement, lorsqu'il est trop tard pour y penser, et que le mal est sans remède ; et l'on parlerait comme feraient des gens qui conseilleraient à d'autres de se laisser rendre *esclaves*, et de penser ensuite à leur *liberté*, et qui, dans le temps que des *esclaves* seraient chargés de chaînes, exhorteraient ces malheureux à agir comme des *hommes libres*. Certainement, des discours de cette nature seraient plutôt une moquerie qu'une consolation ; et l'on ne sera jamais à couvert de la *tyrannie*, s'il n'y a d'autre moyen de s'en délivrer, que lorsqu'on lui est entièrement assujetti. C'est pourquoi on a droit, non seulement de se délivrer de la *tyrannie*, mais encore de la prévenir.

221. Ainsi, *les gouvernements peuvent se dissoudre* par une seconde voie ; savoir, quand le *pouvoir législatif*, ou le Prince, agit d'une manière contraire à la confiance qu'on avait mise en lui, et au pouvoir qu'on lui avait commis. Le *pouvoir législatif* agit au-delà de l'autorité qui lui a été commise, et d'une manière contraire à la confiance qu'on a mise en lui ; premièrement, lorsque ceux qui sont revêtus de ce pouvoir tâchent d'envahir les biens des sujets, et de se rendre maîtres et arbitres absolus de quelque partie considérable des choses qui appartiennent en propre à la communauté, des vies, des libertés et des richesses du peuple.

222. La raison pour laquelle on entre dans une société politique, c'est de conserver ses biens propres ; et la fin pour laquelle on choisit et revêt de l'*autorité législative* certaines personnes, c'est d'avoir des lois et des règlements qui protègent et conservent ce qui appartient en propre à toute la société, et qui limitent le pouvoir et tempèrent la domination de chaque membre de l'État. Car, puisqu'on ne saurait jamais supposer que la volonté de la société soit, que la *puissance législative* ait le pouvoir de détruire ce que chacun a eu dessein de mettre en sûreté et à couvert, en entrant dans une société, et ce pourquoi le peuple s'est soumis aux législateurs qu'il a créés lui-même ;

quand *les législateurs s'efforcent de ravir et de détruire les choses qui appartiennent en propre au peuple, ou de le réduire dans l'esclavage*, sous un pouvoir arbitraire, ils se mettent dans l'*état de guerre* avec le peuple qui, dès lors, est absous et exempt de toute sorte d'obéissance à leur égard, et a droit de recourir à ce commun refuge que Dieu a destiné pour tous les hommes, contre la force et la violence. Toutes les fois donc que la *puissance législative* violera cette règle fondamentale de la société, et, soit par ambition, ou par crainte, ou par folie, ou par dérèglement et par corruption, tâchera de se mettre, ou de mettre d'autres, en possession d'un pouvoir absolu sur les vies, sur les libertés, et sur les biens du peuple, par cette brèche[a] qu'elle fera à son crédit et à la confiance qu'on avait prise en elle, elle perdra entièrement le pouvoir que le peuple lui avait remis pour des fins directement opposées à celles qu'elle s'est proposées, et il est dévolu au peuple qui a droit de reprendre sa liberté originaire, et par l'établissement d'une nouvelle *autorité législative*, telle qu'il jugera à propos, de pourvoir à sa propre conservation, et à sa propre sûreté, qui est la fin qu'on se propose quand on forme une société politique. Or, ce que j'ai dit, en général, touchant le *pouvoir législatif*, regarde aussi la personne de celui qui est revêtu du *pouvoir exécutif*, et qui ayant deux avantages très considérables, l'un, d'avoir sa part de l'*autorité législative*; l'autre, de faire souverainement exécuter les lois, se rend doublement et extrêmement coupable, lorsqu'il entreprend de substituer sa volonté arbitraire aux lois de la société. Il agit aussi d'une manière contraire à son crédit, à sa commission et à la confiance publique, quand il emploie les forces, les trésors, les charges de la société, pour corrompre les membres de l'*assemblée représentative*, et les gagner en faveur de ses vues et de ses intérêts particuliers; quand il agit par avance et sous-main auprès de ceux qui doivent élire les membres de cette

a. C'est là, proprement, le *breach of trust*.

assemblée, et qu'il leur prescrit d'élire ceux qu'il a
rendus, par ses sollicitations, par ses menaces, par ses
promesses, favorables à ses desseins, et qui lui ont
promis déjà d'opiner de la manière qu'il lui plairait.
En effet, disposer les choses de la sorte, n'est-ce pas
dresser un nouveau modèle d'élection, et par là renverser de fond en comble le gouvernement, et empoi-
sonner la source de la sûreté et de la félicité
publiques? Après tout, le peuple s'étant réservé le
privilège d'élire ceux qui doivent le représenter,
comme un rempart qui met à couvert les liens propres
des sujets, il ne saurait avoir eu d'autre but que de
faire en sorte que les membres de l'*assemblée législative* fussent élus librement, et qu'étant élus librement, ils pussent agir aussi et opiner librement,
examiner bien toutes choses, et délibérer mûrement
et d'une manière conforme aux besoins de l'État et au
bien public. Mais ceux qui donnent leurs suffrages
avant qu'ils aient entendu opiner et raisonner les
autres, et aient pesé les raisons de tous, ne sont point
capables, sans doute, d'un examen et d'une délibération de cette sorte. Or, quand celui qui a le *pouvoir
exécutif* dispose, comme on vient de dire, de l'assemblée des législateurs, certainement, il fait une terrible
brèche à son crédit et à son autorité; et sa conduite ne
saurait être envisagée que comme une pleine déclaration d'un dessein formé de renverser le gouvernement. A quoi, si l'on ajoute les récompenses et les
punitions employées visiblement pour la même fin, et
tout ce que l'artifice et l'adresse ont de plus puissant,
mis en usage pour corrompre les lois et les détruire, et
perdre tous ceux qui s'opposent au dessein funeste
qui a été formé, et ne veulent point trahir leur patrie
et vendre, à beaux deniers comptants, ses libertés; on
ne sera point en peine de savoir ce qu'il est expédient
et juste de pratiquer en cette rencontre. Il est aisé de
comprendre quel pouvoir ceux-là doivent avoir dans
la société, qui se servent de leur autorité pour des fins
tout à fait opposées à sa première institution; et il
n'y a personne qui ne voie que celui qui a une fois

entrepris et exécuté les choses que nous venons de voir, ne doit pas jouir longtemps de son crédit et de son autorité.

223. On objectera peut-être à ceci que le peuple étant ignorant, et toujours peu content de sa condition, ce serait exposer l'État à une ruine certaine, que de faire dépendre la forme de gouvernement et l'*autorité suprême*, de l'opinion inconstante et de l'humeur incertaine du peuple, et que *les gouvernements ne subsisteraient pas longtemps*, sans doute, s'il lui était permis, dès qu'il croirait avoir été offensé, d'établir une nouvelle *puissance législative*. Je réponds, au contraire, qu'il est très difficile de porter le peuple à changer la forme de gouvernement à laquelle il est accoutumé ; et que s'il y avait dans cette forme quelques défauts originaires, ou qui auraient été introduits par le temps, ou par la corruption et les dérèglements du vice, il ne serait pas aussi aisé qu'on pourrait croire, de l'engager à vouloir remédier à ces défauts et à ces désordres, quand même tout le monde verrait que l'occasion serait propre et favorable.

L'aversion que le peuple a pour ces sortes de changements, et le peu de disposition qu'il a naturellement à abandonner ses anciennes constitutions, ont assez paru dans les diverses révolutions qui sont arrivées en *Angleterre*, et dans ce siècle, et dans les précédents. Malgré toutes les entreprises injustes des uns et les mécontentements justes des autres, et après quelques brouilleries, l'*Angleterre* a toujours conservé la même forme de gouvernement, et a voulu que le *pouvoir suprême* fût exercé par le Roi et par le parlement, selon l'ancienne coutume. Et ce qu'il y a de bien remarquable encore, c'est que, quoique les Rois aient souvent donné grands sujets de mécontentement et de plainte, on n'a jamais pu porter le peuple à abolir pour toujours la royauté, ni à transporter la couronne à une autre famille.

224. Mais du moins, dira-t-on, *cette hypothèse est toute propre à produire* des fréquentes rébellions. Je réponds, premièrement, que cette hypothèse n'est

pas plus propre à cela qu'une autre. En effet, lorsqu'un peuple a été rendu misérable, et *se voit exposé aux effets funestes du pouvoir arbitraire*, il est aussi disposé à se soulever, dès que l'occasion se présentera, que puisse être un autre qui vit sous certaines lois, qu'il ne veut pas souffrir qu'on viole. Qu'on élève les Rois autant que l'on voudra ; qu'on leur donne tous les titres magnifiques et pompeux qu'on a coutume de leur donner ; qu'on dise mille belles choses de leurs personnes sacrées ; qu'on parle d'eux comme d'hommes divins, descendus du Ciel et dépendants de Dieu seul : *un peuple généralement maltraité* contre tout droit n'a garde de laisser passer une occasion dans laquelle il peut se délivrer de ses misères, et secouer le pesant joug qu'on lui a imposé avec tant d'injustice. Il fait plus, il désire, il recherche des moyens qui puissent mettre fin à ses maux : et comme les choses humaines sont sujettes à une grande inconstance, les affaires ne tardent guère à tourner de sorte qu'on puisse se délivrer de l'*esclavage*. Il n'est pas nécessaire d'avoir vécu longtemps, pour avoir vu des exemples de ce que je dis : ce temps-ci en fournit de considérables ; et il ne faut être guère versé dans l'histoire, si l'on n'en peut produire de semblables, à l'égard de toutes les sortes de gouvernements qui ont été dans le monde.

225. En second lieu, je réponds que *les révolutions* dont il s'agit, *n'arrivent pas dans un état pour de légères fautes commises dans l'administration des affaires publiques*. Le peuple en supporte même de très grandes, il tolère certaines lois injustes et fâcheuses, il souffre généralement tout ce que la fragilité humaine fait pratiquer de mauvais à des Princes, qui, d'ailleurs, n'ont pas de mauvais desseins. Mais si une longue suite d'abus, de prévarications et d'artifices, qui tendent à une même fin, donnent à entendre manifestement à un peuple, et lui font sentir qu'on a formé des desseins funestes contre lui, et qu'il est exposé aux plus grands dangers ; alors, il ne faut point s'étonner s'il se soulève, et s'il s'efforce de remettre

les rênes du gouvernement entre les mains qui puissent le mettre en sûreté, conformément aux fins pour lesquelles le gouvernement a été établi, et sans lesquelles, quelque beaux noms qu'on donne à des sociétés politiques, et quelque considérables que paraissent être leurs formes, bien loin d'être préférables à d'autres qui sont gouvernées selon ces fins, elles ne valent pas l'*état de nature*, ou une pure *anarchie*; les inconvénients se trouvant aussi grands des deux côtés; mais le remède à ces inconvénients étant beaucoup plus facile à trouver dans l'*état de nature* ou dans l'*anarchie*.

226. En troisième lieu, je réponds que le pouvoir que le peuple a de pourvoir de nouveau à sa sûreté, en établissant une nouvelle *puissance législative*, quand ses législateurs ont administré le gouvernement d'une manière contraire à leurs engagements et à leurs obligations indispensables, et ont envahi ce qui lui appartenait en propre, *est le plus fort rempart qu'on puisse opposer à la rébellion*, et le meilleur moyen dont on soit capable de se servir pour la prévenir et y remédier. En effet, la rébellion étant une action par laquelle on s'oppose, non aux personnes, mais à l'autorité qui est fondée uniquement sur les constitutions et les lois du gouvernement, tous ceux, quels qu'ils soient, qui, par force, enfreignent ces lois et justifient, par force, la violation de ces lois inviolables, sont véritablement et proprement des rebelles. Car enfin, lorsque des gens sont entrés dans une société politique, ils en ont exclu la violence, et y ont établi des lois pour la conservation des choses qui leur appartenaient en propre, pour la paix et l'union entre eux; de sorte que ceux qui viennent ensuite à employer la force pour s'opposer aux lois, font *rebellare*, c'est-à-dire, qu'ils réintroduisent l'*état de guerre*, et méritent proprement le nom de *rebelles*. Or, parce que les Princes qui sont revêtus d'un grand pouvoir, qui se voient une autorité suprême, qui ont entre leurs mains les forces de l'État, et qui sont environnés de flatteurs, sont fort disposés à croire qu'ils ont droit

de violer les lois, et s'exposent par là à de grandes infortunes ; le véritable moyen de prévenir toutes sortes d'inconvénients et de malheurs, c'est de leur bien représenter l'injustice qu'il y a à violer les lois de la société, et de leur faire bien voir les dangers terribles auxquels ils s'exposent par une conduite opposée à la conduite que ces lois exigent.

227. Dans ces sortes de cas, dont nous venons de parler, dans l'un desquels la *puissance législative* est changée, et dans l'autre les législateurs agissent d'une manière contraire à la fin pour laquelle ils ont été établis, ceux qui se trouvent coupables sont coupables de rébellion. En effet, si quelqu'un détruit par la force la *puissance législative* d'une société, et renverse les lois faites par cette puissance qui a reçu autorité à cet effet, il détruit en même temps l'arbitrage, auquel chacun avait consenti, afin que tous les différends pussent être terminés à l'amiable, et il introduit l'*état de guerre*. Ceux qui abolissent, ou changent la *puissance législative*, ravissent et usurpent ce *pouvoir décisif*, que personne ne saurait avoir que par *la volonté et le consentement du peuple* ; et, par ce moyen, ils détruisent et foulent aux pieds l'autorité que le peuple a établie, et que nul autre n'est en droit d'établir : et introduisant un pouvoir que le peuple n'a point autorisé, ils introduisent actuellement l'*état de guerre*, c'est-à-dire, un état de force sans autorité. Ainsi, détruisant la *puissance législative* établie par la société, et aux décisions de laquelle le peuple acquiesçait et s'attachait comme à ses propres décisions et comme à ce qui tenait unis et en bon état tous les membres du corps politique, ils rompent ces liens sacrés de la société, exposent derechef le peuple à l'*état de guerre*. Que si ceux qui, par force, renversent l'*autorité législative*, sont des rebelles, les législateurs eux-mêmes, ainsi qu'il a été montré, méritent de n'être pas qualifiés autrement, dès qu'après avoir été établis pour protéger le peuple, pour défendre et conserver ses libertés, ses biens, toutes les choses qui lui appartiennent en propre, ils les envahissent eux-

mêmes, et les leur ravissent. S'étant mis de la sorte en
état de guerre avec ceux qui les avaient établis leurs
protecteurs, et comme les gardiens de leur paix, ils
sont certainement, et plus qu'on saurait exprimer,
rebellantes, des rebelles

228. Mais si ceux qui objectent que ce que nous
avons dit *est propre à produire des rébellions*, entendent
par là, qu'enseigner aux peuples qu'ils sont absous du
devoir de l'obéissance, et qu'ils peuvent s'opposer à
la violence et aux injustices de leurs Princes et de
leurs Magistrats, lorsque ces Princes et ces Magistrats
font des entreprises illicites contre eux, qu'ils s'en
prennent à leurs libertés, qu'ils leur ravissent ce qui
leur appartient en propre, qu'ils font des choses
contraires à la confiance qu'on avait mise en leurs
personnes, et à la nature de l'autorité dont on les avait
revêtus : si, dis-je, ces Messieurs entendent que cette
doctrine ne peut que donner occasion à des *guerres
civiles* et à des brouilleries intestines; qu'elle ne tend
qu'à détruire la paix dans le monde, et que par
conséquent, elle ne doit pas être approuvée et souf-
ferte; ils peuvent dire, avec autant de sujet, et sur le
même fondement, que les honnêtes gens ne doivent
pas s'opposer aux voleurs et aux pirates, parce que
cela pourrait donner occasion à des désordres et à
l'effusion du sang. S'il arrive des malheurs et des
désastres en ces rencontres, on n'en doit point impu-
ter la faute à ceux qui ne font que défendre leur droit,
mais bien à ceux qui envahissent ce qui appartient à
leurs prochains. Si les personnes sages et vertueuses
lâchaient et accordaient tranquillement toutes choses,
pour l'amour de la paix, à ceux qui voudraient leur
faire violence, hélas! quelle sorte de paix il y aurait
dans le monde! quelle sorte de paix serait celle-là, qui
consisterait uniquement dans la violence et dans la
rapine, et qu'il ne serait à propos de maintenir que
pour l'avantage des voleurs et de ceux qui se plaisent
à opprimer! Cette paix, qu'il y aurait entre les grands
et les petits, entre les puissants et les faibles, serait
semblable à celle qu'on prétendrait y avoir entre des

loups et des agneaux, lorsque les agneaux se laisseraient déchirer et dévorer paisiblement par les loups.
Ou, si l'on veut, considérons la caverne de *Polyphème*
comme un modèle parfait d'une paix semblable. Ce
gouvernement, auquel *Ulysse* et ses compagnons se
trouvaient soumis, était le plus agréable du monde ;
ils n'y avaient autre chose à faire, qu'à souffrir avec
quiétude qu'on les dévorât. Et qui doute qu'*Ulysse*,
qui était un personnage si prudent, ne prêchât alors
l'*obéissance passive* et n'exhortât à une soumission
entière, en représentant à ses compagnons combien la
paix est importante et nécessaire aux hommes, et leur
faisant voir les inconvénients qui pourraient arriver,
s'ils entreprenaient de résister à *Polyphème*, qui les
avait en son pouvoir ?

229. Le bien public et l'avantage de la société étant
la véritable fin du gouvernement, je demande s'il est
plus expédient que le peuple soit exposé sans cesse à la
volonté sans bornes de la *tyrannie* ; ou, que ceux qui
tiennent les rênes du gouvernement trouvent de
l'opposition et de la résistance, quand ils abusent
excessivement de leur pouvoir, et ne s'en servent que
pour la destruction, non pour la conservation des
choses qui appartiennent en propre au peuple ?

230. Que personne ne dise qu'il peut arriver de tout
cela de terribles malheurs, dès qu'il montera dans la
tête chaude et dans l'esprit impétueux de certaines
personnes de changer le gouvernement de l'État :
car, ces sortes de gens peuvent se soulever toutes les
fois qu'il leur plaira ; mais pour l'ordinaire, ce ne sera
qu'à leur propre ruine et à leur propre destruction.
En effet, jusqu'à ce que la calamité et l'oppression
soient devenues générales, et que les méchants desseins et les entreprises illicites des conducteurs soient
devenus fort visibles et fort palpables au plus grand
nombre des membres de l'État ; le peuple qui, naturellement, est plus disposé à souffrir qu'à résister, ne
donnera pas avec facilité dans un soulèvement. Les
injustices exercées, et l'oppression dont on use envers
quelques particuliers, ne le touchent pas beau-

coup. Mais s'il est généralement persuadé et
convaincu, par des raisons évidentes, qu'il y a un
dessein formé contre ses *libertés*, et que toutes les
démarches, toutes les actions, tous les mouvements
de son Prince, ou de son Magistrat, obligent de croire
que tout tend à l'exécution d'un dessein si funeste,
qui pourra blâmer ce peuple d'être dans une telle
croyance et dans une telle persuasion ? Pourquoi un
Prince, ou un Magistrat donne-t-il lieu à des soup-
çons si bien fondés ; ou plutôt, pourquoi persuade-
t-il, par toute sa conduite, des choses de cette nature ?
Les peuples sont-ils à blâmer de ce qu'ils ont les
sentiments de *créatures raisonnables*, de ce qu'ils font
les réflexions que des créatures de cet ordre doivent
faire, de ce qu'ils ne conçoivent pas les choses autrement qu'ils ne trouvent et ne sentent qu'elles sont ?
Ceux-là ne méritent-ils pas plutôt d'être blâmés, qui
font des choses qui donnent lieu à des mécontentements fondés sur de si justes raisons ? J'avoue que
l'orgueil, l'ambition et l'esprit inquiet de certaines
gens ont causé souvent de grands désordres dans les
États, et que les factions ont été fatales à des royaumes
et à des *sociétés politiques*. Mais, si ces désordres, si ces
désastres sont venus de la légèreté, de l'esprit tur-
bulent des peuples, et du désir de se défaire de
l'autorité légitime de leurs conducteurs ; ou, s'ils ont
procédé des efforts injustes qu'ont faits les conducteurs et les Princes pour acquérir et exercer un
pouvoir arbitraire sur leurs peuples ; si l'oppression,
ou la désobéissance, en a été l'origine, c'est ce que je
laisse à décider à l'histoire. Ce que je puis assurer,
c'est que quiconque, soit Prince ou sujet, envahit les
droits de son peuple ou de son Prince, et donne lieu
au renversement de la forme d'un gouvernement
juste, se rend coupable d'un des plus grands crimes
qu'on puisse commettre, et est responsable de tous les
malheurs, de tout le sang répandu, de toutes les
rapines, de tous les désordres qui détruisent un gouvernement et désolent un pays. Tous ceux qui sont
coupables d'un crime si énorme, d'un crime d'une si

terrible conséquence, doivent être regardés comme
les ennemis du genre humain, comme une peste fatale
aux États, et être traités de la manière qu'ils méritent.

231. Qu'on doive résister à des sujets, ou à des
étrangers qui entreprennent de se saisir, par la force,
de ce qui appartient en propre à un peuple, c'est de
quoi tout le monde demeure d'accord ; mais, qu'il soit
permis de faire la même chose à l'égard des Magistrats et des Princes qui font de semblables entreprises, c'est ce qu'on a nié dans ces derniers temps :
comme si ceux à qui les lois ont donné de plus grands
privilèges qu'aux autres, avaient reçu par là le pouvoir d'enfreindre ces lois, desquelles ils avaient reçu
un rang et des biens plus considérables que ceux de
leurs frères ; au lieu que leur mauvaise conduite est
plus blâmable, et leurs fautes deviennent plus
grandes, soit parce qu'ils sont ingrats des avantages
que les lois leur ont accordés, soit parce qu'ils
abusent de la confiance que leurs frères avaient prise
en eux.

232. Quiconque emploie la force sans droit,
comme font tous ceux qui, dans une société,
emploient la force et la violence sans la permission
des lois, se met en *état de guerre* avec ceux contre qui il
l'emploie ; et dans cet état, *tous les liens, tous les
engagements précédents sont rompus ; tout autre droit
cesse, hors le droit de se défendre et de résister à un
agresseur.* Cela est si évident, que Barclay[a] lui-même,
qui est un grand défenseur du pouvoir sacré des Rois,
est contraint de confesser que les peuples, dans ces
sortes de cas, peuvent légitimement résister à leurs
Rois ; il ne fait point difficulté d'en tomber d'accord
dans ce chapitre même, où il prétend montrer que les
lois divines sont contraires à toute sorte de *rébellion*. Il
paraît donc manifestement, par sa propre doctrine,
que puisque dans de certains cas on a droit de résister
et de s'opposer à un Prince, toute résistance n'est pas
rébellion.

a. William Barclay publia en 1600, à Paris, son *De regno et regali
potestate, adversus Buchananum, Brutum, Boucherium et reliquos Mo-
narchomaquos*, dont sont extraits les passages que cite Locke.

Voici les paroles de Barclay* :

Quod si quis dicat, ergone populus tyrannicae crudelitati et furori jugulum semper prœbebit? Ergone multitudo civitates suas fame, ferro et flamma vastari, seque conjuges, et liberos fortunæ ludibrio et tyranni libidini exponi, inque omnia vitæ pericula, omnesque miserias et molestia a Rege deduci patientur? Num illis quod omni animantium generi est a natura tributum, denegari debet, ut sc. vim vi repellant, seseque ab injuria tueantur? Huic breviter responsum sit, populo universo negari defensionem, quæ juris naturalis est, neque ultionem quæ præter naturam est adversus Regem concedi debere. *Quapropter si Rex non in singulares tantum personas aliquot privatum odium exerceat, sed corpus etiam reipublicæ, cujus ipse caput est, id est, totum populum, vel insignem aliquam ejus partem immani et intolerenda sævitia seu tyrannide divexet;* populo quidem hoc casu resistendi ac tuendi se ab injuria potestas competit, *sed tuenti se tantum, non enim in principem invadendi : et restituendæ injuriæ illatæ, non recedendi a debita reverentia propter acceptam injuriam. Præsentem denique impetum propulsandi, non vim præterita mulciscendi jus habet. Horum enim alterum a natura est, ut vitam scilicet corpusque tueamur. Alterum vero contra naturam, ut inferior de superiori supplicium sumat. Quod itaquæ populus malum, antequam factum sit impedire potest, ne fiat, id postquam factum est, in Regem autorem sceleris vindicare non potest. Populus igitur hoc amplius quam privatus quisquam habet, quod huic, vel ipsis adversariis judicibus, excepto Buchanano, nullum nisi in patientia remedium superest : cum ille si intolerabilis tyrannis est (modicum enim ferre omnino debet) resistere cum reverentia possit.*

Cela signifie :

« Si quelqu'un dit : faudra-t-il donc que le peuple soit toujours exposé à la cruauté et à la fureur de la tyrannie ? Les gens seront-ils obligés de voir tranquillement la faim, le fer et le feu ravager leurs villes, de se voir eux-mêmes, de voir leurs femmes, leurs

---

* *Contra Monarchom.*, lib. III, ch. 8.

enfants assujettis aux caprices de la fortune et aux passions d'un tyran, et de souffrir que leur Roi les précipite dans toutes sortes de misères et de calamités ? Leur refuserons-nous ce que la nature a accordé à toutes les espèces d'animaux ; savoir, *de repousser la force par la force, et de se défendre contre les injures et la violence ?* Je réponds en deux mots, que *les lois de la nature permettent de se défendre soi-même, qu'il est certain que tout un peuple a droit de se défendre, même contre son Roi ;* mais qu'il ne faut point se venger de son Roi, telle vengeance étant contraire aux mêmes lois de la nature. Ainsi, lorsqu'un Roi ne maltraite pas seulement quelques particuliers, mais exerce une cruauté et une tyrannie extrême et insupportable contre tout le corps de l'État, dont il est le chef, c'est-à-dire, contre tout le peuple, ou du moins contre une partie considérable de ses sujets : en ce cas, *le peuple a droit de résister et de se défendre*, mais de se défendre seulement, non d'attaquer son Prince, et il lui est permis de demander la réparation du dommage qui lui a été causé, et de se plaindre du tort qui lui est fait, mais non de se départir, à cause des injustices qui ont été exercées contre lui, du respect qui est dû à son Roi. Enfin, il a droit de repousser une violence présente, non de tirer vengeance d'une violence passée. La nature a donné le pouvoir de faire l'un, pour la défense de notre vie et de notre corps ; mais elle ne permet point l'autre ; elle ne permet point, sans doute, à un inférieur de punir son supérieur. Avant que le mal soit arrivé, le peuple est en droit d'employer les moyens sont capables d'empêcher qu'il n'arrive ; mais lorsqu'il est arrivé, il ne peut pas punir le Prince qui est l'auteur de l'injustice et de l'attentat. Voici donc en quoi consiste le privilège des peuples, et la différence qu'il y a entre eux, sur ce sujet, et des particuliers : c'est qu'il ne reste à des particuliers, de l'aveu même des adversaires, si l'on excepte *Buchanan*[a], qu'il ne leur reste, dis-je, pour

---

a. Buchanan avait publié en 1579 le *De jure regni apud Scotos*, dans lequel il affirmait la supériorité des peuples sur les rois qui ont nécessairement besoin de leur investiture.

remède, que la patience ; au lieu que les peuples, si la
tyrannie est insupportable (car on est obligé de souffrir patiemment les maux médiocres), peuvent résister, sans faire rien de contraire à ce respect qui est dû
à des Souverains. »

234. C'est ainsi que le grand partisan du pouvoir
monarchique qu'est Barclay approuve la résistance et
la croit juste.

235. Il est vrai qu'il propose deux restrictions sur
ce sujet, qui ne sont nullement raisonnables. La
première est qu'il faut résister avec respect et avec
révérence. La seconde, que ce doit être sans vengeance et sans punition ; et la raison qu'il en donne,
c'est *qu'un inférieur n'a pas droit de punir un supérieur*.
Premièrement, comment peut-on résister à la force et
à la violence, sans donner des coups, ou comment
peut-on donner des coups avec respect ? J'avoue que
cela me dépasse. Un homme qui, étant vivement
attaqué, n'opposerait qu'un bouclier pour sa défense,
et se contenterait de recevoir respectueusement, avec
ce bouclier, les coups qu'on lui porterait, ou qui se
tiendrait dans une posture encore plus respectueuse,
sans avoir à la main une épée, capable d'abattre et de
dompter la fierté, l'air assuré et la force de son
assaillant, ne ferait pas, sans doute, une longue résistance, et ne manquerait pas d'éprouver bientôt que sa
défense n'aurait servi qu'à lui attirer de plus grands
malheurs, et de plus dangereuses blessures. Ce serait,
sans doute, user d'un moyen bien ridicule de résister
dans un combat, *ubi tu pulsas, ego vapulabo tantum*[a],
comme dit *Juvénal* : et le succès du combat ne saurait
être autre que celui que ce Poète décrit dans ces vers :

> *Libertas pauperis hæc est :*
> *Pulsatus rogat, et pugnis concisus adorat,*
> *Ut liceat paucis cum dentibus inde reverti*[b].

a. « Toi, tu frappes ; moi, je ne serai que battu. »
b. « Telle est la liberté du pauvre : Frappé, il prie ; battu à coups
de poing, il supplie qu'on lui permette de se sortir d'affaire avec
encore quelques dents. »

Certainement, la résistance imaginaire dont il s'agit, ne manquerait jamais d'être suivie d'un événement semblable. C'est pourquoi, celui qui est en droit de résister est sans doute, aussi en droit de porter des coups. En cette rencontre, il a dû être permis à Barclay, et le doit être à tout autre homme, de porter des coups, de donner de grands coups de sabre sur la tête, ou de faire des balafres au visage de son agresseur, avec toute la révérence, avec tout le respect imaginable. Il faut avouer qu'un homme qui sait si bien concilier les coups et le respect, mérite, pour ses peines et pour son adresse, d'être bien frotté, mais d'une manière extrêmement civile et respectueuse, dès que l'occasion se présentera. Pour ce qui regarde la seconde restriction, fondée sur ce principe : *un inférieur n'a pas droit de punir un supérieur*; je dis que le principe en général est vrai, et qu'un inférieur n'a point droit de punir son supérieur, tandis qu'il est son supérieur. Mais opposer la force à la force, étant une action de l'*état de guerre,* qui rend les parties égales entre elles, et casse et abolit toutes les relations précédentes, toutes les obligations et tous les droits de respect, de révérence et de supériorité; toute l'inégalité et la différence qui reste, c'est que celui qui s'oppose à un agresseur injuste, a cette supériorité et cet avantage sur lui, qu'il a droit, lorsqu'il vient à avoir le dessus, de le punir, soit à cause de la rupture de la paix, ou à cause des malheurs qui sont provenus de l'*état de guerre.* Barclay, dans un autre endroit, s'accorde mieux avec lui-même, et raisonne plus juste, lorsqu'il nie qu'il soit permis, en aucun cas, de résister à un Roi. Il pose pourtant deux cas, dans lesquels un Roi peut perdre son droit à la royauté. Voici comme il parle sur ce sujet*.

Quid ergo, nulline casus incidere possunt quibus populo sese erigere atque in Regem impotentius dominantem arma capere et invadere jure suo suaque authoritate liceat ? Nulli certe quandiu Rex manet. Semper enim ex

---

* *Contra Monarchom.*, lib. III, ch. 16.

divinis id abstat, Regem honorificato ; et qui potestati
resistit, Dei ordinationi resistit : *Num alias igitur in
eum populo potestas est quam* si id committat propter
quod ipso jure rex esse desinat. *Tunc enim se ipse
principatu exuit atque in privatis constituit liber : hoc
modo pupulus et superior efficitur, reverso ad eum sc. jure
illo quod ante regem inauguratum in interregno habuit.
At sunt paucaurum generum commissa ejusmodi quæ
hunc effectum pariunt. At ego cum plurima animo perlus-
trem duo tantum invenio, duos inquam, casus, quibus rex
ipso facto ex rege non regem se facit et omni honore et
dignitate regali 'atque in subditos potestate destituit;
quorum etiam neminit Winzerus. Horum unus est si
regnum disperdat, quemadmodum de Nerone fertur, quod
is nempe Senatum Populumque Romanum, atque adeo
urbem ipsam ferro flammaque vastare, ac novas sibi sedes
quærere decrevisset. Et de Caligula, quod palam denun-
ciarit se neque civem neque principem Senatus amplius
fore, inque animo habuerit, interempto utriusque Ordinis
Electissimo quoque Alexandriam commigrare, ac ut
populum uno ictu interimeret, unam ei cervicem optavit.
Talia cum rex aliquis mediatur et molitur serio, omnem
regnandi curam et animum illico abjicit, ac proinde
imperium in subditos amittit, ut dominus servi pro dere-
licto habiti, dominium.*

236. *Alter casus est, si rex alicujus clientelam se
contulit, ac regnum quod liberum a majoribus et populo
traditum accepit, alienæ ditioni mancipavit. Nam tunc
quamvis forte non ea mente id agit populo plane ut
incommodet : tamen quia quod præcipuum est regiæ
dignitatis, amisit, ut summus scilicet in regno secundum
Deum sit, et solo Deo inferior, atque populum etiam
totum ignorantem vel invitum cujus libertatem sartam et
tectam conservare debuit, in alterius gentis ditionem et
potestatem dedidit; hac velut quadam regni ad aliena-
tione effecit, ut nec quod ipse in regno imperium habuit
retineat, nec in eum cui collatum voluit, juris quicquam
transferat, atque ita eo facto liberum jam et suæ potestati
populum relinquit, cujus rei exemplum unum annales
Scotici suppeditant.*

Je traduis :

237. « Quoi donc, ne peut-il se trouver aucun cas, dans lequel le peuple ait droit de se soulever, de prendre les armes contre son Roi, et de le détrôner, lorsqu'il exerce une domination violente et tyrannique ? Certainement, il ne saurait y en avoir aucun, tandis qu'un Roi demeure Roi. La parole divine nous enseigne assez cette vérité, quand elle dit : *Honore le Roi. Celui qui résiste à la puissance, résiste à l'ordonnance de Dieu.* Le peuple donc ne saurait avoir nul pouvoir sur son Roi, *à moins que ce Souverain ne pratiquât des choses qui lui fissent perdre le droit et la qualité de Roi.* Car alors, il se dépouille lui-même de sa dignité et de ses privilèges, et devient un homme privé ; et par le même moyen, le peuple lui devient supérieur ; le droit et l'autorité qu'il avait pendant l'interrègne, avant le couronnement de son Prince, étant retournés à lui. Mais, véritablement, il n'arrive guère qu'un Prince fasse des choses de cette nature ; et que, par conséquent, lui et le peuple en viennent à ce point dont il est question. Quand je médite attentivement sur cette matière, je ne conçois que *deux cas,* où un Roi cesse d'être Roi, et se dépouille de toute la dignité royale, et de tout le pouvoir qu'il avait sur ses sujets. *Winzerus* fait mention de ces deux sortes de cas. *L'un arrive, lorsqu'un Prince a dessein et s'efforce de renverser le gouvernement,* à l'exemple de *Néron,* qui avait résolu de perdre le Sénat et le peuple romain, et de réduire en cendres et dans la dernière désolation la ville de *Rome,* par le fer et par le feu, et d'aller ensuite établir ailleurs sa demeure ; et à l'exemple encore de *Caligula,* qui déclara ouvertement et sans façon qu'il voulait qu'il n'y eût plus ni peuple ni Sénat, qui avait pris la résolution de faire périr tout ce qu'il y avait de personnages illustres et vertueux, de l'un et de l'autre ordre, et de se retirer, après cette belle expédition, à *Alexandrie ;* et qui, pour tout dire, se porta à cet excès de cruauté et de fureur, que de désirer que le peuple romain n'eût qu'une tête, afin qu'il pût perdre et détruire tout ce peuple, d'un seul coup. Quand un roi

médite et veut entreprendre sérieusement des choses de cette nature, il abandonne dès lors tout le soin de l'État, et perd, par conséquent, le droit de domination qu'il avait sur ses sujets : tout de même qu'un maître cesse d'avoir droit de domination sur son esclave, dès qu'il l'abandonne.

238. L'autre cas arrive, *quand un Roi se met sous la protection de quelqu'un, et remet entre ses mains le royaume indépendant qu'il avait reçu de ses ancêtres et du peuple :* car bien qu'il ne fasse pas cela, peut-être, dans l'intention de porter préjudice au peuple, néanmoins parce qu'il se défait de ce qu'il y a de principal et de plus considérable dans son royaume ; savoir, d'y être souverain, de n'être soumis et inférieur qu'à Dieu seul, et qu'il assujettit, de vive force, à la domination et au pouvoir d'une nation étrangère, ce pauvre peuple dont il était obligé si étroitement de maintenir et de défendre la liberté, il perd, en aliénant ainsi son royaume, ce qu'il lui appartenait auparavant, et ne confère et ne communique nul droit pour cela à celui à qui il remet ses États ; et, par ce moyen, il laisse le peuple libre, et dans le pouvoir de faire ce qu'il jugera à propos. Les monuments de l'histoire d'*Écosse* nous fournissent, sur ce sujet, un exemple bien mémorable. »

239. Barclay, le grand défenseur de la *monarchie absolue*, est contraint de reconnaître, qu'en ce cas, *il est permis de résister à un Roi,* et qu'alors, un Roi cesse d'être Roi. Cela signifie, en deux mots, pour ne pas multiplier les cas, que toutes les fois qu'un Roi agit sans avoir reçu d'autorité pour ce qu'il entreprend, il cesse d'être Roi, et devient comme un autre homme à qui aucune autorité n'a été conférée. Je puis dire que les deux cas que Barclay allègue, diffèrent peu de ceux dont j'ai fait mention ci-dessus, et que j'ai dit qui dissolvaient les gouvernements. Il faut pourtant remarquer qu'il a omit le principe d'où cette doctrine découle, et qui est, qu'un Roi abuse étrangement de la confiance qu'on avait mise en lui, et de l'autorité qu'on lui avait remise, lorsqu'il ne conserve pas la

forme de gouvernement dont on était convenu, et qu'il ne tend pas à la fin du gouvernement même, laquelle n'est autre que le bien public et la conservation de ce qui appartient en propre. Quand un Roi s'est détrôné lui-même, et s'est mis dans l'*état de guerre* avec son peuple, qu'est-ce qui peut empêcher le peuple de poursuivre un homme qui n'est point Roi, comme il serait en droit de poursuivre tout autre homme qui se serait mis en *état de guerre* avec lui ? Que Barclay et ceux qui sont de son opinion, nous satisfassent sur ce point.

(Aussi, il me semble qu'on peut remarquer ici ce que Barclay dit, que « *le peuple peut prévenir le mal dont il est menacé avant qu'il soit arrivé* ». En quoi il admet la *résistance*, quand la tyrannie n'est encore qu'intentionnelle. « *Dès qu'un Roi médite un tel dessein, et le poursuit sérieusement, il est censé abandonner toute considération et égard pour le bien public.* » De sorte que, selon lui, la simple négligence du bien public peut être considérée comme preuve d'un tel dessein, et au moins pour une cause suffisante de *résistance ;* il en donne la raison en disant, parce qu'il a voulu trahir ou violenter son peuple, dont il devait soigneusement maintenir la liberté. Ce qu'il ajoute, « *sous le pouvoir, ou la domination d'une nation étrangère* » ne signifie rien, le crime consistant dans la perte de cette liberté, *dont la conservation lui était confiée*, et non dans la destruction des personnes sous la domination desquelles il serait assujetti. Le droit du peuple est également envahi et sa liberté perdue, soit qu'il devienne esclave de ceux de leur propre nation, ou d'une étrangère, et en cela consiste l'injustice, contre laquelle seulement il a droit de se soulever ; et l'histoire de toutes les nations fournit des preuves que cette injustice ne consiste point dans le changement de nation ou de personne dans leur gouverneur, mais d'un changement dans la constitution du gouvernement*.)

* Ces 27 lignes, qui sont dans la cinquième édition *anglaise* de 1728, chez *Bettesworth*, ont été passées par le Traducteur, sans que l'on puisse voir pour quelle raison, après avoir traduit plusieurs

Bilson, évêque d'*Angleterre*[a], très ardent pour le pouvoir et la prérogative des Princes, reconnaît, si je ne me trompe, dans son traité de *la Soumission chrétienne*, que *les Princes peuvent perdre leur autorité et le droit qu'ils ont de se faire obéir de leurs sujets.* Que s'il était nécessaire d'un grand nombre de témoignages et d'autorités pour persuader une doctrine si bien fondée, si raisonnable, et si convaincante d'elle-même, je pourrais renvoyer mon lecteur *à Bracton, à Fortescue*[b], à l'auteur du *Mirror*, et à d'autres écrivains qu'on ne peut soupçonner d'ignorer la nature et la forme du gouvernement d'*Angleterre*, ou d'en être les ennemis. Mais je pense que *Hooker* seul peut suffire à ceux qui suivent ses sentiments touchant la politique ecclésiastique, et qui pourtant, je ne sais par quelle fatalité, se portent à nier et à rejeter les principes sur lesquels il l'a fondée. Je ne veux pas les accuser d'être des instruments de certains habiles ouvriers qui avaient formé de terribles desseins. Mais je suis sûr que leur politique civile est si nouvelle, si dangereuse, et si fatale aux Princes et aux Peuples, qu'on n'aurait osé, dans les siècles précédents, la proposer et la soutenir. C'est pourquoi il faut espérer que ceux qui se trouvent délivrés des impositions des *Égyptiens*, auront en horreur la mémoire de ces flatteurs, de ces âmes basses et serviles, qui, parce que cela servait à leur fortune et à leur avancement, ne reconnaissaient pour gouvernement légitime, que la *tyrannie absolue*, et voulaient rendre tout le monde esclave.

240. On ne manquera point, sans doute, de proposer ici cette question si commune : *Qui jugera si le Prince, ou la puissance législative, passe l'étendue de son*

---

autres endroits qui ne seront pas plus que celles-ci du goût des Tyrans, ou des usurpateurs des droits du peuple ; c'est pourquoi nous les avons remises à leur place. Note de l'édition de l'an III.

a. L'évêque Bilson (1546-1616) demeurait partisan de l'absolutisme.

b. Bracton, au XIIIe siècle et J. Fortescue, au XVe siècle, étaient des partisans de la *mixed monarchy*.

pouvoir et de son autorité? Des gens mal intentionnés et séditieux, se peuvent glisser parmi le peuple, lui faire accroire que ceux qui gouvernent pratiquent des choses pour lesquelles ils n'ont reçu nulle autorité, quoiqu'ils fassent un bon usage de leur prérogative. Je réponds, que c'est le peuple qui doit juger de cela. En effet, qui est-ce qui pourra mieux juger si l'on s'acquitte bien d'une commission, que celui qui l'a donnée, et qui par la même autorité, par laquelle il a donné cette commission, peut désapprouver ce qu'aura fait la personne qui l'a reçue, et ne se plus servir d'elle, lorsqu'elle ne se conforme pas à ce qui lui a été prescrit ? S'il n'y a rien de si raisonnable et de si juste dans les cas particuliers des hommes privés, pourquoi ne serait-il pas permis d'en user de même à l'égard d'une chose aussi importante qu'est le bonheur d'un million de personnes, et lorsqu'il s'agit de prévenir les malheurs les plus dangereux et les plus épouvantables ; des malheurs d'autant plus à craindre qu'il est presque impossible d'y remédier, quand ils sont arrivés ?

241. Du reste, par cette demande, *qui en jugera?* on ne doit point entendre qu'il ne peut y avoir nul juge ; car, quand il ne s'en trouve aucun sur la terre pour terminer les différends qui sont entre les hommes, il y en a toujours un au Ciel. Certainement, *Dieu seul est juge*, de droit : mais cela n'empêche pas que *chaque homme ne puisse juger pour soi-même*, dans le cas dont il s'agit ici, aussi bien que dans tous les autres, et décider si un autre homme s'est mis dans l'*état de guerre* avec lui, et s'il a droit d'appeler au souverain juge, comme fit *Jephté*.

242. S'il s'élève quelque différend entre un Prince et quelques-uns du peuple, sur un point sur lequel les lois ne prescrivent rien, ou qui se trouve douteux, mais où il s'agit de choses d'importance ; je suis fort porté à croire que dans un cas de cette nature, le différend doit être décidé *par le corps du peuple*. Car, dans des causes qui sont remises à l'autorité et à la discrétion sage du Prince, et dans lesquelles il est

dispensé d'agir conjointement avec l'assemblée ordinaire des *législateurs,* si quelques-uns pensent avoir
reçu quelque préjudice considérable, et croient que le
Prince agit d'une manière contraire à leur avantage,
et va au-delà de l'étendue de son pouvoir ; qui est plus
propre à en juger que le *corps du peuple,* qui, du
commencement, lui a conféré l'autorité dont il est
revêtu, et qui, par conséquent, sait quelles bornes il a
mises au pouvoir de celui entre les mains duquel il a
remis les rênes du gouvernement ? Que si un Prince
ou tout autre qui aura l'administration du gouvernement de l'État, refuse ce moyen de terminer les
différends ; alors, il ne reste qu'à appeler au Ciel. La
violence, qui est exercée entre des personnes qui
n'ont nul juge souverain et établi sur la terre, ou celle
qui ne permet point qu'on en appelle sur la terre à
aucun juge, étant proprement un *état de guerre,* le seul
parti qu'il y a à prendre, en cette rencontre, c'est d'en
appeler au Ciel : et *la partie offensée peut juger pour
elle-même,* lorsqu'elle croit qu'il est à propos d'en
appeler au Ciel.

243. Donc, pour conclure, *le pouvoir que chaque
particulier remet à la société* dans laquelle il entre, ne
peut jamais retourner aux particuliers pendant que la
société subsiste, mais réside toujours dans la communauté ; parce que, sans cela, il ne saurait y avoir de
communauté ni d'État, ce qui pourtant serait tout à
fait contraire à la convention originaire. C'est pourquoi, quand le peuple a placé le *pouvoir législatif* dans
une assemblée, et arrêté que ce pouvoir continuerait à
être exercé par l'assemblée et par ses successeurs,
auxquels elle aurait elle-même soin de pourvoir, le
pouvoir législatif ne peut jamais retourner au peuple,
pendant que le gouvernement subsiste ; parce
qu'ayant établi une *puissance législative* pour toujours,
il lui a remis tout le *pouvoir politique ;* et ainsi, il ne
peut point le reprendre. Mais s'il a prescrit certaines
limites à la *durée* de la *puissance législative,* et a voulu
que le *pouvoir suprême* résidât dans une seule personne ou dans une assemblée, *pour un certain temps*

seulement; ou bien, si ceux qui sont constitués en autorité ont, par leur mauvaise conduite, perdu leur droit et leur pouvoir; quand les conducteurs ont perdu ainsi leur pouvoir et leur droit, ou que le temps déterminé est fini, *le pouvoir suprême retourne à la société,* et le peuple a droit d'agir en qualité de souverain, et d'exercer l'*autorité législative,* ou bien d'ériger une nouvelle forme de gouvernement, et de remettre la *suprême puissance,* dont il se trouve alors entièrement et pleinement revêtu, entre de nouvelles mains, comme il juge à propos.

FIN

TABLE DES CHAPITRES

APPENDICE

VIE DE JOHN LOCKE

Depuis l'année 1632, jusqu'à l'année 1704

Traduit du Plutarque anglais

Jamais il ne fut peut-être un esprit plus sage, plus méthodique, un Logicien plus exact que John Locke. Ce célèbre Philosophe, fils d'un Avocat, naquit en 1632, dans une ville de la Province de Sommerset.

Destiné, par son père, à l'état de Médecin, il l'exerçait déjà avec succès, lorsque la philosophie de Descartes lui inspira le désir d'embrasser la même carrière. Cependant, Locke n'était pas grand Mathématicien ; il n'avait jamais pu se soumettre à la fatigue des calculs, ni à la sécheresse des vérités mathématiques sur lesquelles Descartes fondait ses raisonnements sur l'*âme*. Locke pensait très judicieusement que toute vérité appuyée sur des calculs ne présente d'abord rien de sensible à l'esprit ; et personne n'a mieux éprouvé que lui qu'on pouvait avoir l'esprit géomètre sans le secours de la Géométrie.

Dans les Universités de Cambridge et d'Oxford, dans celles de Paris, de Padoue, de Leyden, et partout où des Régents instruisaient la jeunesse, on enseignait machinalement la théorie de l'*âme*, d'après les préceptes d'*Anaxagore*, de *Diogène (non pas le cynique)*, d'*Épicure*, de *Platon*, de *Socrate*, d'*Aristote*, et de quelques autres Philosophes, qui tous avaient décidé positivement ce que c'est que l'âme de l'homme ; mais puisqu'ils n'en savaient rien, il n'est point surprenant qu'ils aient tous été d'avis différents. Le divin Anaxa-

gore, à qui on dressa un autel, pour avoir appris aux
hommes que le Soleil était plus grand que le Péloponnèse, que la neige était noire, et que les cieux étaient de
pierre, affirma que l'âme est un esprit aérien, mais
cependant immortel. Épicure la composait de parties
comme le corps ; Diogène assurait que l'âme était une
portion de la substance de Dieu même, et cette idée au
moins était brillante. Aristote croyait, si l'on s'en rapporte à quelques-uns de ses disciples, que l'entendement de tous les hommes était une seule et même
substance. Le divin Platon, maître d'Aristote, et le sage
Socrate, maître de Platon, disaient l'âme corporelle et
éternelle.

Ces différentes opinions suscitaient des disputes,
embarrassaient la mémoire, nourrissaient les erreurs et
entretenaient l'ignorance, au moment même où l'on
cherchait à enseigner la vérité. Descartes en sentit
l'importance ; la nature avait accordé à Descartes un
génie supérieur ; il l'employa pour découvrir les erreurs
de l'Antiquité ; mais il y substitua les siennes. Entraîné
par cet esprit systématique qui aveugle les plus grands
hommes, il s'imagina avoir démontré que l'âme était la
même chose que la pensée, comme la matière, selon lui,
est la même chose que l'étendue. Il assura que l'on
pense toujours, et que l'âme arrive dans le corps,
douée, pourvue de toutes les notions métaphysiques,
connaissant Dieu, l'espace, l'infini ; ayant toutes les
idées abstraites, remplie enfin de belles connaissances
qu'elle oublie malheureusement en venant au monde.

Tant de raisonnements ayant fait le Roman de l'âme,
il était réservé à l'illustre Locke d'en faire l'Histoire. Il a
modestement développé à l'homme les secrets de la
raison humaine, comme un excellent Anatomiste
explique les ressorts du corps humain. Crainte de
s'égarer dans ce vaste labyrinthe, il le parcourut à l'aide
du flambeau de la physique, et s'il se hasarda de parler
quelquefois affirmativement, il osa aussi douter. Au
lieu de définir tout d'un coup ce que nous ne connaissons pas, il examina par degrés ce qu'on a cherché
depuis si longtemps à pénétrer. Tous ses raisonnements

sont fondés sur la nature. Pour combattre le système de Descartes sur les *idées innées*, il prend un enfant au moment de sa naissance, suit pas à pas les progrès de son entendement, voit ce qu'il a de commun avec l'instinct des animaux, et ce qui l'élève au-dessus de cet instinct. Il consulte surtout son propre témoignage, qu'il nomme *la conscience de sa pensée*. Après avoir fait cet examen laborieux : « Je laisse, dit-il, à discuter à ceux qui en savent plus que moi, si notre âme existe avant ou après l'organisation de notre corps ; mais j'avoue qu'il m'est tombé en partage une de ces âmes grossières qui ne pensent pas toujours ; et j'ai même le malheur de ne pas concevoir qu'il soit plus nécessaire à l'âme de penser toujours, qu'au corps d'être toujours en mouvement. »

Locke ayant ainsi démontré l'absurdité des idées innées, ayant bien établi que toutes nos idées nous viennent pas les sens, ayant examiné nos idées simples, celles qui sont composées, ayant suivi l'esprit de l'homme dans toutes ses opérations, ayant fait voir combien les langues que les hommes parlent sont imparfaites, et quel abus nous faisons des termes ; Locke examina ensuite l'étendue ou, plutôt, le néant des connaissances humaines. Cet examen, quoique très sage et très circonspect, offensa quelques Théologiens, et alarma les dévots. Ceux-ci l'accusèrent d'impiété, les premiers de penchant au matérialisme ; mais Locke les rassura, en leur prouvant qu'on pouvait être Philosophe et bon Chrétien.

Quoiqu'il eût évité les effets d'un zèle indiscret, il ne put cependant échapper à la persécution de l'Évêque de Worcester, qui lui imputa à crime sa liaison avec le Comte de Shaftesbury, Grand Chancelier de l'Angleterre. Locke était son Secrétaire, et qui plus est, son ami intime. Shaftesbury fut disgracié, et Locke fut accusé d'avoir entretenu, avec les ennemis du Duc d'York, une correspondance nuisible aux intérêts de ce Duc. Locke pénétra le but de cette accusation, et en éluda les effets, en cherchant un asile en France. Il fixa, pendant quelque temps, sa demeure à Montpellier, et se proposait d'aller en Italie, lorsqu'il fut rappelé en Angleterre, par Shaftesbury, dont le crédit avait prévalu à la Cour.

Ce retour de faveur fut suivi d'une disgrâce éclatante. Shaftesbury, accusé du crime de haute trahison, chercha son salut en Hollande, où Locke l'accompagna. Le Philosophe s'y livra à l'étude, et tandis qu'il y composait en paix son fameux *Traité sur la Tolérance*, on le dénonçait à la Cour de Londres, comme l'instigateur de toutes les calamités qui désolaient l'Angleterre. Charles II, Prince faible, et quelquefois trop crédule, prêta l'oreille à ces calomnies ; il ordonna qu'on dépouillât Locke des grades honorifiques que lui avaient accordés l'Université d'Oxford ; mais il ne put lui enlever la gloire que lui avait mérité son *Traité sur l'Entendement Humain*. Toutes les faveurs du Monarque ne pouvaient rien ajouter à la réputation qu'il avait acquise par ce sublime ouvrage, et ce fut cet effort de génie qui néanmoins lui suscita les ennemis dont il éprouvait encore les persécutions.

Quand ses ennemis eurent perdu l'espoir de l'accabler par leurs calomnies, ils l'accusèrent d'avoir engagé le Duc de Montmouth à faire une invasion en Angleterre. Jacques, sur la simple dénonciation d'un crime imaginaire, donna ordre à son Ministre, à La Haye, de demander aux États Généraux qu'on lui livrât le coupable. Ces sages Républicains, au lieu de consentir à la prétention indiscrète de Jacques, avertirent le Philosophe du danger qu'il courait, s'il quittait la Hollande. Locke se retira à la campagne, chez un de ses amis, où il resta caché une année entière, sans que les Émissaires de Jacques pussent découvrir sa retraite. Son innocence ayant été suffisamment prouvée, il retourna à Amsterdam, et ne revint en Angleterre qu'après que le Prince d'Orange en eut usurpé le Trône.

Le sort de Locke changea à cette grande révolution. Le Roi Guillaume lui offrit de l'emploi, et lui laissa même le choix de la Cour de Vienne, ou de celle de l'Électeur de Brandebourg, pour y aller en qualité de Ministre plénipotentiaire. La santé du Philosophe ne lui permit pas d'accepter la proposition du Roi. Locke

préféra la vie tranquille à l'avantage attaché à cette
dignité, et accepta la charge de Sub-délégué du Conseil
de Commerce pour les Colonies. Dès lors il partageait
son temps, entre les affaires du Gouvernement, l'étude
de la Philosophie, et la société de Milady et du Chevalier Masham, son mari. Ce fut à leur Terre, dans la
Province d'Essex, qu'il passa les dernières années de sa
vie. L'asthme dont il souffrait depuis longtemps, ayant
augmenté avec le printemps, saison qui lui avait toujours été favorable, il en augura sa fin prochaine. Lady
Masham étant un matin dans son appartement, il la pria
d'avertir le Curé de venir lui administrer le Sacrement.
Étonnée d'une précaution qu'elle ne croyait pas encore
nécessaire, elle lui en témoigna sa surprise : Locke lui
répliqua froidement : « Ne vous fiez pas, Madame, à
l'éclat d'une lampe qui s'éteint, je sens que je n'ai pas
de temps à perdre. » En effet, il mourut peu de jours
après, en remerciant Dieu de lui avoir fait connaître le
néant des grandeurs humaines.

La veille de son décès, il demanda à être conduit dans
son cabinet, pour y mettre ses papiers en ordre. Il y
passa quelques heures assez tranquillement, et s'étant
trouvé beaucoup mieux que le jour précédent, il
s'habilla et reçut des visites ; mais le lendemain 28 octobre 1704, il expira au moment où Lady Masham lui
demandait à voir un manuscrit qu'elle se proposait de
lui lire pour le distraire. C'est ainsi qu'il acheva une
carrière de soixante-douze années. Si l'on peut compter
ces années par l'usage qu'il en a fait, Locke a fourni une
des plus longues et des plus glorieuses carrières. On
l'inhuma dans l'Église Seigneuriale de la terre d'Oates
où il était mort, et on y éleva un monument, sur lequel
on grava l'épitaphe qu'il avait lui-même composée. Il
n'eut pas besoin de cette précaution ; ses écrits, mieux
que le marbre, ont transmis son nom à la postérité.

L'Auteur de l'*Essai sur l'Entendement Humain*, du
*Traité sur le Gouvernement Civil, du Plan raisonné sur
l'Éducation*, et de plusieurs autres Ouvrages également
sublimes, tirait quelquefois ses lumières en raisonnant
avec des Artisans sur les Arts mécaniques. Il décou-

vrait, dans leurs réponses à ses questions, plusieurs secrets utiles à la Philosophie, et par les observations qu'il faisait sur la manière dont ils exerçaient leurs talents, il les aidait à les perfectionner, et à en abréger les travaux. L'innocent babil d'un enfant fixait autant son attention que le discours étudié du plus savant orateur. Méthodique en toutes choses, raisonnable jusque dans ses moindres actions, il n'était cependant ni grave ni pédant. Sa conversation était animée, ses saillies étaient brillantes. Quoiqu'il eût l'esprit orné des plus belles connaissances, il n'en fit jamais usage qu'avec ceux qui pouvaient l'apprécier. Simple dans ses manières, il plaisait à ses égaux, et obtenait l'estime de ses supérieurs. Affable avec ses inférieurs, il leur inspirait la confiance et le respect. Il était charitable, indulgent, réservé, circonspect et discret, et possédait, en un mot, les rares qualité d'un Philosophe, et toutes les vertus d'un chrétien.

On a publié d'abord les Ouvrages de Locke par cahiers, jusqu'à ce qu'enfin on en ait fait une collection complète en trois volumes *in-folio*.

Autorités historiques. Bibliothèque choisie, par le Clerc. Dictionnaire général de Biographie. Mélanges de Philosophie, par M. de Voltaire. Biographie Britannique.

ÉLOGE DE M. LOCKE

Contenu dans une Lettre de Pierre Coste, traducteur des œuvres de Locke, à l'auteur des Nouvelles de la République des Lettres, *à l'occasion de la mort du philosophe, et insérée dans ces* Nouvelles, *Février 1705, page 154.*

Monsieur,

Vous venez d'apprendre la mort de l'illustre M. *Locke*. C'est une perte générale. Aussi est-il regretté de tous les gens de bien, et de tous les sincères amateurs de la vérité, auxquels son caractère était connu. On peut dire qu'il était né pour le bien des hommes. C'est à quoi ont tendu la plupart de ses actions : et je ne sais si durant sa vie il s'est trouvé en Europe d'homme qui se soit appliqué plus sincèrement à ce noble dessein, et qui l'ait exécuté si heureusement.

Je ne vous parlerai point du prix de ses Ouvrages. L'estime qu'on en fait, et qu'on en fera tant qu'il y aura du Bon Sens et de la Vertu dans le Monde ; le bien qu'ils ont procuré ou à l'Angleterre en particulier, ou en général à tous ceux qui s'attachent sérieusement à la recherche de la Vérité, et à l'étude du christianisme, en fait le véritable Éloge. L'Amour de la Vérité y paraît visiblement partout. C'est de quoi conviennent tous ceux qui les ont lus. Car ceux-là mêmes qui n'ont pas goûté quelques-uns des Sentiments de M. *Locke* lui ont rendu cette justice, que la manière dont il les défend, fait voir qu'il n'a rien avancé dont il ne fût sincèrement convaincu lui-même. Ses Amis le lui ont rapporté de plusieurs endroits : *Qu'on objecte après cela*, répondait-il, *tout ce qu'on voudra contre mes Ouvrages ; je ne m'en mets point en peine. Car puisqu'on tombe d'accord que je n'y avance rien que je ne croye véritable, je me ferai toujours un plaisir de préférer la Vérité à toutes mes opinions, dès que je verrai par moi-même ou qu'on me fera voir qu'elles n'y sont pas conformes.* Heureuse disposition d'esprit, qui, je m'assure, a plus contribué que la pénétration de ce beau génie, à lui faire découvrir ces grandes et utiles vérités qui sont répandues dans ses Ouvrages !

Mais sans m'arrêter plus longtemps à considérer M. *Locke* sous la qualité d'*Auteur*, qui n'est propre bien souvent qu'à masquer le véritable naturel de la personne, je me hâte de vous le faire voir par des endroits bien plus aimables, et qui vous donneront une plus haute idée de son mérite.

M. *Locke* avait une grande connaissance du Monde et des affaires du Monde. Prudent sans être fin, il gagnait l'estime des Hommes par sa probité, et était toujours à couvert des attaques d'un faux Ami, ou d'un lâche flatteur. Éloigné de toute basse complaisance, son habileté, son expérience, ses manières douces et civiles le faisaient respecter de ses Inférieurs, lui attiraient l'estime de ses Égaux, l'amitié et la confiance des plus grands Seigneurs.

Sans s'ériger en Docteur, il instruisait par sa conduite. Il avait été d'abord assez porté à donner des conseils à ses amis qu'il croyait en avoir besoin : mais enfin, ayant reconnu *que les conseils ne servent point à rendre les gens plus sages*, il devint beaucoup plus retenu sur cet article. Je lui ai souvent ouï dire que la première fois qu'il entendit cette Maxime, elle lui avait paru fort étrange, mais que l'expérience lui en avait montré clairement la vérité. Par *conseils* il faut entendre ici ceux qu'on donne à des gens qui n'en demandent point. Cependant, quelque désabusé qu'il fût de l'espérance de redresser ceux à qui il voyait prendre de fausses mesures, sa bonté naturelle, l'aversion qu'il avait pour le désordre, et l'intérêt qu'il prenait en ceux qui étaient autour de lui, le forçaient, pour ainsi dire, à rompre quelquefois la résolution qu'il avait prise de les laisser en repos, et à leur donner les avis qu'il croyait propres à les ramener : mais c'était toujours d'une manière modeste, et capable de convaincre l'esprit par le soin qu'il prenait d'accompagner ses avis de raisons solides qui ne lui manquaient jamais au besoin.

Du reste, M. *Locke* était fort libéral de ses avis lorsqu'on les lui demandait, et on ne le consultait jamais en vain. Une extrême vivacité d'esprit, l'une de ses qualités dominantes, en quoi il n'a peut-être eu jamais d'égal, sa grande expérience et le désir sincère qu'il avait d'être utile à tout le monde, lui fournissaient bientôt les expédients les plus justes et les moins dangereux. Je dis les moins dangereux ; car ce qu'il se proposait avant toutes choses, était de ne faire aucun mal à ceux qui le consultaient. C'était une de ses maximes favorites, qu'il ne perdait jamais de vue dans l'occasion.

Quoique M. *Locke* aimât surtout les vérités utiles, qu'il en nourrît son esprit, et qu'il fût bien aise d'en faire le sujet de ses conversations, il avait accoutumé de dire, que pour employer utilement une partie de cette vie à des occupations sérieuses, il fallait en passer une autre à de simples divertissements ; et lorsque l'occasion s'en présentait naturellement, il s'abandonnait avec plaisir aux douceurs d'une conversation libre et enjouée. Il savait plusieurs contes agréables dont il se souvenait à propos, et ordinairement il les rendait encore plus agréables par la manière fine et aisée dont il les racontait. Il aimait assez la raillerie, mais une raillerie délicate, et tout à fait innocente.

Personne n'a jamais mieux entendu l'art de s'accommoder à la portée de toute sorte d'esprits ; ce qui est, à mon avis, l'une des plus sûres marques d'un grand génie.

Une de ses adresses dans la conversation était de faire parler les gens sur ce qu'ils entendaient le mieux. Avec un jardinier il s'entretenait de jardinage, avec un joaillier de pierreries, avec un chimiste de chimie, etc. « Par-là, disait-il lui-même, je plais à tous ces gens-là, qui pour l'ordinaire ne peuvent parler pertinemment d'autre chose. Comme ils voient que je fais cas de leurs occupations, ils sont charmés de me faire voir leur habileté ; et moi, je profite de leur entretien. » Effectivement, M. *Locke* avait acquis par ce moyen une assez grande connaissance de tous les Arts, et s'y perfectionnait tous les jours. Il disait aussi que la connaissance des Arts contenait plus de véritable philosophie que toutes ces belles et savantes hypothèses, qui n'ayant aucun rapport avec la nature des choses ne servent au fond qu'à faire perdre du temps à les inventer ou à les comprendre. Mille fois j'ai admiré comment par différentes interrogations qu'il faisait à des gens de métier, il trouvait le secret de leur Art qu'ils n'entendaient pas eux-mêmes, et leur fournissait fort souvent des vues toutes nouvelles qu'ils étaient quelquefois bien aises de mettre à profit.

Cette facilité que M. *Locke* avait à s'entretenir avec toute sorte de personnes, le plaisir qu'il prenait à le faire, surprenait d'abord ceux qui lui parlaient pour la première fois. Ils étaient charmés de cette condescendance, assez rare dans les Gens de Lettres, qu'ils attendaient si peu d'un homme que ses grandes qualités élevaient si fort au-dessus de la plupart des autres hommes. Bien des gens qui ne le connaissaient que par ses Écrits, ou par la réputation qu'il avait d'être un des premiers Philosophes du Siècle, s'étant figurés par avance que c'était un de ces esprits tout occupés d'eux-mêmes et de leurs *rares spéculations*, incapables de se familiariser avec le commun des hommes, d'entrer dans leurs petits intérêts, de s'entretenir des affaires ordinaires de la vie, étaient tout étonnés de trouver un homme affable, plein de douceur, d'humanité, d'enjouement, toujours prêt à les écouter, à parler avec eux des choses qui leur étaient le plus connues, bien plus empressé à s'instruire de ce qu'ils savaient mieux que lui, qu'à leur étaler sa science. J'ai connu un bel esprit en Angleterre qui fut quelque temps dans la même prévention. Avant que d'avoir vu M. *Locke*, il se l'était représenté sous l'idée d'un de ces anciens philosophes à longue barbe, ne parlant que par sentences, négligé dans sa personne, sans autre politesse que celle

que peut donner la bonté du naturel, espèce de politesse
quelquefois bien grossière, et bien incommode dans la
société civile. Mais dans une heure de conversation,
revenu entièrement de son erreur à tous ces égards, il ne
put s'empêcher de faire connaître qu'il regardait
M. *Locke* comme un homme des plus polis qu'il eût
jamais vu. *Ce n'est pas un philosophe toujours grave,*
toujours renfermé dans son caractère, comme je me l'étais
figuré : c'est, me dit-il, *un parfait Homme de Cour, autant*
aimable par ses manières civiles et obligeantes, qu'admi-
rable par la profondeur et la délicatesse de son génie.

M. *Locke* était si éloigné de prendre ces airs de gravité
par où certaines gens, savants et non savants, aiment à
se distinguer du reste des hommes, qu'il les regardait au
contraire comme une marque infaillible d'imperti-
nence. Quelquefois même il se divertissait à imiter cette
gravité concertée, pour la tourner plus agréablement en
ridicule ; et dans ces rencontres il se souvenait toujours
de cette Maxime du *Duc de La Rochefoucauld,* qu'il
admirait sur toutes les autres : *La Gravité est un mystère*
du Corps inventé pour cacher les défauts de l'Esprit. Il
aimait aussi à confirmer son sentiment sur cela par celui
du fameux Comte de **Shaftesbury,* à qui il prenait
plaisir de faire honneur de toutes les choses qu'il croyait
avoir apprises dans sa conversation.

Rien ne le flattait plus agréablement que l'estime que
ce Seigneur conçut pour lui presque aussitôt qu'il l'eut
vu, et qu'il conserva depuis tout le reste de sa vie. En
effet rien ne met dans un plus beau jour le mérite de
M. *Locke* que cette estime constante qu'eut pour lui
Mylord *Shaftesbury,* le plus grand génie de son siècle,
supérieur à tant de bons esprits qui brillaient de son
temps à la Cour de Charles II, non seulement par sa
fermeté, par son intrépidité à soutenir les véritables
intérêts de sa Patrie, mais encore par son extrême
habileté dans le maniement des affaires les plus épineuses. Dans le temps que M. *Locke* étudiait à Oxford,
il se trouva par hasard dans sa compagnie ; et une seule

---

* *Chancelier d'Angleterre sous le Règne de* Charles II.

conversation avec ce grand homme lui gagna son estime et sa confiance à tel point, que bientôt après, Mylord *Shaftesbury* le retint auprès de lui pour y rester aussi longtemps que la santé ou les affaires de M. *Locke* le lui pourraient permettre. Ce comte excellait surtout à connaître les hommes. Il n'était pas possible de surprendre son estime par des qualités médiocres, c'est de quoi ses ennemis mêmes n'ont jamais disconvenu. Que ne puis-je d'un autre côté vous faire connaître la haute idée que M. *Locke* avait du mérite de ce Seigneur ? Il ne perdait aucune occasion d'en parler, et cela d'un ton qui faisait bien sentir qu'il était fortement persuadé de ce qu'il en disait. Quoique Mylord *Shaftesbury* n'eût pas donné beaucoup de temps à la lecture, rien n'était plus juste, au rapport de M. *Locke*, que le jugement qu'il faisait des Livres qui lui tombaient entre les mains. Il démêlait en peu de temps le dessein d'un Ouvrage ; et sans s'attacher beaucoup aux paroles qu'il parcourait avec une extrême rapidité, il découvrait bientôt si l'Auteur était maître de son sujet, et si ses raisonnements étaient exacts. Mais M. *Locke* admirait surtout en lui cette pénétration, cette présence d'esprit qui lui fournissait toujours les expédients les plus utiles dans les cas les plus désespérés, cette noble hardiesse qui éclatait dans tous ses discours publics, toujours guidée par un jugement solide, qui ne lui permettait de dire que ce qu'il devait dire, réglait toutes ses paroles, et ne laissait aucune prise à la vigilance de ses ennemis.

Durant le temps que M. *Locke* vécut avec cet illustre Seigneur, il eut l'avantage de connaître tout ce qu'il y avait en Angleterre de plus fin, de plus spirituel et de plus poli. C'est alors qu'il se fit entièrement à ces manières douces et civiles qui, soutenues d'un langage aisé et poli, d'une grande connaissance du Monde, et d'une vaste étendue d'esprit, ont rendu sa conversation si agréable à toute sorte de personnes. C'est alors sans doute qu'il se forma aux grandes affaires, dont il a paru si capable dans la suite.

Je ne sais si sous le Roi Guillaume, le mauvais état de sa santé lui fit refuser d'aller en Ambassade dans une des plus considérables cours de l'Europe. Il est certain du moins que ce grand prince le jugea digne de ce poste, et personne ne doute qu'il ne l'eût rempli glorieusement.

Le même Prince lui donna après cela une place parmi les seigneurs commissaires qu'il établit pour avancer l'intérêt du négoce et des plantations. M. *Locke* exerça cet emploi durant plusieurs années; et l'on dit *(absit invidia verbo)* qu'il était comme l'âme de ce noble corps. Les marchands les plus expérimentés admiraient qu'un homme qui avait passé sa vie à l'étude de la médecine, des belles-lettres, ou de la philosophie, eût des vues plus étendues et plus sûres qu'eux sur une chose à quoi ils s'étaient uniquement appliqués dès leur première jeunesse. Enfin, lorsque M. *Locke* ne put plus passer l'été à Londres sans exposer sa vie, il alla se démettre de cette charge entre les mains du Roi, par la raison que sa santé ne pouvait plus lui permettre de rester longtemps à Londres. Cette raison n'empêcha pas le Roi de solliciter M. *Locke* à conserver son poste, après lui avoir dit expressément qu'encore qu'il ne pût demeurer à Londres que quelques semaines, ses services dans cette place ne laisseraient pas de lui être fort utiles; mais il se rendit enfin aux instances de M. *Locke*, qui ne pouvait se résoudre à garder un emploi aussi important que celui-là, sans en faire les fonctions avec plus de régularité. Il forma et exécuta ce dessein sans en dire mot à qui que ce soit, évitant par une générosité peu commune ce que d'autres auraient recherché fort soigneusement. Car en faisant savoir qu'il était prêt à quitter cet emploi, qui lui rapportait mille livres sterling de revenu, il lui était aisé d'entrer dans une espèce de composition avec tout prétendant qui, averti en particulier de cette nouvelle, et appuyé du crédit de M. *Locke*, aurait été par là en état d'emporter la place vacante sur toute autre personne. On ne manqua pas de le lui dire, et même en forme de reproche. *Je le savais bien*, répondit-il; *mais ç'a été pour cela même que je n'ai pas voulu communiquer mon dessein à personne. J'avais reçu cette place du Roi, j'ai voulu la lui remettre pour qu'il en pût disposer selon son bon plaisir.*

Une chose que ceux qui ont vécu quelque temps avec M. *Locke*, n'ont pu s'empêcher de remarquer en lui, c'est qu'il prenait plaisir à faire usage de sa raison dans tout ce qu'il faisait : et rien de ce qui est accompagné de quelque utilité ne lui paraissait indigne de ses soins ; de sorte qu'on peut dire de lui, comme on l'a dit de la Reine Elisabeth, qu'il n'était pas moins capable des petites que des grandes choses. Il disait ordinairement lui-même qu'il y avait de l'art à tout ; et il était aisé de s'en convaincre, à voir la manière dont il se prenait à faire les moindres choses, toujours fondée sur quelque bonne raison. Je pourrais entrer ici dans un détail qui ne déplairait peut-être pas à bien des gens. Mais les bornes que je me suis prescrites, et la crainte de remplir trop de pages de votre Journal, ne me le permettent pas.

M. *Locke* aimait surtout l'ordre, et il avait trouvé le moyen de l'observer en toutes choses avec une exactitude admirable.

Comme il avait toujours l'utilité en vue dans toutes ses recherches, il n'estimait les occupations des hommes qu'à proportion du bien qu'elles sont capables de produire : c'est pourquoi il ne faisait pas grand cas de ces critiques, purs grammairiens, qui consument leur temps à comparer des mots et des phrases, et à se déterminer sur le choix d'une diversité de lecture à l'égard d'un passage qui ne contient rien de fort important. Il goûtait encore moins les disputeurs de profession, qui uniquement occupés du désir de remporter la victoire, se cachent sous l'ambiguïté d'un terme pour mieux embarrasser leurs adversaires. Et lorsqu'il avait à faire à ces sortes de gens, s'il ne prenait par avance une forte résolution de ne pas se fâcher, il s'emportait bientôt. En général il est certain qu'il était naturellement assez sujet à la colère. Mais ces accès ne lui duraient pas longtemps. S'il conservait quelque ressentiment, ce n'était que contre lui-même, pour s'être laissé aller à une passion si ridicule, et qui, comme il avait accoutumé de le dire, peut faire beaucoup de mal, mais n'a jamais fait aucun bien. Il se blâmait souvent lui-même de cette faiblesse. Sur quoi il me souvient que

deux ou trois semaines avant sa mort, comme il était
assis dans un Jardin à prendre l'air par un beau soleil,
dont la chaleur lui plaisait beaucoup, et qu'il mettait à
profit en faisant transporter sa chaise vers le soleil à
mesure qu'elle se couvrait d'ombre, nous vînmes à
parler d'*Horace*, je ne sais à quelle occasion, et je
rappelai sur cela ces vers où il dit de lui-même qu'il
était :

> *Solibus aptum;*
> *Irasci celerem tamen ut placabilis essem.*

« Qu'il aimait la chaleur du Soleil, et qu'étant naturellement prompt et colère, il ne laissait pas d'être facile
à apaiser. » M. *Locke* répliqua d'abord que s'il osait se
comparer à *Horace* par quelque endroit, il lui ressemblait parfaitement dans ces deux choses. Mais afin que
vous soyez moins surpris de sa modestie en cette
occasion, je suis obligé de vous dire tout d'un temps
qu'il regardait *Horace* comme un des plus sages et des
plus heureux Romains qui aient vécu du temps
d'Auguste, par le soin qu'il avait eu de se conserver
libre d'ambition et d'avarice, de borner ses désirs, et de
gagner l'amitié des plus grands hommes de son siècle,
sans vivre dans leur dépendance.

M. *Locke* n'approuvait pas non plus ces écrivains qui
ne travaillent qu'à détruire, sans rien établir eux-
mêmes. « Un bâtiment, disait-il, leur déplaît, ils y
trouvent de grands défauts : qu'ils le renversent, à la
bonne heure, pourvu qu'ils tâchent d'en élever un autre
à la place, s'il est possible. »

Il conseillait qu'après qu'on a médité quelque chose
de nouveau, on le jetât au plus tôt sur le papier, pour en
pouvoir mieux juger en le voyant tout ensemble ; parce
que l'Esprit humain n'est pas capable de retenir clairement une longue suite de conséquences, et de voir
nettement le rapport de quantité d'idées différentes.
D'ailleurs il arrive souvent, que ce qu'on avait le plus
admiré, à le considérer en gros et d'une manière
confuse, paraît sans consistance et tout à fait insoute-
nable dès qu'on en voit distinctement toutes les parties.

M. *Locke* conseillait aussi de communiquer toujours ses pensées à quelque ami, surtout si l'on se proposait d'en faire part au public ; et c'est ce qu'il observait lui-même très religieusement. Il ne pouvait comprendre, qu'un Etre d'une capacité aussi bornée que l'homme, aussi sujet à l'erreur, eût la confiance de négliger cette précaution.

Jamais homme n'a mieux employé son temps que M. *Locke*. Il y paraît par les ouvrages qu'il a publiés lui-même, et peut-être qu'on en verra un jour de nouvelles preuves. Il a passé les quatorze ou quinze dernières années de sa vie à *Oates*, maison de campagne de M. le Chevalier *Masham*, à vingt-cinq milles de Londres dans la Province d'Essex. Je prends plaisir à m'imaginer que ce lieu, si connu à tant de gens de mérite que j'ai vus s'y rendre de plusieurs endroits de l'Angleterre pour visiter M. *Locke*, sera fameux dans la postérité par le long séjour qu'y a fait ce grand homme. Quoi qu'il en soit, c'est là, en jouissant quelquefois de l'entretien de ses amis, et constamment de la compagnie de Madame *Masham*, pour qui M. *Locke* avait conçu depuis longtemps une estime et une amitié toute particulière (malgré tout le mérite de cette dame, elle n'aura aujourd'hui de moi que cette louange), il goûtait des douceurs qui n'étaient interrompues que par le mauvais état d'une santé faible et délicate. Durant cet agréable séjour, il s'attachait surtout à l'étude de l'Écriture Sainte, et n'employa presque à autre chose les dernières années de sa vie. Il ne pouvait se lasser d'admirer les grandes vues de ce sacré Livre, et le juste rapport de toutes ses parties : il y faisait tous les jours des découvertes qui lui fournissaient de nouveaux sujets d'admiration. Le bruit est grand en Angleterre que ces découvertes seront communiquées au public. Si cela est, tout le monde aura, je m'assure, une preuve bien évidente de ce qui a été remarqué par tous ceux qui ont été auprès de M. *Locke* jusqu'à la fin de sa vie, je veux dire que son esprit n'a jamais souffert aucune diminution, quoique son corps s'affaiblît de jour en jour d'une manière assez sensible.

Ses forces commencèrent à défaillir plus visiblement
que jamais, dès l'entrée de l'été dernier, saison qui les
années précédentes lui avait toujours redonné quelques
degrés de vigueur. Dès lors il prévit que sa fin était fort
proche. Il en parlait même assez souvent, mais toujours
avec beaucoup de sérénité, quoiqu'il n'oubliât d'ailleurs aucune des précautions que son habileté dans la
médecine pouvait lui fournir pour se prolonger la vie.
Enfin ses jambes commencèrent à s'enfler, et cette
enflure augmentant tous les jours, ses forces dimi-
nuèrent à vue d'œil. Il s'aperçut alors du peu de temps
qui lui restait à vivre ; et se disposa à quitter ce Monde,
pénétré de reconnaissance pour toutes les grâces que
Dieu lui avait faites, dont il prenait plaisir à faire
l'énumération à ses amis, plein d'une sincère résigna-
tion à sa volonté, et d'une ferme espérance en ses
promesses, fondée sur la parole de *Jésus-Christ* envoyé
dans le Monde pour mettre en lumière la vie et l'immor-
talité par son Évangile.

Enfin les forces lui manquèrent à tel point que le
vingt-sixième d'octobre (1704), deux jours avant sa
mort, l'étant allé voir dans son cabinet, je le trouvai à
genoux, mais dans l'impuissance de se relever seul.

Le lendemain, quoiqu'il ne fût pas plus mal, il voulut
rester dans le lit. Il eut tout ce jour-là plus de peine à
respirer que jamais, et vers les cinq heures du soir il lui
prit une sueur accompagnée d'une extrême faiblesse
qui fit craindre pour sa vie. Il crut lui-même qu'il
n'était pas loin de son dernier moment. Alors il
recommanda qu'on se souvînt de lui dans la prière du
soir : là-dessus Madame *Masham* lui dit que s'il le
voulait, toute la Famille viendrait prier Dieu dans sa
chambre. Il répondit qu'il en serait fort aise si cela ne
donnait pas trop d'embarras. On s'y rendit donc, et on
pria en particulier pour lui. Après cela il donna quelques ordres avec une grande tranquillité d'esprit ; et
l'occasion s'étant présentée de parler de la Bonté de
Dieu, il exalta surtout l'amour que Dieu a témoigné aux
hommes en les justifiant par la foi en *Jésus-Christ*. Il le
remercia en particulier de ce qu'il l'avait appelé à la

connaissance de ce divin Sauveur. Il exhorta tous ceux qui se trouvaient auprès de lui de lire avec soin l'Écriture Sainte, et de s'attacher sincèrement à la pratique de tous leurs devoirs, ajoutant expressément, que *par ce moyen ils seraient plus heureux dans ce Monde, et qu'ils s'assureraient la possession d'une éternelle félicité dans l'autre.* Il passa toute la nuit sans dormir. Le lendemain il se fit porter dans son cabinet, car il n'avait plus la force de se soutenir; et là sur un fauteuil et dans une espèce d'assoupissement, quoique maître de ses pensées, comme il paraissait par ce qu'il disait de temps en temps, il rendit l'esprit vers les trois heures après midi le 28 d'octobre, vieux style.

Je vous prie, Monsieur, ne prenez pas ce que je viens de vous dire du caractère de M. *Locke* pour un portrait achevé. Ce n'est qu'un faible crayon de quelques-unes de ses excellentes qualités. J'apprends qu'on en verra bientôt une peinture faite de main de Maître. C'est là que je vous renvoie. Bien des traits m'ont échappé, j'en suis sûr; mais j'ose dire que ceux que je viens de vous tracer, ne sont point embellis par de fausses couleurs, mais tirés fidèlement sur l'Original.

Je ne dois pas oublier une particularité du Testament de M. *Locke*, dont il est important que la *République des Lettres* soit informée; c'est qu'il y découvre quels sont les ouvrages qu'il avait publiés sans y mettre son nom. Et voici à quelle occasion. Quelque temps avant sa mort, le Docteur *Hudson*, qui est chargé du soin de la *Bibliothèque Bodléienne* à Oxford, l'avait prié de lui envoyer tous les ouvrages qu'il avait donnés au public, tant ceux où son nom paraissait, que ceux où il ne paraissait pas, pour qu'ils fussent tous placés dans cette fameuse Bibliothèque. M. *Locke* ne lui envoya que les premiers, mais dans son Testament, il déclare qu'il est résolu de satisfaire pleinement le docteur *Hudson*; et pour cet effet, il lègue à la Bibliothèque Bodléienne, un exemplaire du reste de ses ouvrages où il n'avait pas mis son nom, savoir une[1] *Lettre Latine sur la Tolérance*, imprimée à Tergou, et traduite quelque temps après en anglais à l'insu de M. *Locke; deux* autres *Lettres* sur le même sujet, destinées à repousser des objections faites contre la première; le *Christianisme Raisonnable*[2], avec deux *défenses*[3] de ce Livre; et *deux Traités sur le gouvernement civil*[4]. Voilà tous les Ouvrages anonymes, dont M. *Locke* se reconnaît l'Auteur.

Au reste, je ne vous marque point à quel âge il est mort, parce que je ne le sais point. Je lui ai ouï dire plusieurs fois qu'il avait oublié l'année de sa naissance, mais qu'il croyait l'avoir écrit quelque part. On n'a pu le trouver encore parmi ses papiers, mais on s'imagine avoir des preuves qu'il a vécu environ soixante et seize ans.

Quoique je sois depuis quelque temps à Londres, ville féconde en nouvelles littéraires, je n'ai rien de nouveau à vous mander. Depuis que M. *Locke* a été enlevé de ce monde, je n'ai presque pensé à autre chose qu'à la perte de ce grand homme, dont la mémoire me sera toujours précieuse : heureux si, comme je l'ai admiré plusieurs années que j'ai été auprès de lui, je pouvais l'imiter par quelque endroit. Je suis de tout mon cœur, Monsieur, etc.

A Londres,
ce 10 décembre 1704.

1. *Elle a été traduite en français et imprimée à Rotterdam en 1710 avec d'autres pièces de M. Locke sous le titre d'Œuvres diverses de* M. Locke. J.F. Bernard, *Libraire d'Amsterdam, a fait en 1732 une seconde édition de ces Œuvres diverses, augmentée 1. d'un Essai sur la* nécessité d'expliquer les Épîtres de St. Paul par St. Paul lui-même. 2. de *l'Examen du sentiment du P.* Mallebranche, *qu'on voit toutes choses en Dieu.* 3. de diverses Lettres de M. Locke et de M. Limbroch.

2. *Réimprimé en Français en 1715 à Amsterdam* chez L'Honoré et Châtelain. *Cette édition est augmentée d'une Dissertation du Traducteur sur la Réunion des Chrétiens. Z.* Châtelain *a fait en 1731 une troisième édition de cet ouvrage. On y a joint, comme dans la Seconde édition, la Religion des Dames.* Le même libraire en a fait en 1740 une quatrième édition, revue et corrigée par le Traducteur.

3. *Elles sont aussi traduites en français, sous le titre de* Seconde Partie du *Christianisme raisonnable.*

4. Réimprimés en 1754 à Amsterdam chez J. Schreuder et Pierre Mortier le Jeune.

DÉCLARATION DES DROITS DE 1689

Les Lords spirituels et temporels et les Communes, présentement assemblés, formant une représentation complète et libre de la Nation,... déclarent en premier lieu, suivant l'exemple de leurs ancêtres, afin de justifier et soutenir leurs anciens droits et libertés :

I. — Que le prétendu pouvoir de suspendre les lois ou l'exécution des lois par l'autorité royale, sans le consentement du Parlement, est illégal.

II. — Que le prétendu pouvoir de dispenser des lois ou de l'exécution des lois par l'autorité royale, comme il a été usurpé et exercé en dernier lieu, est illégal.

III. — Que la Commission donnée en dernier lieu pour ériger une Cour [de Justice] pour les causes ecclésiastiques, et toutes autres Commissions et Cours de cette nature, sont illégales et pernicieuses.

IV. — Que toute levée d'argent pour l'usage de la Couronne, sous prétexte de la prérogative [royale], sans le consentement du Parlement, est illégale.

V. — Que c'est un droit des sujets de présenter des pétitions au Roi, et que tous emprisonnements et toutes poursuites pour de telles pétitions sont illégaux.

VI. — Que le fait de lever ou d'entretenir une armée dans le royaume en temps de paix, sans le consentement du Parlement, est contraire aux lois.

VII. — Que les sujets qui sont protestants peuvent avoir des armes pour leur défense, comme il convient à leurs conditions et comme les lois le permettent.

VIII. — Que les élections des membres du Parlement doivent être libres.

IX. — Que la liberté de parole et tous débats et actes du Parlement ne doivent donner lieu à aucune poursuite ou enquête dans aucune Cour [de Justice], ni dans aucun lieu, en dehors du Parlement.

X. — Qu'on ne doit point exiger [en justice] des cautionnements excessifs, ni imposer des amendes excessives, ni infliger des peines cruelles et inusitées.

XI. — Que les listes de jurés doivent être établies impartialement, et que les jurés choisis pour les procès de haute trahison doivent être francs-tenanciers.

XII. — Que toutes concessions ou promesses concernant les amendes et confiscations infligées à des particuliers, avant qu'ils n'aient été reconnus coupables, sont illégales et nulles.

XIII. — Que pour redresser tous les griefs, pour amender, fortifier et maintenir les lois, il est nécessaire de réunir fréquemment le Parlement...

BIBLIOGRAPHIE

1. Œuvres de Locke

Les œuvres de Locke sont très nombreuses ; mais il ne les a pas toutes publiées. Ses premières publications datent d'après la Révolution de 1688, alors qu'il avait plus de 50 ans. Encore sont-elles loin de représenter l'intégralité de son œuvre.

Nous nous bornons ici à mentionner ses écrits principaux.

1660 : *Civil Magistrate* : deux essais « Whether the Civil Magistrate may lawfully impose and determine the use of indifferent things in reference to religious worship » (34 pages manuscrites) et « An magistratus civilis posit res adiaphoras in divini cultus ritus asciscere, eosque populo imponere ? » (28 pages).

1664 : *Essays on the Law of Nature*, édités en 1954 par W. von Leyden, Oxford.

1666 : Locke commence *An Essay concerning Toleration* dont quatre manuscrits sont actuellement connus ; l'un d'eux fait partie d'un *Commonplace Book* commencé également en 1661. Les manuscrits comportent de légères différences. L'un d'entre eux a été publié par H.R. Fox Bourne, *Life of John Locke*, 1876, tome I, pp. 174-194.

1669 : *Fundamental Constitutions of Carolina*.

1673-1674 : « On the difference between civil and ecclesiastical power, indorsed excommunication. »

Cette « note » a été publiée pour la première fois par lord King, *in The Life of John Locke*, en 1827 ; cf. édition de 1830, tome II, pp. 108-119.

1675-1704 : Locke tient régulièrement son *Journal*, dont quelques extraits philosophiques ont été publiés par

W. von Leyden, à la suite des *Essays on the Law of Nature* (1954).

1679 : « Toleratio », note manuscrite, non publiée, qui se trouve à la Bodleian Library.

1681-1683 : « Commentaire critique » de l'ouvrage de Stillingfleet, *Mischief of Separation* (1681), rédigé en collaboration avec James Tyrrell ; n'a pas été publié.

1687 : Un *Extrait d'un livre anglais intitulé Essai philosophique concernant l'Entendement humain* (en fait, il s'agit d'un abrégé) est publié par Jean Le Clerc dans sa *Bibliothèque universelle*, Amsterdam.

1689 : *Epistola de Tolerantia ad Clarissimum Virum*, Gouda, 96 pages.

La traduction de cette lettre, *A Letter concerning Toleration*, par William Popple, paraît à Londres la même année.

1690 : (février) *Two Treatises of Government. In the former the false principles and foundations of Sir Robert Filmer and his followers are detected and overthrown. The latter is an Essay concerning the true Original, Extent and End of Civil Government*, Londres, in-8°, chez Awnsham Churchill.

1690 : (mars) *An Essay concerning Human Understanding*, Londres.

1690 : *A Second Letter concerning Toleration*.

1692 : *A Third Letter concerning Toleration*.

1692 : *Some Considerations of the Consequences of the Lowering of Interest and the Raising of the Value of Money*, Londres, Churchill.

1693 : *Some Thoughts concerning Education*, Londres, Churchill. La traduction française de Pierre Coste, *De l'Éducation des Enfants*, paraît à Amsterdam en 1695.

1694 : Seconde édition de l'*Essay concerning Human Understanding* (« with large additions »).

1695 : *Further Considerations concerning Raising the Value of Money. Wherein Mr. Lowndes's Arguments for it, in his late Report, concerning an Essay for the Amendment of the Silver Coint are particularly examined*, Londres, Churchill.

1695 : *Short Observations on a printed Paper, entitled « For encouraging the coining Silver Money in England, and after, for keeping it here »*.

1695 : Réimpression de la seconde édition de l'*Essay*.

1695 : *The Reasonableness of Christianity, as delivered in the Scriptures*, Londres, Churchill.

1695 : *A vindication of the Reasonableness of Christianity. A second Vindication of the Reasonableness of Christianity*, Londres, Churchill.

1697 : *A Letter to the Right Reverend Edward Lord Bishop of Worcester concerning some Passages relating to Mr. Locke's Essay of Human Understanding.*

La controverse avec l'évêque de Worcester (Stillingfleet) comportera deux autres réponses de Locke, en 1697 et 1699.

1700 : Quatrième édition de l'*Essay* (nouvelles additions).

1701 : *De intellectu humano* (traduction latine de Richard Burridge), Londres, Churchill.

1704 : *The Whole History of Navigation from its Original to this Time.*

Publications posthumes

1706 : *Posthumous Works of Mr. John Locke :* I. *Of the Conduct of the Understanding;* II. *An Examination of P. Malebranche's opinion of seeing all things in God,* Londres, Churchill.

1708 : *Some familiar Letters between Mr. Locke and several of his Friends,* Londres, Churchill.

1720 : *A Collection of several Pieces of Mr. Locke, never before printed, or not extant in his Works,* Londres, Franklin.

1830 : *Original Letters of Locke, Algernon Sidney and Anthony Lord Shaftesbury,* Londres, Foster.

1912 : *Lettres inédites de John Locke à Thoinard, Limborch et Clarke,* La Haye.

1927 : *The Correspondance of John Locke and Edward Clarke,* Oxford, éditée par Benjamin Rand.

1950 : *Nouveaux documents sur Locke* inventoriés par W. von Leyden, Sophia (janvier 1949) et *Revue philosophique* (juillet 1950).

2. Les éditions des traités politiques de Locke

Du vivant de Locke :

1690 : édition princeps.

1694 : seconde édition.

1698 : troisième édition.

Chaque nouvelle édition comporte quelques variantes. En outre, deux exemplaires de l'édition de 1698 ont été corrigés. Sur l'un de ces exemplaires corrigés, se côtoient des additions écrites de la main de Locke et celles écrites par un copiste qui travaillait pour Locke.

Parmi les *rééditions posthumes* de ce texte, notons :

1713 : édition faite par l'éditeur Churchill, sur la base d'un des exemplaires de 1698 corrigé par Locke ; l'éditeur a opéré quelques menues corrections.

1728 : nouvelle édition à Londres, chez Pemberton et Symon.

1764 : sixième édition à Londres, chez Millar. Elle est faite d'après un exemplaire ayant appartenu à Pierre Coste et comportant quelques notes écrites par Locke lui-même.

1801 : le même texte se retrouve dans la première édition des *Œuvres complètes de Locke*, Londres, Johnson.

Parmi les *éditions récentes* du texte anglais, citons :

1924 : *Two Treatises of Civil Government, Introduction par* W.F. Carpenter, Londres, Everyman's Library. Reprint 1955.

1946 : *The Second Treatise of Civil Government* and *A Letter concerning Toleration*, Oxford, Blackwell's political Texts.

1947 : *The Second Treatise on civil Government, in* John Locke, On Politics and Education, New York, D. Van Nostrand.

1948 : *Two Treatises of Government*, Oxford, texte édité par J.W. Gough d'après la 6e édition.

1960 : *Locke's Two Treatises of Government*, a critical edition with introduction and notes, par Peter Laslett, Cambridge University Press, 1960.

Cette première édition a été réimprimée en 1963, 1964, 1966 ; une seconde édition a paru en 1967, réimprimée en 1970 et 1980. Cette édition remarquable fait autorité.

3. Les traductions françaises des traités politiques

1690 : *Abrégé des Deux Traités* (sous des titres anglais) par Jean Le Clerc, *Bibliothèque universelle et historique*, Amsterdam.

1691 : *Du gouvernement civil*, traduction de David Mazel, Amsterdam.

1724 : nouvelle édition du texte précédent, Genève.

1749 : nouvelle édition, revue et corrigée, Bruxelles.

1754 : autre édition du texte précédent, Bruxelles.

1755 : cinquième édition, revue et corrigée, établie d'après le texte de la cinquième édition de Londres (1728).

1780 : nouvelle édition, Amsterdam.

1783 : dans la traduction des *Œuvres de Locke* par Pierre Coste, l'essentiel du *Second Traité* est traduit. Le texte se trouve au tome V, Londres et Paris, Servière.

1790 : *Second Traité*, édité par Condorcet, Bibliothèque de l'homme public, Paris, Buysson, tome II.

1795 : nouvelle édition, revue et corrigée, faite d'après la dernière édition de Londres, Paris, an III.
De cette édition, il existe trois formats, donc, trois tirages différents.

1795 : autre édition, Paris, an III, d'après l'édition de Londres.

1802 : *Du gouvernement civil*, quatrième édition française, Londres et Paris, Servière, an X.

1802 : autre édition, Paris, Volland.

1953 : traduction du *Second Traité* par J.L. Fyot, Paris, P.U.F.

1967 : Résumé du *Premier Traité* et traduction du *Deuxième Traité du Gouvernement civil* par Bernard Gilson, avec Introduction et notes, ainsi qu'une traduction des *Constitutions fondamentales de la Caroline*, Paris, Vrin.

Signalons que le *Second Traité du Gouvernement civil* a été édité treize fois de 1773 à 1965 aux États-Unis, et qu'il en existe des traductions en langue
allemande
espagnole
hébraïque
italienne
japonaise
norvégienne

portugaise
russe
suédoise.

4. *Études consacrées à la pensée politique de Locke*

AARON R.I. : *John Locke*, Oxford, 1937 ; seconde édition, 1955. La troisième partie, très brève (pp. 270-286) concerne la morale et la politique.

BASTIDE CH. : *John Locke : ses théories politiques et leur influence en Angleterre*. Thèse de Lettres, Paris, Leroux, 1906 ; rééd. 1912.

BATTAGLIA F. : *Introduzione a Locke, Antologia degli scritti politici*, Bologne, 1962.

BOBBIO N. : *Locke e il diritto naturale*, Turin, 1963. « Studi lockiani », *Da Hobbes a Marx* (pp. 75-128), Naples, 1964.

BONNO G. : *Les Relations intellectuelles de Locke avec la France*, Berkeley, 1955.

CAMPBELL FRAZER A. :
article « Locke », *Encyclopaedia britannica*, 1882.
article « Locke », *Philosophers Classics*, Londres, 1890.
« Prolegomena », édition de l'*Essay concerning human Understanding*, 1894.
« John Locke as a factor in modern thought », *Proceedings of the British Academy*, I, 1903, p. 221.

CHEVALIER J. : *Histoire de la pensée*, tome III, p. 500 sq., Paris, Flammarion, 1961.

CHEVALLIER J.-J. : *Les Grandes Œuvres politiques*, Paris, A. Colin, 1966, pp. 85-99.

CHEVALLIER J.-J. : *Histoire de la pensée politique*, Paris, Payot, 1979, tome II, pp. 24-58.

CHRISTOPHERSEN : *A bibliographical introduction to the Study of J. Locke*, Oslo, 1930.

COX R.H. : *Locke on War and Peace*, Oxford, 1960 ; rééd. 1983.

CRANSTON M. : *John Locke : a biography*, Londres, 1957.

DEVINE F.E. : « Absolute Democracy or indefeasible

Right : Hobbes versus Locke », *The Journal of Politics*, 1975, pp. 736-768.

DIDIER J. : *John Locke*, Paris, 1911.

DRURY S.B. : « Locke and Nozick on Property », *Political Studies*, Guilford, England, 1982, n° 2.

DUCHESNEAU F. : *L'Empirisme de Locke*, La Haye, M. Nijhoff, 1973.

« John Locke », in *Histoire de la philosophie*, tome IV, Hachette, Paris, 1972, pp. 19-45.

DUMONT L. : *Homo aequalis. Genèse et épanouissement de l'idéologie économique*, Chicago, trad. française Gallimard, 1977 ; chap. IV : « Les deux Traités de Locke : émancipation du politique », pp. 68-82.

DUNN J. : *The political Thought of John Locke*, Cambridge, 1969 ; traduction française, P.U.F., Collection Léviathan, 1991.

EUCHNER W. : *La Philosophie politique de Locke :* en allemand, Francfort-sur-le-Main, 1969 ; en italien, Bari, 1976.

EVEN L. : *Maine de Biran, critique de Locke*, Louvain, 1983 (ne concerne la pensée politique que de manière très indirecte).

FASSO G. : *Storia della filosofia del diritto*, Bologne, 1968, tome II.

FOX BOURNE H.R. : *The Life of John Locke*, Londres, 2 volumes, 1876.

L'auteur a utilisé des manuscrits de Locke et a publié dans cette étude divers extraits. Cependant, les *Reflections upon the Roman Commonwealth*, publiées ici sous le nom de Locke, doivent être rendues à leur véritable auteur, Walter Moyle.

FRANKLIN J. : *J. Locke and the Theory of Sovereignty*, Cambridge, Cambridge University Press, 1978.

GIBSON J. : *Locke's Theory of Knowledge and its historical relation*, Cambridge, 1917.

GOOCH G.P. : *Political thought in England from Bacon to Halifax*, Londres, 1914.

GOUGH J.W. : *John Locke's political philosophy*, Oxford, 1950.

GOLDIE M. : « John Locke and Anglican Royalism », *Political Studies*, Guildford, 1983.

GOYARD-FABRE S. : « Souveraineté et citoyenneté dans le libéralisme de John Locke », *Cahiers de Philosophie politique et juridique*, Caen, 1983, n° 4.

« Le pouvoir fédératif selon John Locke », *Cahiers de Philosophie politique et juridique*, Caen, 1984, n° 5.

John Locke et la raison raisonnable, Vrin, 1986.

« Pouvoir juridictionnel et gouvernement civil dans la philosophie politique de Locke », *Revue internationale de Philosophie*, 1988.

GRONDIN M. : *Les Doctrines politiques de Locke et les origines de la Déclaration des Droits de l'Homme de 1789*, thèse de droit, Bordeaux, 1920.

HERTLING G.V. : *Locke und die Schule von Cambridge*, Fribourg-en-Brisgau, 1892.

JAMES D.G. : *The Life of Reason : Hobbes, Locke, Bolingbroke*, Londres, New York, Toronto, 1949.

JANET P. : *Histoire de la Science politique dans ses rapports avec la morale*, Paris, livre I, V, chap. II, 1887.

KENDALL W. : *J. Locke and the doctrine of majority rule*, Illinois Press, 1941.

KING (Lord Peter) *Life of John Locke*, 2 volumes, 1829 et 1830.

Lord King est un descendant de l'héritier de Locke. Il possédait les manuscrits du philosophe. Au récit de sa vie, il a adjoint des extraits importants de la correspondance, du journal et des carnets de Locke.

KLEMMT A. : *John Locke : Theoretische philosophie*, Meisenheim, 1952.

KLIBANSKY R. et POLIN R. : *Introduction à la Lettre sur la tolérance*, Paris, P.U.F., 1965.

LAMPRECHT S.P. : « Locke's attack upon innate Ideas », *Philosophical Review*, XXXVI, p. 145.

LASKI H.J. : *Political Thought in England from Locke to Bentham*, New York, 1920.

Rise of european liberalism, 1936 ; trad. française, Paris, 1950.

LASLETT P. : *Introduction et notes à l'édition critique des Deux Traités du gouvernement civil* de John Locke, Cambridge, 1960 ; rééditions 1963, 1964, 1966 ;

seconde édition 1967, réimprimée en 1970 et 1980.

« Locke's Two Treatises of Government », *Transactions of the Cambridge Bibliographical Society*, 1952, vol. I, 4e partie, pp. 341-347 ; vol. II, 1re partie, pp. 63-87.

LEROY A.L. : *Locke, sa vie, son œuvre*, Paris, P.U.F., 1964.

Leyden W. von : Hobbes and Locke. *The politics of freedom and obligation*, New York, 1982.

LOUGH J. : *Locke's Travels in France, 1675-1679*, Cambridge, 1953.

LYON G. : « Locke » in *L'Idéalisme anglais au XVIIIe siècle*, 1888.

MC LACHLAN H. : *The religious opinions of Milton, Locke and Newton*, Manchester, 1941.

MACKIE J.-L. : *Problems from Locke*, Oxford, 1976.

MACPHERSON C.B. : *L'Individualisme possessif de Hobbes à Locke*, Oxford, 1962 ; traduction française, Paris, Gallimard, 1971.

MARCAGGI V. : *Les Origines de la Déclaration des Droits de l'homme de 1789*, thèse, Aix-en-Provence, 1904.

MARION H. : *John Locke, sa vie et son œuvre*, Paris, 1878, 1893.

MANCINI I. : *John Locke*, Milan, 1976.

NOZICK R. : *Anarchie, Etat, Utopie* (1974), traduction française, P.U.F., 1981.

OLLION H. : *La Philosophie générale de John Locke*, thèse Lettres, Paris, 1908 ; *Lettres inédites de Locke*, thèse complémentaire, Paris, 1908.

PASSERIN D'ENTRÈVES : « Hooker and Locke », *Studi del Vecchio*, 1931.

La Notion d'État, Sirey, 1969.

PITKIN : « Obligation and Consent », *American Political Science Review*, 1966.

« Sens et fondement du pouvoir chez Locke », in *Le Pouvoir*, Institut international de Philosophie politique, tome I, Paris, P.U.F., 1956.

POLIN R. : *La Politique morale de John Locke*, Paris, P.U.F., 1960.

« La giustizia nella filosofia di Locke », *Pintacuda de Michelis, Locke*, Milan, 1963.

POLLOCK : « Locke's Theory of the State », *Essays in the Law*, 1922.

PRÉLOT : *Histoire des idées politiques*, Paris, Dalloz, 1958, chap. XXIV.

RIVAUD A. : *Histoire de la philosophie*, tome III, p. 385 sq, Paris, P.U.F., 1950.

ROSE F.O. : *Die Lehre von den eingeboren Ideen bei Descartes und Locke*, Berne, 1901.

STEPHEN L. : *History of English Thought in the XVIIIth Century*, 1925.

SORGI G. : *Per uno studio della participazione politica, Hobbes, Locke, Tocqueville*, Lecce, 1981.

STEINBERG J. : *Locke, Rousseau and the Idea of consent. An Inquiry into the liberal democratic Theory of political obligation.* Westport, Connecticut, 1978.

STRAUSS L. : « On Locke's doctrine of natural right », *Philosophical Review*, LXI, 1952, pp. 475-502, reproduit dans *Droit naturel et Histoire*, Paris, Plon, 1954, pp. 215-261.

TOUCHARD J. : *Histoire des idées politiques*, tome I, p. 374 sq, Paris, P.U.F., 1959, 6e éd., 1978.

TRUC G. : *La Renaissance de Locke*, s.l.s.d.

TULLY J. : *A Discourse on Property. John Locke and his adversaries*, Cambridge University Press, 1980.

VAUGHAN C.F. : *Studies in the History of political philosophy*, Burt Franklin, New York, 1930, tome I, chapitre IV, pp. 130-203.

VIANO C.A. : *John Locke. Dal Razionalismo all' illuminismo*, Turin, 1960.

WILLEY B. : *The Seventeenth Century Background*, Londres, 1962.

YOLTON J.W. : *John Locke and the way of ideas*, Oxford, 1956.

Locke a proposito della legge di natura, Turin, 1958.

Locke and the compass of human Understanding, Cambridge, 1970.

ZARONE G. : *John Locke*, Bari, 1975.

Publications collectives

John Locke : Symposium Wolfenbüttel, 1979, édité par R. Brandt, Walter den Gruyten, Berlin, 1980.

« La Pensée libérale de John Locke », *Cahiers de Philosophie politique et juridique de l'Université de Caen*, n° 5, 1984.

Revue internationale de Philosophie, Locke, 1988/2, n° 165.

REPÈRES CHRONOLOGIQUES

Histoire	*Vie intellectuelle*
1603 Mort d'Élisabeth Ire. Jacques Ier devient roi.	Les Jésuites à Paris. Arminius à l'Université de Leyde. Champlain au Canada.
1604 Paix entre l'Espagne et l'Angleterre.	
1605 Conspiration des poudres contre Jacques Ier.	CERVANTÈS : *Don Quichotte*. SHAKESPEARE : *Le Roi Lear; Macbeth*.
1607 Lois d'exception contre les catholiques en Angleterre.	
1608	Naissance de Milton.
1610 Assassinat d'Henri IV.	
1618 La défenestration de Prague.	
1620 Début de la Guerre de Trente Ans.	F. BACON : Le *Novum Organum*.
1621	Naissance de La Fontaine.
1622	Naissance de J.-B. Poquelin (Molière).
1623 Diète de Ratisbonne.	GALILÉE : Le *Saggiatore*. Naissance de Pascal.

1624 Richelieu au Conseil.
Mariage d'Henriette de France et de Charles Ier d'Angleterre.

MERSENNE : *L'Impiété des déistes.*

1625 Mort de Jacques Ier; Charles Ier lui succède.

GROTIUS : *De jure belli ac pacis.*

1627 Siège de La Rochelle.
Défaite de la flotte anglaise de Buckingham.

Naissance de R. Boyle.
Naissance de Bossuet.

1628 Capitulation de La Rochelle.
Le *Bill of Rights*.

1629 Rupture entre Charles Ier et le Parlement. Charles Ier gouverne en souverain absolu.
Début d'un fort courant d'émigration anglaise vers l'Amérique.

Naissance de Huyghens.

1630 Diète de Ratisbonne.
La peste en Italie : un million de morts.

Mort du cardinal Pierre de Bérulle.
Mort de Kepler.

1631

GALILÉE : Le *Dialogo*.

1632

Condamnation de Galilée.
Naissance de Spinoza.
Naissance de John Locke.

1633

Laud, archevêque de Canterbury.

1634 Absolutisme de Charles Ier : il lève le *ship money* sans vote du Parlement.

1635

Fondation de l'*Académie française*.

1636

FERMAT : la théorie des nombres.
CORNEILLE : *Le Cid*.

1637

DESCARTES : Le *Discours de la Méthode*; la *Dioptrique*.

VAN DYCK : portrait de Charles Ier.

GALILÉE : loi du pendule.

1638 Naissance de Louis XIV.
Le procès de Hampden.
Soulèvement de l'Écosse.

Naissance de Malebranche.

Mort de Jansénius.

1639

Naissance de Racine.

1640 Début de la révolution anglaise ; Le *Court* et le *Long Parlement*.

L'*Augustinus* de Jansenius.

1641 Procès et exécution de Strafford.
Révolte de l'Irlande.
Solennelle remontrance du Parlement à Charles Ier.

DESCARTES : *Les Méditations métaphysiques*.

CORNEILLE : *Polyeucte*.

1642 Mort de Richelieu.
Soulèvement de Londres le 4 janvier ; Charles Ier quitte Londres le 10 janvier.
Accord des parlementaires anglais et des Écossais presbytériens.
Mort de Pym.

Naissance de Newton.

HOBBES : *De cive*.

Mort de Galilée.

1643 Mort de Louis XIII.
Anne d'Autriche régente.
Mazarin ministre.

A. ARNAULD : *De la fréquente communion*.

Mort de Monteverdi.

1644 Les Côtes de Fer de Cromwell se distinguent à Marston-Moor.

DESCARTES : *Principia philosophiæ*.

TORRICELLI : le baromètre.

1645 14 juin : bataille de Naseby : défaite de l'armée royale anglaise.
L'armée entre en scène dans la révolution anglaise.

1646

Naissance de Leibniz.

1647 En Angleterre, guerre entre l'armée et le Parlement.

Naissance de Denis Papin.

Naissance de Pierre Bayle.

VAUGELAS : *Remarques sur la langue française*.

1648 En Angleterre, épuration du Parlement par l'armée.
En France, la Fronde parlementaire (1648-1652).
Traité de Westphalie.

1649 Exécution de Charles Iᵉʳ le 9 février ; La République.
Les tueries de Drogheda en Irlande.
La Fronde des Princes en France.

Première grande crise universelle.

1650 Cromwell fait la guerre à l'Écosse où Charles II est roi.

Mort de Descartes.

1651 Défaite de Charles II à Worcester ; l'Acte de Navigation.
Confiscation des biens des Irlandais catholiques.

HOBBES : le *Léviathan*.
Naissance de Fénelon.

1652 Fin de la Fronde.
Louis XIV à Paris.

1652-1654 Première guerre navale anglo-hollandaise.

1653 Coup d'État d'Olivier Cromwell ; dissolution du Parlement croupion. Protectorat de Cromwell.

Première condamnation du jansénisme.

1655 Jean de Witt Grand Pensionnaire de Hollande.

1656

Spinoza exclu de la Synagogue.

1657

PASCAL : Les *Provinciales*.
Naissance de Fontenelle.
HUYGHENS : la théorie du pendule.

1658 Mort d'Olivier Cromwell (septembre) ; Richard Cromwell lui succède.

1659 Abdication de R. Cromwell (mai).
Paix des Pyrénées.

1660 Restauration des Stuarts en Angleterre : Charles II.

Dernier synode de l'Église réformée en France à Loudun.
Les *Provinciales* condamnées au feu.
Fondation de la *Royal Society* (novembre).
Naissance de Daniel de Foe.

1661 Mort de Mazarin. Début du règne personnel de Louis XIV. Colbert.

1662 24 août : la Saint-Barthélemy des puritains.

Mort de Pascal.

1664

DESCARTES : *Le Traité de l'Homme* (posthume).

1665 Seconde guerre anglo-hollandaise (jusqu'en 1667).

1665-1666 La grande peste de Londres.

1666 2-6 septembre : l'incendie de Londres.

Création du *Journal des Savants*.
Fondation de l'*Académie des Sciences* à Paris.

1667 Guerre de dévolution. Démantèlement des Pays-Bas espagnols.

Observatoire de Paris.
Naissance de Bernouilli.
RACINE : *Andromaque*.
MILTON : *Le Paradis perdu*.
Naissance de Swift.

1668 Triple alliance de La Haye : les nations protestantes contre la France.

Naissance de J.-B. Vico.

1670 Traité de Douvres : Charles II s'engage à se convertir au catholicisme.

SPINOZA : *Tractatus theologico-politicus*.
Publication des *Pensées* de Pascal.

1671 Conversion du duc d'York au catholicisme.

MILTON : *Le Paradis retrouvé*.

1672 Chute des frères de Witt ; les orangistes au pouvoir.

Déclaration d'Indulgence à l'égard des puritains et des catholiques anglais.

1673 Abandon de la tolérance en Angleterre : le *Bill du Test*.

1674 L'Angleterre signe la paix avec la Hollande.

1675

1677 Marie Stuart (II) épouse le Stathouder Guillaume d'Orange.

1678 Alliance anglo-hollandaise. Front protestant contre la France.
L'affaire Titus Oates : le nouveau *Bill du Test*. Durcissement anticatholique en Angleterre.

1679 Dissolution du Parlement anglais par Charles II. Le Nouveau Parlement vote le *Bill d'Habeas Corpus*.
Paix de Nimègue; hégémonie française sur l'Europe.

1681 William Penn, chef de la secte des Quakers.

1682

1683 Exécution du chef du parti whig.
Mort de Colbert.

PUFENDORF : *De jure naturæ et gentium.*

MOLIÈRE : *Le Malade imaginaire.*
Mort de Molière.
Mort de Milton.
MALEBRANCHE : *La Recherche de la Vérité.*
BOILEAU : *L'Art poétique.*
Newton et Leibniz découvrent le calcul infinitésimal.
Naissance de Saint-Simon.
Mort de Spinoza.
SPINOZA : *L'Éthique* (posthume).
RACINE : *Phèdre.*
Madame de LA FAYETTE : *La Princesse de Clèves.*
RICHARD SIMON : *Histoire critique du Vieux Testament.*

Révolte du papier timbré en Angleterre.
Fin de la protection judiciaire des protestants en France.

Fondation de la Pennsylvanie.

NEWTON : loi de l'attraction universelle.

1684

LEIBNIZ : La *Nova methodus*.
Naissance de Berkeley.
Révocation de l'Édit de Nantes.
Début de « la crise de la conscience européenne ».

1685 Mort de Charles II ; avènement de Jacques II, roi catholique.
Répression contre Monmouth et ses partisans.

1686

JURIEU : Les *Lettres pastorales* (1686-1689).
FONTENELLE : *Entretiens sur la pluralité des mondes*.

1687 Déclaration d'Indulgence de Jacques II. Opposition des protestants.
En France, déportation des huguenots réfractaires.

NEWTON : *Philosophiæ naturalis principia mathematica*.

1688 Naissance du fils de Jacques II.
Novembre : G. d'Orange débarque à Torbay.
Jacques II s'enfuit.
Glorious Revolution.

Naissance de Swedenborg.
Charles PERRAULT : *Parallèle des Anciens et des Modernes*.
LA BRUYÈRE : *Les Caractères*.
Naissance de Pope.
Révolte de l'Irlande.

1689 Le Parlement-Convention (janvier).
La *Déclaration des Droits* (février).
Guillaume III et Marie II.
Dévastation du Palatinat par les troupes de Louis XIV.

Les Soupirs de la France esclave.
DOMAT : *Traité des lois civiles*.
Naissance de Montesquieu.
LOCKE : *Lettres sur la tolérance*.

1689-1691 Guerre de l'Angleterre et de l'Irlande.

1690 Jacques II perd l'Irlande.

LOCKE : *Essai concernant l'entendement humain*.
LOCKE : *Les deux traités du gouvernement civil*.

1693-1694 Crise de l'économie française.

1694 Mort de la reine Marie.

Naissance de Jussieu.
Naissance de Voltaire.
Mort de Racine.

1695 Liberté de la presse en Angleterre.

BAYLE : *Dictionnaire historique et critique*.

1696

LOCKE : *Reasonableness of Christianity*.
TOLAND : *Christianity not mysterious*.

1699

FÉNELON : *Télémaque*.

1700

Fondation de l'*Académie des Sciences* de Berlin.

1701

Mort de Jacques II.
Actes d'Établissement (règlement de la succession protestante).

1702 Mort de Guillaume III. Avènement de la reine Anne.

The Daily Courant : le premier quotidien en Angleterre.

1703 Traité Methuen : l'Angleterre a la moitié du Portugal et du Brésil.

LEIBNIZ : *Nouveaux essais sur l'entendement humain*.

1704

Mort de John Locke.
MANDEVILLE : *La Fable des Abeilles*.
Mort de Bossuet.

1706

Mort de Bayle.

1707 Acte d'union Écosse/Angleterre : le Royaume-Uni de Grande-Bretagne.

1708

BERKELEY : *Théorie de la vision*.

1710 Conférence de Geertruydenberg.
Grave crise en France.
Philippe V maître de l'Espagne.

Destruction de Port-Royal-des-Champs.

1711	Naissance de David Hume.
1712	Naissance de Jean-Jacques Rousseau. Naissance de Denis Diderot.
1713 Paix d'Utrecht.	Abbé de SAINT-PIERRE : *Projet de paix perpétuelle*.

TABLE

GF Flammarion

12/11/178252-XI-2012 – Impr. MAURY Imprimeur, 45330 Malesherbes.
N° d'édition L.01EHPNFG0408.C016. – Septembre 1992. – Printed in France.